LE BUSINESS

DU MÊME AUTEUR

L'Usage des armes, Laffont, 1992, et LGF, 1996
L'Homme des jeux, Laffont, 1992, et LGF, 1996
Une forme de guerre, Laffont, 1993, et LGF, 1997
Un homme de glace, Denoël, 1997, et Pocket, 1999
Excession, Laffont, 1998
Entrefer, Gallimard/Folio, 2000

IAIN BANKS

LE BUSINESS

Traduit de l'anglais
par Christiane et David Ellis

belfond
12, avenue d'Italie
75013 Paris

Titre original :
THE BUSINESS
publié par BCA by arrangement with
Little, Brown and Company (UK).

Si vous souhaitez recevoir notre catalogue
et être tenu au courant de nos publications,
envoyez vos nom et adresse, en citant ce livre,
aux Éditions Belfond,
12, avenue d'Italie, 75013 Paris.
Et, pour le Canada,
à Vivendi Universal Publishing Services,
1050, bd René-Lévesque-Est,
Bureau 100,
Montréal, Québec, H2L 2L6.

ISBN 2-7144-3747-8

*À Ray, Carole et Andrew,
et merci encore à Ken.*

Prologue

— Allô ?

— Kate ?

— Oui.

— Ch'est Mike.

— Mike ?

— Mike, Mike Danielsh ! Putain, Kate, ne me…

— Mike, il est quatre heures trente-sept du matin.

— Je chais l'heure qu'il est !

— Mike, je voudrais dormir.

— Déjolé, mais ch'est important, bordel !

— Dors ! Et ce qui te paraît si important ne le sera peut-être plus, une fois réveillé. Et à jeun.

— Mais je ne chuis pas chaoul ! Tu veux bien m'écouter, oui ?

— C'est ce que je fais. J'écoute un homme ivre. Retourne dans ton lit, Mike ! Eh, mais ! Attends un peu ! Tu ne dois pas être à Tokyo, aujourd'hui ?

— Chi !

— D'accord. Alors, va dormir. Je vais débrancher le téléphone. J'ai oublié de le faire hier s…

— Non ! Ch'est pour cha que ch' t'appelle : Tokyo !

— Quoi ? Qu'est-ce qui se passe avec Tokyo ?

— Che ne peux pas y aller !

— Qu'est-ce que tu veux dire ? Pourquoi pas ? Il faut que tu y ailles.

— Mais che ne peux vraiment pas y aller !

— Calme-toi.

— Comment veux-tu que che chois calme, bordel ! Une echpèche d'enfoiré m'a arraché la moitié des dents !

— Répète-moi ça ?

— Ch'ai dit qu'un enfoiré m'a arraché la moitié des dents !

— C'est une blague ou quoi ? Qui est à l'appareil ?

— Ch'est moi, putain ! Ch'est Mike Danielsh.

— Vous ne parlez pas comme le Mike Daniels que je connais.

— Bien chûr que non ! Ch' te répète qu'on m'a arraché la moitié des dents ! Enfin, merde, réveille-toi, Kate !

— Je suis réveillée ! Prouvez-moi que vous êtes bien Mike Daniels. Dites-moi ce que vous allez faire à Tokyo.

— Oh, Cheigneur Dieu !

— Allons, faites un effort ! Dites-le-moi !

— O.K., O.K. ! Che defais aller à Tokyo avec X. Parfitt-Sholomenideshhh pour chigner la première partie de l'accord de l'île de Pejantan avec Kirita Shinijagi, pédéché de la Shimani Aerospache Corporachion. Chatichfaite ?

— Ne coupe pas.

— Quoi ? Qu'est-che que tu fais ? Allô ? Allô ? Kate ?

— … O.K… Continue. Qu'est-ce qui se passe avec tes dents ?

— Ta voix est bijarre. Il y a un écho. T'es dans la challe de bains, non ?

— Futé, le mec !

10

— Où es-tu ? Ichi à Londres ?

— Non, je suis à Glasgow. Maintenant explique-moi ce qui se passe.

— Un chalaud m'a enlevé la moitié de mes dents. Che me regarde dans le miroir maintenant et ma bouche est toute rouche. Ah, le chalopard !

— Mike, reprends-toi ! Raconte-moi tout.

— Che suis sorti. Che chuis allé dans une boîte. Ch'ai rencontré cette fille.

— Ouais…

— Et puis on est allés chez jelle.

— Donc, tu fais les boîtes et tu ramasses une poule. C'est parfait comme préparation au voyage d'affaires le plus important de ta carrière !

— Me cache pas les couilles avec tes laïuches de bonne cheur !

— Mes quoi ?

— Tes laïuches de nonne à la con !

— Très bien. Tu vas en boîte et tu fais une touche. Comment ça t'amène à perdre la moitié de tes dents ? Elles avaient des plombages en or ?

— Non !

— Alors il y avait un petit ami jaloux qui t'attendait chez elle ?

— Non ! En fait, je n'en chais rien. Tout che que je me rappelle, ch'est qu'on ch'est roulé des pelles, on a pris un verre et che me suis réveillé chez moi avec la moitié de mes dents qui avaient disparu. Qu'est-che que che fais faire, bordel de merde ? Che peux pas jaller à Tokyo comme cha !

— Attends un peu. Tu t'es réveillé dans ton propre appartement ?

— Vouiche ! Et dans mon lit à moi ! Enfin, dechus. Y a dix minutes.

— Personne d'autre n'est là ?

11

— Non !

— Tu as vérifié ton portefeuille ?

— Euh… non !

— Vérifie tout de suite. Et essaie de retrouver tes clés.

Il y eut le bruit d'un récepteur qu'on pose. Je restai, sourcils froncés, à fixer le rebord de la baignoire. Mike revint en ligne.

— Manque rien.

— Clés ? Fric ? Cartes de crédit ?

— Ch'est tout là.

— Il ne manque rien dans l'appartement ?

— Pas ja première vue. Rien ne manque. Chauf ches foutues dents !

— Je suppose que tu n'avais jamais rencontré la fille avant ?

— Non, chamais.

— Est-ce que tu peux te rappeler son adresse ?

— Notting Hill quelque choje. Che crois.

— Notting Hill Street ?

— Che… Aucune idée… Ch'étais un peu dichtrait pendant le trajet en takchi.

— Tu parles ! Tu vas souvent dans cette boîte ?

— Achez chouvent… Kate, t'es touchours là ?

— Toujours. Mike, est-ce que tu souffres ?

— Moralement ch'est franchement l'angoiche, putain ! Mais ma bouche est inchenchible.

— Tu saignes beaucoup ?

— Nnn… non.

— Tu vois des traces de piqûres sur tes gencives ?

— Quoi ? Ah… Attends…

J'avais froid. Je saisis une serviette sur le rail chromé de la baignoire pour m'en draper. Puis je me rassis sur le siège des toilettes. Mon froncement de sourcils allait se creusant. Je me regardai dans le miroir. Moche. Je passai à grand-peine une main dans mes cheveux en broussaille.

12

Au téléphone, Mike Daniels avait repris :

— P'têt' ben. Quelques traches de piqûres. Quatre environ.

— Donc, on ne t'a pas cassé les dents. On les a extraites.

— Quelle chorte de taré che mettrait à vous jenlever la moitié des dents ? Un dentichte ?

— Semblerait. Un dentiste du centre-ville faisant de sacrées heures supplémentaires ! J'espère qu'on t'enverra pas l'addition.

— Ch'est pas drôle !

— Non, en fait c'est ta voix qui est drôle. Mais les conséquences le sont moins.

— Eh bien, che chuis fachement content de pouvoir te dichtraire un peu, Katherine ! Mais qu'est-che que che fais faire, moi, putain ?

— Tu l'as déjà signalé à la police ?

— La poliche ? Tu veux parler de la chécurité ?

— Non, de la police municipale de Londres.

— Euh, non... Che me chuis dit...

— Tu en as parlé à quelqu'un d'autre ?

— Non, cheulement à toi. Che commence à le regretter, d'ailleurs.

— Bon. C'est à toi de voir si tu dois appeler la police. Si c'était moi... je crois que je ne le ferais pas. Mais téléphone aux gars de la sécurité et mets-les au courant.

— Mais qu'est-che qu'ils peuvent faire ?

— Rien, sans doute. Mais il vaut mieux qu'ils soient au courant. Et appelle le service assistance de ta carte de crédit. Ça marche vingt-quatre heures sur vingt-quatre. Tu as une carte platine ?

— Non, or.

— Écoute, s'ils te font des ennuis, dis-leur que tu appelles sur mes conseils. Ils arriveront peut-être à te dénicher un dentiste qui pourra faire quelque chose.

13

— Comme me refaire la moitié des chaillottes avant dix jheures du matin ?

— C'est l'heure de ton vol ?

— L'heure de l'enregichtrement.

— Tu voyages sur une ligne régulière ?

— Ouiche.

— On ne pourrait pas te laisser un peu plus de temps en t'envoyant avec un avion de la boîte ?

— On en a déchà parlé avant chette hichtoire. Non. Trop d'echcales techniques ou quelque choje comme cha.

— Tu dois rencontrer Shinizagi combien de temps après ton arrivée ?

— Environ quatre heures.

— Hum… Mike ?

— Ouiche.

— On t'a enlevé quelles dents, précisément ?

— Hein ? Che chais pas. Che chais pas comment on les jappelle. Une dent de devant… molaire… dent de chasesse gauche… environ la moitié de toutes. On dirait que le type a fait cha au hasard. Chans jaucune logique. Pas pareil en haut et en bas. Pas pareil à droite et à gauche. Donc… ?

— Donc quoi ?

— Donc, tu as une idée ?

— Je te l'ai dit : contacte le service d'assistance. Et appelle Adrian. Adrian George. C'est lui que tu aurais dû appeler pour commencer. Je suis en congé sabbatique. Tu l'as oublié ?

— Mais non, ch'ai pas oublié ton putain de congé chabbatique. Et che chuis déjolé de troubler ton préchieux sommeil ! Che croyais bêtement que tu pourrais m'aider !

— C'est ce que je fais. Je te dis de joindre la sécurité, le service d'assistance de ta carte de crédit et Adrian. Alors, fais-le. Parce que, de toute façon, il faut que tu prennes cet avion.

— Mais che peux pas y aller comme cha !

— Arrête de pleurnicher !

— Che ne pleurniche pas !

— Mais si, tu pleurniches. Arrête ! Il faut que tu sois à Tokyo ce soir. Demain soir. Enfin, je m'y perds. En tout cas, ça fera très mauvais effet si tu leur fais faux bond. Kirita Shinizagi est très pointilleux sur l'exactitude.

— Pointilleux ? Pointilleux, merde ! Et ch'il inchiste pour que ches cadres aient toutes leurs dents ? Dans la culture chaponaije, ch'est peut-être une terrible inchulte de che pointer tout édenté !

— Je croyais que tu connaissais la culture japonaise aussi bien que la langue, Mike ! Tu dois savoir si c'est le cas ou non.

— Écoute, on ne peut pas envoyer quelqu'un d'autre ? Ch'est Parfitt-Sholomenideshhh la vedette de la rencontre, pas moi. Che chuis cheulement un cran au-dessus du bagagichte.

— Pas d'accord ! Tu as été mêlé à l'affaire depuis le début. Kirita Shinizagi a confiance en toi. Et Parfitt-Sholomenides ne parle pas japonais. Franchement, même si Shinizagi ne t'attendait pas, il faudrait tout de même que tu y ailles parce que Parfitt-Sholomenides compte sur toi. Et n'espère pas une promotion si toi, petit niveau-quatre, tu commences à agacer les cadres de niveau un parce que tu as un petit problème dentaire. D'ailleurs, Kirita Shinizagi t'attend. Et si tu n'y allais pas, on pourrait… enfin bref.

— On pourrait quoi ?

Je retins à grand-peine un début de fou rire.

— Non, ch'est pas vrai ! Tu te marres ? Alors cha, ch'est trop fort !

15

— Désolée, j'ai failli dire qu'on pourrait perdre la face !

— Comment ? Ah, très drôle, Kate ! Moi auchi, ch' me marre !

— Parfait. Alors, passe ces coups de fil. Et ne rate pas ton avion.

— Oh, Cheigneur Dieu !

— Dieu ne te sera d'aucun secours, Mike. Adresse-toi plutôt à un orthodontiste !

— T'es une vraie chalope ! Cha t'amuje, hein ?

— Pas le moins du monde. Et ne t'avise plus jamais de me traiter de salope, Michael !

— O.K., O.K. Déjolé de t'avoir dérangée !

— Je te pardonne, vu les circonstances. J'espère que tout marchera bien. Salue de ma part Kirita Shinizagi.

— Chi j'arrive à parler japonais chans mes dents…

— Fais de ton mieux. Je suis sûre qu'ils ont de très bons dentistes au Japon.

— Euh…

— Bonne nuit, Mike, et bon voyage !

— Ouais ! Bonne nuit ! Et… merci !

Le téléphone se tut. Je le regardai, un peu surprise, et je raccrochai. Je remis la serviette sur le bord de la baignoire et cherchai le chemin du lit à tâtons dans cette chambre peu familière.

— C'était qui ? demanda une voix grave, endormie.

— Personne, dis-je en me glissant entre les draps. Un faux numéro.

1

Je m'appelle Kathryn Telman. Je suis cadre supérieur, niveau trois en partant du haut, dans une organisation commerciale qui a porté différents noms au fil des âges mais que, de nos jours, nous appelons tout simplement le Business. Il y aurait beaucoup à dire sur cette entreprise bien particulière, mais je vous demanderai de patienter. Car je compte procéder par étapes et vous fournir, progressivement et en temps opportun, les informations qui vous permettront de mieux saisir la nature ancienne et vénérable de cette entreprise, et aussi – pour vous, sans doute – son étonnante ubiquité.

Je vous signale, en passant, que je mesure un mètre soixante-dix et que je pèse cinquante-cinq kilos. J'ai trente-huit ans, je possède la double nationalité britannique et américaine, je suis blonde par nature et non par artifice, célibataire, et je travaille pour le Business depuis la fin de mes études.

Au début du mois de novembre 1998, dans la cité de Glasgow, en Écosse, Mrs Todd, la gouvernante, après avoir débarrassé la table des restes de mon petit déjeuner, quitta la pièce en trottinant silencieusement sur le parquet de pin. CNN babillait gentiment sur l'écran du téléviseur. Je me tamponnai les lèvres avec délicatesse sur la serviette fraîchement amidonnée, tout en laissant mon regard s'égarer par la grande fenêtre sur les bâtiments nimbés de pluie, de l'autre côté de la rivière grise. Quelques années auparavant, les appartements de la société avaient été transférés de Blythwood Square vers ce nouveau quartier à la mode de Merchant City, sur la rive nord de la Clyde.

Le bâtiment actuel appartenait à la société depuis sa construction, à la fin du XVIIIe siècle. Utilisé comme entrepôt pendant deux cents ans, il était devenu un magasin de vêtements à bon marché durant une décennie avant d'être laissé un certain nombre d'années à l'abandon. On l'avait rénové dans les années 80 pour y créer des bureaux et des magasins dans les étages inférieurs, et des appartements style loft aux trois derniers étages. Celui-ci, le plus haut, était entièrement réservé au Business.

Mrs Todd revint à pas feutrés finir de débarrasser la table.

— Est-ce que ce sera tout, Ms Telman ?

— Oui, merci, Mrs Todd.

— La voiture vous attend.

— Donnez-moi dix minutes.

— Je les préviens.

Ma montre et mon téléphone mobile indiquaient d'un commun accord qu'il était neuf heures vingt. J'appelai Mike Daniels.

— Ouiche ?

— Ah, je vois.

— Oui, tu vois, en effet.

— On n'a pas pu te trouver de dentiste ?

18

— Ils m'ont trouvé un dentichte, mais pas achez de temps pour faire quelque choje. Ch'ai touchours la gueule d'un bokcheur.

— Dommage. On dirait que tu es en voiture, non ? J'imagine que tu fais route vers Heathrow ?

— Ouiche. Tout che déroule dans les temps.

— Tu as mal ?

— Un peu.

— Tu as appelé la sécurité ?

— Oui, et Adrian George. Ils m'ont encore moins aidé que toi. Che ne crois pas qu'Adrian G. m'aime beaucoup. Il a appelé Tokyo et le bureau du patron, hichtoire de les préparer et de leur éviter un choc.

— Très courtois de sa part.

— Il m'a dit que les gars de la chécurité chouhaitaient me parler à mon retour. D'ores et déjà, ils vont faire une enquête. Ch'ai dû leur refiler mes clés avant mon départ, che matin. Ah oui, au fait, qui ch'est che Walker ?

— Walker ?

— Un mec de la chécurité.

— Tu veux dire *Colin* Walker ?

— Ch'est cha ! Adrian G. a dit qu'il l'avait vu dans un bureau de Whitehall, il y a quelques jours de cha. Chemblait trouver très amujant qu'il choit chargé de l'enquête.

— Ça m'étonnerait. Walker est un des gars de Hazleton. Le chef de sa sécurité. En fait, plutôt de son comité d'exécution.

— Comité d'egjécuchion ? Merde, chamais entendu parler de chette divijion. Quelque choje top checret pour les niveau-quatre ?

— Non. Officiellement, Walker fait partie de la sécurité. Mais en fait on le considère plutôt comme… les muscles de Hazleton.

— Les muchcles ? Merde, tu veux dire un chenre d'homme de main ?

19

— Tu ne trouves pas qu'homme de main ça fait un peu série B des années 50 ? Disons plutôt que c'est un homme à tout faire. En fait, si on avait des tueurs à gages, il en ferait partie. Il serait probablement leur chef, d'ailleurs.

Si j'en sais un peu plus que la moyenne de mes collègues sur la sécurité, c'est parce que j'ai commencé ma carrière dans cette branche. C'était avant que mon intérêt pour les gadgets, les nouvelles technologies et autres tendances de pointe m'ait fait quitter les rails du cursus classique dans la compagnie pour emprunter la voie rapide des gros salaires. Maintenir de bons contacts avec les gars de la sécurité allait pourtant se révéler être un des investissements les plus profitables de ma carrière.

— Hashleton ? Est-che qu'il est vraiment aussi féroche qu'on le dit ?

— Pas en règle générale. Mais Walker l'est. Je me demande bien ce qu'il est venu fabriquer par ici.

— J'ai entendu dire qu'il y avait une chorte de réunion, la chemaine prochaine, à... euh... dans le Yorkshire.

— Vraiment ?

— Ouiche. Un truc lié à chette hichtoire dans le Pachifique. Il est peut-être là pour cha ! Hashleton va peut-être che pointer d'Amérique pour l'occajion. Walker est envoyé en avant-garde pour inchpecter la bauge avant que le vieux y mette chon groin.

— Mmmm.

— Dis moi, il y a *vraiment* une réunion, Kate ?

— Où as-tu pêché cette rumeur ?

— Che t'ai pojé une quechtion le premier.

— Comment ?

— Allez, dis-moi ! Eche qu'il y a une réunion à haut niveau ou pas ?

— Désolée. Sans commentaires.

20

— Merde ! Cha veut dire que tu y partichipes ?

— Mike, si tu t'occupais un peu de ce que tu as à faire ?

— Ah ! Mais ch'est pour echayer de me changer les idées.

— De toute façon, il faut que j'y aille, maintenant. Une voiture m'attend. Je te souhaite un bon et fructueux voyage.

— Vouais, vouais ! Le baratin habituel.

J'étais en congé sabbatique. Un des privilèges de mon grade est de pouvoir prendre, tous les sept ans, une année de liberté à plein salaire, afin de faire ce qui me plaît. C'est une des institutions du Business dont jouissent tous les cadres supérieurs – à partir du niveau trois et au-dessus – depuis deux siècles et demi. Cela fonctionne très bien. En tout cas, il n'y a pas de raison que ce système s'arrête. Personnellement je ne m'en plains pas, même si je n'ai pas encore exploité les divers avantages de ce qui est considéré par tous comme un sacré bonus.

Pour la forme, et pour des histoires d'imposition fiscale, je suis domiciliée aux États-Unis. Je passe environ un tiers de l'année à voyager, généralement dans les pays développés. J'apprécie beaucoup ce style de vie, la plupart du temps dans les airs, entre deux aéroports. Lorsque l'envie me prend de sentir la terre ferme sous mes pieds, j'ai toujours la ressource de faire retraite dans la cabane modeste mais confortable que je possède dans les montagnes de Santa Cruz en Californie, près de la petite ville de Woodside et pas loin de Stanford, Palo Alto et du reste de la Silicon Valley. Les mots « modeste » et « cabane » sont à mesurer à l'aune de l'opulence californienne : il s'agit en fait d'un bungalow avec piscine, Jacuzzi, cinq chambres et garage pour quatre voitures. Si l'on peut appeler « home » ce qui révèle le mieux notre personnalité, alors dans ce sens cette maison est mon véritable chez-moi. Rien qu'en examinant les étagères, on peut en déduire que j'aime les compositeurs allemands, le réalisme, le cinéma français et les biographies de savants. Et que je suis une mordue des revues techniques.

Ma base européenne est Suzrin House, ce bâtiment monolithique de la compagnie, cette ruche de bureaux et d'appartements qui domine la Tamise à Whitehall et que j'ai toujours préférée à nos quartiers suisses de Château-d'Œx. J'imagine qu'on peut dire que Suzrin House est ma résidence secondaire, bien qu'en termes de nid douillet cela revienne à considérer le Pentagone comme un cottage et le Kremlin comme une datcha. Peu importe. Mon travail, où que je sois, consiste à me tenir au courant des derniers développements technologiques, à la fois actuels et en devenir, et à repérer les plus prometteurs, d'en informer le Business et d'orienter ses investissements.

Cela faisait un moment que je m'y consacrais. C'était sur mes propres conseils, je suis heureuse de le dire, que nous avions pris part au lancement de Microsoft, dans sa première phase au cours des années 80, et que nous avions investi dans les sociétés de serveurs Internet au début des années 90. Et même si la majorité des sociétés d'informatique et compagnies high-tech dans lesquelles nous avions investi a connu des faillites retentissantes, les profits générés par les quelques secteurs rentables du monde de l'informatique ont été si formidables qu'ils ont suffi à faire de l'opération une des plus juteuses qui soient. Dans l'histoire récente du Business, seuls les portefeuilles investis en actions – pétrole et acier de la fin du XIXe – ont rapporté de plus gros dividendes.

Ma réputation dans la compagnie était alors – pardonnez-moi de me faire mousser un peu – parmi les mieux établies et frôlait même – oserai-je le dire ? – la légende. Et pourtant, nous avons un confortable stock de « Légendes Vivantes » dans l'histoire du Business ! J'étais parvenue au niveau trois dix ou quinze ans plus tôt qu'on ne peut l'espérer normalement, même dans une carrière fulgurante. Et, bien que cela dépendît du bon vouloir de certains de mes collègues, je pouvais légitimement espérer passer au niveau deux dans quelques années.

Une inspection plus poussée de ma propre « Mammongraphie » aurait révélé, même au profane, que mes rémunérations, augmentées des commissions que me valaient mes prévisions gagnantes dans le monde de l'informatique et de l'Internet, se situaient bien au-dessus de ce que peuvent espérer bon nombre de cadres de niveau deux. Deux ans auparavant, j'avais calculé que je possédais ce que le commun des mortels appellerait une « fortune personnelle ». Autrement dit, j'aurais pu vivre confortablement sans travailler, ce qui, bien sûr, pour une *business woman* comme moi, était tout simplement impensable.

De toute façon, on ne doit pas se reposer sur ses lauriers. Mes brillants succès dans le monde des logiciels informatiques et des communications – ou mes gros coups de veine, si l'on est peu charitable – appartenaient désormais au passé et j'avais encore du pain sur la planche. En ce moment, par exemple, je misais beaucoup sur nos récents investissements dans les technologies des piles à combustible et je faisais un énergique lobbying pour pousser aux investissements dans les activités spatiales. Enfin, on verrait bien.

La Lexus se dirigeait vers l'est de Glasgow, suivant avec un doux ronronnement la chaussée miroitante. Les gens passaient, le dos courbé, essayant de se protéger des rafales de pluie poussées par le vent. Certains tenaient des parapluies, d'autres se contentaient de sacs en plastique ou de journaux repliés au-dessus de leur tête, en attendant aux passages pour piétons. Je relevai mes mails sur mon ordinateur portable puis je me mis à lire les journaux. Mon chauffeur s'appelait Raymond. Raymond était un garçon d'environ la moitié de mon âge, grand, taillé en athlète, blond aux cheveux courts. Au fil de mon séjour à Glasgow, depuis huit jours, nous avions conclu tous les deux une sorte de pacte tacite. Raymond était un chauffeur très doué mais je dois avouer que je le préférais encore dans ses fonctions nocturnes, entre les draps, là où il se trouvait précisément la nuit dernière lorsque Mike Daniels m'avait téléphoné.

Mrs Todd savait sans doute depuis le début à quoi s'en tenir sur nos relations. Mais elle avait pu feindre l'ignorance car Raymond avait toujours réussi à se réveiller à temps pour se glisser hors du lit avant son arrivée.

Amant compétent la nuit, quoiqu'un peu trop énergique parfois, Raymond était un as du volant, un parangon de professionnalisme et de politesse domestique le jour. Lorsque j'avais son âge, cette manière de compartimenter les rôles et les relations m'aurait paru hypocrite, voire un peu faux cul. Aujourd'hui, en revanche, cela me semblait la façon la plus pratique et même la plus honnête de se comporter. Raymond et moi pouvions adopter une attitude correcte et convenable tant qu'il vaquait à ses fonctions de chauffeur, puis nous livrer à tous les débordements de la chair dès qu'il ôtait sa casquette à visière et sa livrée grise. En fait, ce contraste me plaisait bien. Ce petit frisson d'anticipation pimentait la monotonie des trajets.

— Ms Telman ?

— Oui, Raymond.

— On annonce des embouteillages, dit-il en consultant l'écran de navigation de la voiture. On prend une autre route ?

— D'accord.

Raymond prit un virage serré pour emprunter une rue descendant vers le fleuve. Il attachait beaucoup d'importance à ce genre de détails. Si, pour ma part, le choix de l'itinéraire me laisse totalement indifférente, il existe certaines personnes qui insistent pour être tenues au courant du moindre changement de direction.

Je parcourais les journaux. Élections législatives aux États-Unis. Le chancelier de l'Échiquier britannique annonce de nouveaux emprunts. Dow Jones en hausse. Baisse des taux d'intérêt attendue dans la journée. L'indice Footsie monte. La livre sterling baisse.

Morts et destructions massives en Amérique centrale provoquées par les séquelles de l'ouragan Mitch. Des milliers de personnes ensevelies sous les coulées de boue. Une partie de mon cerveau recense mentalement la liste des avoirs de la compagnie dans cette région, évaluant déjà comment nous serons affectés, tandis que le reste de ma conscience s'apitoie et essaie d'extraire des tréfonds de mon âme de femme d'affaires un peu de compassion pour les malheureuses victimes. J'aurais pu me brancher sur le site Web de la compagnie et faire le point sur notre couverture au Guatemala, au Nicaragua et au Honduras – et, si les gars du Web étaient à la hauteur, connaître immédiatement nos dommages subis par là-bas –, mais il me sembla préférable de finir la lecture des journaux.

La Chambre des lords allait examiner cette semaine l'appel du général Pinochet contre son extradition en Espagne. La procédure présentait plus qu'un intérêt académique pour nous, en tant que société. À vrai dire, le sort d'un vieil assassin fasciste ne nous concernait pas vraiment en termes d'affaires au sens strict (même si je ne doute pas que notre société entretienne d'excellentes relations avec n'importe quel chef d'État au Chili, que ce soit Allende, Pinochet ou le suivant), mais les questions de l'immunité diplomatique nous préoccupaient particulièrement en ce moment. D'où ce que Mike Daniels appelait : « chette hichtoire dans le Pachifique ».

Quant à moi, je trouvais cette histoire du Pacifique complètement farfelue, mais ce projet ne me regardait pas – et d'ailleurs je ne serais sans doute pas invitée à ce conclave dans le Yorkshire ce week-end, quoi que Mike puisse en penser. C'était du ressort des pontes de niveau un, la chasse gardée des Hazleton et autres Parfitt-Sholomenides du Business.

L'usine de fabrication de microprocesseurs était située à quelques miles de Glasgow, près de la ville de Mother-well. Aménagement paysager standard et pelouses sans prestige, jets d'eau de rigueur et arbres maigrelets dépouillés de leurs feuilles par les vents d'automne, courbés par l'averse. La Lexus roula silencieusement jusqu'à l'entrée principale de la grande bâtisse ocre qui abritait le quartier général des usines Silex System. Raymond sortit prestement pour m'ouvrir la portière, un grand parapluie de golf déployé à la main.

Mr Rix, le directeur de l'usine, et Mr Henderson, son assistant, attendaient dans le hall d'entrée.

— Que fait-on des puces défectueuses ?
— On les jette.
— On ne peut pas les recycler ?
— On pourrait, en théorie. Mais ça reviendrait trop cher. À ce stade de la production, les puces sont devenues

tellement compliquées que cela coûterait une fortune de les ramener à leurs composants initiaux.

Escortée de Rix et de Henderson, je visitais l'un des endroits les plus propres de la planète. J'étais affublée d'une combinaison style scaphandre d'astronaute qui rappelait étonnamment ces costumes brillants que les gars portent dans cette pub Intel pour les processeurs Pentium, style « Eh, cool, non ? ». La combinaison était ample et plutôt confortable, comme on peut l'espérer d'un vêtement qu'on va devoir porter des jours entiers, avec un masque inclus dans le casque intégral. Respirer ne posait pas de problème, malgré la présence d'un microfiltre. Les pieds de la combinaison, genre charentaises, étaient attachés au bas du pantalon, de sorte qu'on avait l'impression d'être redevenus de grands nourrissons en pyjamas. En quittant ma blouse de soie blanche et ma jupe Moschino pour m'introduire dans cette combinaison, j'avais abandonné avec un léger regret ma tenue chic. Et puis, je m'étais dit que cette tenue spatiale était sans doute infiniment plus coûteuse que ma propre toilette.

Nous nous trouvions maintenant au cœur de l'usine, dans une chambre stérile située au centre de trois enceintes concentriques aux degrés d'asepsie croissants. J'observais par un écran de verre une machine complexe et miroitante qui déposait de minces tranches de métal sur un disque de la taille d'un CD, le faisait pivoter, versait un peu de liquide au centre de façon à couvrir instantanément la surface luisante, puis un bras articulé venait retourner le disque d'un mouvement rapide pour le déposer plus loin.

Autour de nous, d'autres employés en combinaison spatiale semblaient glisser sur la surface polie des carrelages, tout en poussant de hauts chariots chargés de disquettes. D'autres restaient assis, courbés sur leur banc de travail, concentrés sur leur microscope. D'autres encore, absorbés dans la contemplation d'un écran, textes et graphiques se reflétant dans le hublot de leur masque, activaient leur souris ou pianotaient de leurs doigts gantés sur le clavier de leur ordinateur avec un léger cliquetis. L'air transmettait tout un registre de bruits subtils qui arrivaient en murmures ou chuintements jusqu'à mes oreilles protégées. Les odeurs rappelaient un peu celles d'un hôpital, en beaucoup plus propre. Partout, sous les grands éclairages brillants, les surfaces luisaient et étincelaient.

Sans même connaître précisément les coûts faramineux d'une telle installation, on se rendait aisément compte que tout, ici, était synonyme de gros investissements.

— J'espère que vous resterez pour le déjeuner, Ms Telman, dit Mr Rix. Bien sûr, ce n'est qu'une banale cantine, mais si vous le désirez on peut aller ailleurs. Est-ce que vous vous laisserez tenter ?

Mr Rix était un homme large d'épaules et de haute taille, me dépassant d'une tête. Son visage aux mâchoires carrées luisait derrière son masque et un sourire en éclairait la partie inférieure. J'avais presque froid dans cette atmosphère climatisée et filtrée, mais Mr Rix semblait en sueur. Il était peut-être claustrophobe.

— Merci, j'en serais ravie. Mais la cantine me conviendra parfaitement.

— Est-ce que vous utilisez habituellement ces congés sabbatiques pour… euh… faire une sorte de tournée, Ms Telman ? me demanda son assistant.

— C'est mon premier congé sabbatique, Mr Henderson. Alors je n'ai pas vraiment eu l'occasion d'établir un schéma « habituel ».

Mr Henderson était à peu près de ma taille et trapu. Je me dirigeai vers une section que nous n'avions pas visitée tandis que les deux hommes s'appliquaient à se maintenir à mon niveau dans ce dédale de bancs de travail et de machines. Un robot de livraison dont la trajectoire était sur notre passage nous sentit arriver et se figea brusquement dans sa progression pour nous laisser passer.

— Pour ma part, si j'avais une année sabbatique, il me semble que je choisirais autre chose que Motherwell comme villégiature, fit remarquer Henderson en riant et en échangeant des regards entendus avec Rix.

— C'est une année sabbatique, Mr Henderson, pas une année de congé.

— Oh, bien sûr, bien sûr !

— Mais j'ai tout de même passé un mois sur un yacht à naviguer dans les Caraïbes au début de l'année, sans téléphone ni ordinateur. Je dois dire que cela m'a beaucoup décontractée, leur confiai-je avec un grand sourire derrière mon masque. Ensuite, j'ai pris une ou deux petites vacances, histoire de faire le point. J'ai visité plusieurs sites de la compagnie que j'avais toujours voulu connaître sans jamais en trouver le temps. Et j'ai consacré pas mal de temps à fouiner dans les bibliothèques, Library of Congress ou British Library.

— Ah, fit Henderson, je voulais seulement dire que vous aviez sans aucun doute déjà visité d'autres unités de fabrication de puces, c'est tout.

— Une ou deux, me fallut-il admettre.

Mr Henderson avait raison d'être surpris. Et, entre nous, il avait parfaitement raison de trouver ma visite un peu suspecte. Malgré l'impression détendue que je m'efforçais de donner, ma visite n'était pas du tout innocente. Je m'arrêtai devant une porte de sécurité protégée par une serrure à carte magnétique, au milieu d'un haut mur aveugle. Je fis un mouvement du menton.

— Où est-ce que ça mène ? demandai-je.

— Eh bien, cette zone est actuellement en travaux dit

Mr Rix avec un geste en direction du mur. Installation d'un nouveau terminal de production. Impossible d'y entrer en ce moment. Trop de poussières et autres trucs comme ça.

— Et en plus, je crois qu'ils font des essais de chargement aujourd'hui, avec un nouveau produit corrosif, n'est-ce pas, Bill ?

— Ouh ! là ! là ! s'exclama Rix en esquissant un petit mouvement de recul volontairement comique et exagéré. Dans ce cas, je crois qu'on devrait s'abstenir, non ?

Et les deux hommes se mirent à rire.

Au cours du briefing de sécurité, avant de nous faire endosser nos combinaisons, on nous avait expliqué la procédure en cas d'incendie, où courir prendre une douche en cas d'aspersion de liquide acide, et pourquoi se méfier de certains produits chimiques aux noms longs et impossibles entrant dans la fabrication des microprocesseurs. On nous avait avertis que ces produits perfides pouvaient s'insinuer dans le plus infime trou d'un gant, imprégner notre peau et commencer leur sale besogne au niveau de nos os, qu'ils rongeaient, et de nos autres organes vitaux plus intimes, qu'ils bousillaient complètement et de la manière la plus horrible.

— Je crois bien, oui ! dit Henderson.

Les deux hommes s'éloignèrent de la porte. Rix fit un barrage de son bras, comme pour me protéger. Je restai immobile, bras croisés.

— Quelle est la durée de vie d'une telle usine ? demandai-je

— Hmm... Eh bien, une fois les nouvelles chaînes installées..., commença Rix.

Mais je ne l'écoutais plus. Je surveillais le débit de sa voix, enregistrant au passage quelques mots clés ; mais ce qui m'intéressait vraiment, à présent, c'était le langage corporel que traduisait toute l'attitude des deux hommes.

Et ma conclusion était simple : ces deux-là avaient quelque chose à cacher. Ils avaient peur de moi, ce qui – je dois l'admettre – me titille toujours au niveau de la vanité. Mais leur angoisse dépassait la nervosité compréhensible du petit boss local, habitué à être traité avec déférence, qui reçoit la visite d'un supérieur envoyé sans grand préavis par la maison mère. Il y avait autre chose.

Peut-être étaient-ils tous deux secrètement misogynes, pensai-je. Peut-être avaient-ils l'habitude de traiter les femmes avec mépris ou brutalité. Avant de venir, j'avais étudié les dossiers de l'usine : la rotation du personnel y était légèrement supérieure à la moyenne, surtout parmi les femmes employées, et les litiges se terminaient devant les prud'hommes plus souvent qu'on n'aurait pu s'y attendre. Mais, au bout du compte, il n'y avait rien qui justifiât les ondes de panique que je détectais chez eux.

Naturellement, cela venait peut-être de moi. Je pouvais me tromper : il faut toujours se méfier de son propre équipement de détection !

Je ne sais pas ce que j'en aurais conclu, à la fin de ma visite – probablement qu'il y avait là derrière une petite arnaque juteuse, rapportant gros, et qui risquait de leur coûter leur poste… Rien qui méritât mon intervention, puisque le bilan de l'usine était très positif dans l'ensemble. Cependant, il se passa quelque chose, un peu plus tard, qui réactiva mes doutes.

Une femme en combinaison spatiale apparut au bout d'une travée. Sa silhouette et sa démarche trahissaient son sexe. Elle semblait distraite, bataillant pour porter en même temps un ordinateur portable, une valisette métallique, un manuel épais avec couverture en papier glacé et de lourds câbles pendant de tous côtés. C'est moi qui la vis arriver en premier. Puis Henderson se retourna, me jeta un coup d'œil décontracté, et à nouveau se tourna prestement vers la femme. Il s'avança vers elle tout en fixant Rix, dont la voix marqua une brève hésitation avant de poursuivre.

La femme fouillait la poche de sa combinaison en s'approchant de nous. Henderson alla rapidement à sa rencontre. Au moment où il arrivait à sa hauteur, elle sortit une carte magnétique reliée à une petite chaîne métallique.

Henderson l'intercepta et lui barra la route tout en lui intimant d'un geste l'ordre de faire demi-tour. La femme leva les yeux et l'aperçut enfin. Au même moment, Rix me saisit gentiment mais fermement par l'épaule, me fit pivoter et m'éloigna tout en gesticulant de l'autre main, enchaînant avec un regain de jovialité :

— Enfin, on a encore de longues années devant nous avant de transformer tout ça en élevage de poulets !

Puis il frappa ses mains gantées l'une contre l'autre :

— Bon, et maintenant, que diriez-vous d'une tasse de thé ?

Je lui souris.

— Quelle bonne idée !

Avant de rentrer, je demandai à Raymond de faire un détour vers un certain champ, sur la vieille route menant à Coatbridge.

— Viens ici, petite fille.
— Quoi ?
— J'ai dit : Viens ici.
— Pourquoi qu'faire ?
— Pardon ? Qu'est-ce que tu as dit ?

— Hein ?

— Est-ce que tu parles anglais, mon enfant ?

— Arrh, chu pas inglaise, chu écossaise.

— Ah ça, je l'avais compris. Ce n'est pas ta nationalité que je mettais en doute, jeune demoiselle. Je te demandais seulement si nous utilisions le même langage.

— Da quoi ?

— Bon, laisse tomber. Tu veux être gentille et t'approcher un peu de la voiture ? J'ai horreur d'élever la voix… Allons, je ne vais pas te manger, mon enfant.

— Qui c'est-y, lui ?

— C'est Gerald, mon chauffeur. Dites bonjour, Gerald !

— *Aye, aye !* Ça va ?

— *Aye !...* C'est lui qui répare le peuneu, *aye*, m'dame ?

— Oui. Nous avons crevé. Il change la roue.

— *Aw aye.*

— Nous progressons, Gerald ?

— Ça vient, Ma'me. Ça vient.

— Dis-moi, comment t'appelles-tu ?

— C'est pas permis de parler aux étrangers. Ma'aman, è' m' défend d' parler aux étrangers.

— Gerald, vous voulez bien nous présenter ?

— Comment, Ma'me ?

— Présentez-nous, Gerald. Comme vous pouvez.

— Ah ! Mrs Telman, voici, euh, la gamine à qui vous parlez. Gamine, voici Mrs Telman.

— *Aw aye.*

— Voilà. Maintenant, nous avons été présentées et je ne suis plus une étrangère. Alors, dis-moi comment tu t'appelles… et ferme la bouche, mon enfant. Ce n'est pas du tout gracieux. Quel est ton nom ?

— Ma'aman, è dit comme ça…

— Pardon, mam'zelle, intervint un garçonnet, è' s'appelle Katie McGurk.

— Oh, bonjour !

— Bobby Clark, t'es qu'un sale rapporteur, voilà !

— Vouais, mais moi, au moins, j'ai un paternel.

— J'en voudrais pas d'un paternel comme el' tien. C'est un bon à rin.

— Ah, O.K., mais n'empêche. Moi j'en ai un, ed'père. T' peux pas en dire autant.

— Va t' faire fout' ! 'spèce de connard à lorgnons !

— T'es qu'une pouffiasse. J'y dirai à ma mère, c' que t'as dit !

— Katie ?

— Quoi ?

— Viens ici !

— C'est quoi, ça ?

— Un mouchoir. Vas-y ! Prends-le !

— Non merci.

— Je vois. Donc, si je comprends bien, ce jeune homme s'appelle Bobby Clark ?

— *Aye*. Un p'tit merdeux.

— Kate, je dois dire que je suis vraiment choquée. Je n'aurais jamais cru que des enfants de ton âge puissent utiliser un tel langage. Tu as quel âge, au fait ?

— Huit ans et demi.

— Doux Jésus !

— Et vous, v' zavez quel âge ?

— On peut dire que tu te familiarises vite, toi ! Et tu es très impertinente. Gerald, veuillez vous boucher les oreilles !

— J'ai les mains un peu crades, mais je ferai de mon mieux pour me boucher les esgourdes, Ma'me.

— Très galant de votre part ! J'ai quarante-huit ans.

— Bon Dieu, c'est vachement vieux, pas vrai ? Ma mémé, al' est plus jeune !

34

— Merci de me faire partager tes vues sur la question, Kate. En fait, ce n'est pas si vieux et je ne me suis jamais sentie aussi en forme. Enfin, bref. Qu'est-ce que vous étiez en train de faire ici, toi et tes petits camarades ?

— M'dame, on faisait les jeux Olympiques.

— Ah oui, vraiment ? Et moi qui croyais voir une bande de gamins jouant dans un terrain vague boueux sous le crachin ! De quels sports s'agit-il ?

— Oh, des tas. Du saut, de la course, tout ça, quoi !

— Et quelle est ta spécialité ?

— Moi, j' joue pas. J' vends des bonbons, des trucs, quoi.

— C'est ce que tu as dans ton sac ?

— C'est el' sac à ma'aman. Mais l'est vieux et l'a dit que j' pouvais l'avouèr. J' l'ai pas fauché ni rin. C'est moi qu'a' réparé les poignées. R'gardez !

— Je vois. Donc, c'est toi qui tiens le stand des rafraî-chissements, si je comprends bien.

— Quoi ?

— Peu importe. Puis-je t'acheter des bonbons ?

— *Aye.* Mais n'en a' pus beaucoup. Et y a pus ed' truc à bulles.

— Plus de truc à bulles ?

— *Aye.* Pus d'Irn Bru. Ni d'American Cream Soda. A' fini les deux bouteilles.

— Juste un bonbon, ça suffira.

— Qu'est qu' vous voulez ? A' des Penny Dainty et des Black Jack. Ou ben alors des tout p'tits bonbons, comme y a dans les surprises.

— Je prendrai un Penny Dainty, s'il te plaît.

— Ça fait un penny ha d'mi.

— Combien ?

— Un penny *ha* d'mi.

— Un penny *et* un demi-penny ?

— *Aye.*

35

— Pour un seul Penny Dainty ?

— C'est l' prix.

— Mais c'est une marge bénéficiaire de cinquante pour cent par rapport au prix de vente courant !

— *Aye*, p'têt', n'empêche, c'est l' prix.

— C'est ce que tu dis. Mais tu y vas un peu fort, non ?

— *Aye*. Mais c'est l' prix. V' z'en voulez ou pas ?

— Gerald, vous avez un peu de monnaie ?

— *Aye*, attendez… Ah, j'ai une pièce de trois pence, si ça peut faire, Ma'ame.

— Merci, Gerald. Est-ce que vous voulez un bonbon ?

— Merci, Ma'me. C'est pas ed' refus.

— Écoute un peu, Kate. Je vais te donner deux pennies et demi pour deux Penny Dainty. Ça va ?

— Nin.

— Pourquoi non ?

— Deux bonbons, c'est trois pence.

— Mais j'achète en gros, d'une certaine manière. Je peux m'attendre à un rabais.

— Quoi ? C'est quoi, ça ?

— On t'a bien fait un rabais quand tu as acheté tous ces bonbons, non ?

— Moi, m'dame, je les ai eus au distributeur de l'arrêt du bus.

— Alors tu as payé le prix fort. Mais c'est ton problème. Mon offre est toujours valable : deux pour deux pence et demi.

— Nin.

— Kate, il me semble que tes petits copains ont fini leurs jeux. Tu n'auras plus beaucoup de clients maintenant et tu vas te retrouver avec tout un stock d'invendus. Je te fais une offre intéressante. Vas-y : prends les trois pennies. Et tu me donnes deux Penny Dainty et me rends un demi-penny.

— Nin. Deux, ça coûte trois pence.

— On ne doit pas être trop têtu dans le marché de détail, Kate. La flexibilité, voilà ce qui permet à une entreprise de s'adapter aux circonstances.

— Quoi ?

— Il pleut très fort, à présent, Kate. Je suis assise au sec, mais tu te fais tremper. Et tes amis s'en vont. Deux bonbons pour deux pence et demi ?

— Nin !

— Tu es têtue comme un âne, Kate. La flexibilité et l'adaptation des marges bénéficiaires sont matière de calcul raisonné, pas d'orgueil.

— J' sais : donnez-moi les trois pennies et j' vous donne les deux Penny Dainty et j' vous donne un Black Jack en plus. D'habitude, j' les vends deux pour un penny et demi ou trois pour deux pence.

— Tu te débarrasses de ton stock ? Astucieux ! D'accord, marché conclu ! Voilà. Merci. Gerald ?

— Ma'me ?

— Attrapez !

— Merci !

— Tiens, Kate. Je te rends le Black Jack. Il me noircirait les dents… Allons, qu'est-ce qui ne va pas ?

— Ma'aman, elle dit comme ça qu'y' faut pas accepter les bonbons d'un étranger.

— Kate, ne sois pas ridicule ! C'est toi qui viens de me le donner. Mais je dois dire que ta maman a sans doute raison. Si tu ne le veux pas…

— Si. O.K. Merci.

— Eh bien, on dirait que tu as faim !

— *Aye*. L'a pas grand-chose à manger là-dedans.

— Comment ça se passe, Gerald ?

— Presque fini. Plus que les boulons à serrer, Ma'me. On reprend la route dans cinq minutes.

— Parfait. Tu fais souvent ça, Kate ?

— Quoi ? Vendre des trucs ?

— Oui.

— Jamais fait ça ed' ma vie. Voulez savoir un secret ?

— Ah, ah ? Un secret ?

— *Aye*. Promettez de rin dire à personne.

— Promis.

— Croix de bois, croix de fer, si j' meurs, j' vais en enfer ?

— Absolument.

— L'argent, c'est mon oncle Jimmy qui me l'a donné. Y' m' laisse jouer avec les pennies.

— Ah oui, vraiment ?

— Mais c'est des pennies irlandais. L'est allé en Irlande avec son bateau. Z'ont la même forme qu' les nôtres ; sauf qu'y z'ont des z'harpes dessus. Mais la machine de l'arrêt des bus les avale tout de même.

— Et ton oncle t'en a fait cadeau ? Tu n'as donc pas eu à les payer ?

— Nin. Y m' les a donnés.

— Ha, ha ! Donc, tu n'as pas payé plein tarif ! Et tout ce que tu gagnes est cent pour cent bénéfice ! La petite coquine ! Vous avez entendu, Gerald ?

— *Aye*, Ma'me ! Je suis franchement choqué et atterré. Mais l'est entreprenante, c'te mioche, faut reconnaître.

— *Aye*. Mais pas pour tout. J'ai dû payer les petits bonbons avec mon argent à moi et dit que les bouteilles de limonade étaient pour ma'aman. Faut qu' j'y rende les bouteilles pleines.

— Et tu demandais combien pour la limonade ?

— Un penny la tasse.

— Ce sont les tasses à thé de ta maman ?

— *Aye*, ma'ame. On n'en a pas besoin avant ce soir.

— Je vois. Oh, bonjour ! Qui est-ce, Kate ?

— C'est Simon.

38

— Bonjour, Simon.

— Bonjour, m'dame… Katie, on s' mouille trop. J' veux rentrer chez moi. O.K. ? Tu t' pointes ?

— *Aye.* Tiens, voilà ton Penny Dainty. Et tu peux prendre des p'tits bonbons si tu veux.

— *Aw aye.*

— J' t' les donnerai quand on sera à la maison, O.K. ?

— *Aw aye.* Chouette ! Merci, Katie. On y va maintenant ? Chu trempé. Chu tombé dans la rivière.

— Ah, ah, j'ai deviné ! Simon est ton garde du corps.

— Nin. Y fait seulement gaffe que ces petits merdeux, y m' piquent pas tous mes sous.

— C'est la même chose, Katie. Je suis sûre que tu refuseras de monter en voiture avec quelqu'un que tu ne connais pas, mais j'aimerais savoir où tu habites. Je voudrais parler à ta maman.

— M'dame, vous avez promis de rin dire. Dieu vous punira. Vous avez dit croix de bois, croix de fer. Si vous mourez, vous irez en enfer. *Aye !* Et c'est pas des conneries !

— Kate, Kate, calme-toi ! Je ne dévoilerai à personne l'origine de tes capitaux… Enfin, d'où viennent tes pennies pour le distributeur. J'ai juré de ne pas le faire et je tiendrai parole.

— *Aye.* Et vous avez intérêt !

— Kate, ta maman doit être très jeune ? J'ai cru comprendre que tu n'avais pas de papa à la maison, non ? Elle est très mignonne, ta robe, mais un peu légère pour le temps qu'il fait, et un peu trop courte. Tu as l'air d'avoir faim et tu n'es pas grande pour ton âge. Est-ce que tu vas à l'école tous les jours ? Et tu travailles bien ?

— Faut qu' j' rentre chez moi.

— Prêt à reprendre la route, Ma'me.

— Une minute, Gerald. Katie, reviens. Je suis sérieuse. Ce n'est pas une plaisanterie. Est-ce que tu as envie de passer toute ta vie ici ? Sérieusement, Kate ? Qu'est-ce que tu veux faire quand tu seras grande ?

— Euh, coiffeuse.

— Tu penses que tu y arriveras ?

— P'têt' ben.

— Kate, tu sais qu'il y a beaucoup d'autres métiers que tu ne connais pas ?

— *Aye*. Ma copine Gale, al veut être hôtesse de l'air.

— Tu t' magnes, Katie, j' caille.

— C'est très bien de vouloir devenir coiffeuse ou hôtesse de l'air mais il y a des tas d'autres métiers que tu pourrais faire, si tu voulais. Laisse-moi parler à ta mère. Tu me permets ?

— Katie, merde, j' me caille.

— M'dame… Vous êtes pas une vilaine femme, hein ?

— Non, Katie. Je ne suis pas une sainte et j'ai utilisé ma part de pennies irlandais dans ma jeunesse, mais je ne suis pas une vilaine femme. Suis-je une vilaine femme, Gerald ? À votre avis ?

— Certainement pas, Ma'me ! V' z'avez toujours été très bonne pour moi.

— Katie, viens… On s' gèle les couilles par ici !

— Alors vous pouvez nous emmener en voiture. D'accord.

— Vraiment ? Eh bien, d'accord.

— *Aye*. Grouille-toi, Simon. On va se faire ramener dans la grande belle voiture de la madame. Essuie tes pieds.

— Hein ?

Et c'est ainsi que je fis la connaissance de Mrs Elizabeth Telman, cadre de niveau deux dans le Business, un samedi après-midi de l'automne 1968, dans un champ près de Coatbridge, à l'ouest de Glasgow.

Mrs Telman faisait partie de ces personnes qui paraissent plus grandes qu'en réalité. Même aujourd'hui, lorsque je pense à elle, elle apparaît comme une grande femme élégante, aussi svelte et mince que ma mère était petite et rondelette. Pourtant elles étaient de la même taille, à quelques centimètres près, et de morphologie pas très différente. Mrs Telman devait se tenir beaucoup plus droite que ma mère, j'imagine. Elle avait de longs cheveux noirs qu'elle a continué à teindre jusqu'à l'âge de soixante-dix ans. (Les cheveux de ma mère étaient châtain terne tandis que moi j'ai hérité de la chevelure blond clair de ma grand-mère maternelle.) Mrs Telman avait une bouche large, de longs doigts et un accent qui oscillait entre l'accent américain, l'accent anglais et parfois un tout autre accent, étrange et exotique, terriblement séduisant. Il existait vraiment un « Monsieur » Telman, mais il vivait en Amérique : le couple s'était séparé moins d'un an après leur mariage.

Mrs Telman demanda à Gerald de déposer Simon chez lui, et me conduisit au magasin du coin où elle paya pour moi les deux bouteilles de limonade. Nous arrivâmes à la maison juste au moment où ma mère remontait du pub en titubant, avec une nouvelle provision de bouteilles.

Je crois que Mrs Telman comprit très vite qu'elle ne pourrait pas parler sérieusement avec ma mère ce soir-là. Aussi prit-elle rendez-vous pour le lendemain.

Ma mère menaça de me gifler pour avoir adressé la parole à des étrangers. Le soir, complètement ivre, elle me serra dans ses bras un instant, son haleine exhalant une odeur douceâtre de vin cuit. Je cachai mes haut-le-cœur, essayant d'apprécier cette brusque manifestation d'affection inhabituellement prolongée. Mais je ne pus me retenir d'évoquer les odeurs riches, subtiles et captivantes de la voiture de Mrs Telman, dont certaines semblaient émaner de Mrs Telman elle-même.

A ma grande surprise, Mrs Telman revint le lendemain matin, avant que ma mère ne fût levée. Quand
celle-ci fut prête, nous partîmes faire un tour en voiture.
On me donna une barre de Milky Way et on me fit
asseoir à l'avant, à côté de Gerald, ce que je trouvai assez
chouette. Mais je ne pus suivre la conversation à cause de
la vitre en verre, ce qui m'agaça beaucoup. Gerald
s'ingénia à me distraire en inventant ce que pouvaient
dire ou penser les autres conducteurs et en me laissant
manœuvrer le clignotant aux changements de direction.
Pendant ce temps, Mrs Telman et ma mère discutaient à
l'arrière en échangeant leurs cigarettes, Woodbine pour
ma mère et Sobranjes pour Mrs Telman.

Cette nuit-là, pour la première fois depuis des années,
j'eus la permission de dormir dans le lit de ma mère,
jusqu'au matin. Elle me serra très fort dans ses bras en
versant de grosses larmes qui me laissèrent perplexe.

Le jour suivant, Gerald vint nous chercher ma mère et
moi pour nous conduire à Édimbourg dans l'immense
maison particulière de Mrs Telman, en grès rouge, au
bout de Prince Street. Elle n'était pas là, retenue par
d'autres rendez-vous importants en ville. On nous fit
entrer dans une grande pièce où, à ma consternation et à
la confusion de ma mère, une grosse dame habillée en
infirmière me lava de nouveau, me fit passer une visite
médicale, et me mesura avant de me faire endosser un
chemisier qui me grattait, une jupe et un blazer – les
premiers vêtements neufs de mon existence. Toute
l'opération me remplit d'effroi, surtout parce que
j'imaginais me tenir dans un lieu public où n'importe qui
pouvait pénétrer d'un instant à l'autre et me voir en
petite culotte. Plus tard, je compris que nous nous trouvions dans la suite personnelle de Mrs Telman.

On me conduisit dans une autre pièce où un monsieur
me fit faire des additions et d'autres exercices. Certains

n'étaient que des exercices mathématiques, d'autres des listes de questions ; d'autres des diagrammes avec des éléments qu'il fallait assembler, d'autres encore de petites histoires que je devais terminer. C'était très amusant. L'homme s'en alla et me laissa seule avec un livre de bandes dessinées.

Mrs Telman revint et nous emmena déjeuner dans un hôtel. Elle semblait très heureuse de me voir et embrassa ma mère sur les deux joues, ce qui me rendit très jalouse sans que je sache trop bien de qui, exactement. Au cours du repas, tandis que ma mère et moi échangions des regards complices pour déterminer quel couvert utiliser, on me demanda si ça me plairait d'aller dans une école spéciale. Je me rappelle avoir été horrifiée. Pour moi, une école « spéciale » était un établissement où l'on expédiait les méchants garçons, les voleurs et les vandales. Mais lorsque ce point fut clarifié et qu'on m'eut garanti que je rentrerais chez moi tous les soirs, je répondis timidement que je voulais bien, pour essayer.

Je commençai à l'école de filles tenue par Miss Stuteley, à Rutherglen, le jour suivant. J'avais un an de plus que les autres élèves mais, physiquement, je n'étais pas plus développée que mes camarades de classe et même plus petite que certaines. Le premier jour, on me prit comme tête de Turc jusqu'à ce que je casse le nez d'une fille pendant la récréation de l'après-midi. Je faillis être renvoyée et je dus subir patiemment réprimandes et sermons.

Un répétiteur vint me faire travailler chaque soir à la maison.

Mrs Telman trouva un emploi pour ma mère, dans une usine près de Stepps, cette usine qu'elle partait d'ailleurs inspecter le jour de la crevaison. Nous mangions mieux, nous avions de vrais meubles, un téléphone, un poste de télévision en couleurs. Je découvris que j'avais soudain beaucoup moins d'oncles qu'auparavant, et ma mère cessa de partir en diagonale dans les murs.

Lorsque je sortis de l'école de Miss Stuteley pour entrer à la Kessington Academy de Bearsden, nous quittâmes notre maison ouvrière de Coatbridge afin de nous installer dans une maison jumelée à Jordanhill. Ma mère travaillait désormais dans une autre usine où elle aidait à fabriquer des choses qu'on n'appelait plus des calculatrices mais des ordinateurs. Elle ne se maria jamais, mais il nous arrivait de partir en vacances avec Mr Bullwood, un monsieur très gentil. Mrs Telman venait nous rendre visite tous les mois et m'apportait toujours des bons-cadeaux pour des livres, ainsi que des disques, des vêtements et des bricoles pour ma mère.

Ma mère mourut brutalement, à Pâques en 1972, alors que j'étais en voyage scolaire en Italie. Nous avions pris un bus, le ferry et des trains jusqu'à Rome, mais je dus rentrer toute seule en avion. Mrs Telman et Mr Bullwood m'attendaient à l'aéroport de Glasgow pour m'emmener directement dans la voiture de Mrs Telman – toujours conduite par Gerald – jusqu'au cimetière de Coatbridge. C'était par une belle journée ensoleillée, et je me souviens d'avoir vu disparaître le cercueil derrière les tentures du crématorium, désolée de ne pouvoir verser de larmes.

Un petit homme aux mains tremblantes, vêtu d'un méchant costume lustré avec un brassard noir à la manche, vint me trouver après la cérémonie et, dans des relents de whisky, m'expliqua en laissant couler des larmes de ses yeux chassieux qu'il était mon père. Mrs Telman m'entoura l'épaule de son bras et me guida vers la sortie. L'homme nous suivit un moment en nous injuriant.

Ma vie changea de nouveau. Je fus mise en pension dans une école privée en Suisse, un établissement qui appartenait à la compagnie pour laquelle Mrs Telman travaillait. Je m'y sentis très malheureuse, mais pas davantage qu'au cours des derniers mois à la Kessington Academy, après le décès de ma mère. J'y préparai le baccalauréat, trouvant un réconfort à ma solitude dans le ski et le patinage.

J'étais entourée de filles brillantes et intimidantes, issues de familles qui semblaient posséder des réserves inépuisables d'argent, de bon goût et de talent. Et aussi par de ravissantes gourdes au rire chevalin, dont les ambitions intellectuelles se limitaient à une année de *finishing school* suivie d'un riche mariage. Je terminai brillamment et récoltai une moisson de prix. Brasenose College m'attendait à Oxford. Mrs Telman m'adopta, et je pris son nom.

Lorsqu'elle mourut, l'an dernier, je pleurai mes deux mères à la fois.

Le téléphone sonna un long moment, bien plus qu'il n'en faut généralement pour conclure que personne ne vous répondra. Finalement :

— Qui est-ce ?

La voix – chaude, chuintante, veloutée – était celle d'un vieil homme agacé, la voix d'un homme peu habitué à répondre lui-même à ce téléphone, un appareil qui sonnait rarement ou qui, lorsqu'il le faisait, lui précisait le numéro voire l'identité de celui qui l'appelait. Un téléphone réservé aux communications de la plus haute importance.

— Allô ! C'est moi !

— Kate ? C'est toi, ma chérie ?

— Oui, je suis dans une cabine.

— Ah, je vois. (Moment de silence.) Est-ce que cela

veut dire que mes doutes sont confirmés et que tu as découvert quelque chose d'intéressant ?

— Ça se pourrait.

— Où es-tu ?

— Près de l'endroit où j'étais cette semaine.

— Je vois. Il vaudrait peut-être mieux qu'on se rencontre ?

— Ce serait préférable, oui.

— Parfait, parfait. C'est confirmé pour ce week-end. Tu peux toujours venir ?

— Bien sûr.

Mon cœur, je dois le dire, battit la chamade. Lorsque mon oncle Freddy m'avait dit, deux semaines avant, qu'il y aurait peut-être ce week-end une réunion au sommet et une grande nouba (selon sa propre expression) et que j'avais des chances d'être invitée, je m'étais efforcée de ne pas trop y croire. Je m'étais élaboré un plan de réserve prévoyant de kidnapper Raymond pour deux nuits afin de le conduire dans une de ces chaumières discrètes, chics et chères, avec feu dans l'âtre et champagne à volonté… Mais ce plan-là pouvait attendre : ce week-end, j'irais à Blysecrag.

— Parfait. Très important, ce rassemblement. Les anges tutélaires de notre tribu y assisteront, sans parler d'autres puissances plus bassement temporelles.

— Je sais. La rumeur s'en est répandue.

— Ah vraiment ?

— En tout cas, Mike Daniels semblait avoir eu vent de la chose, hier soir.

— Ah oui ! Ce niveau-quatre qui s'est fait voler ses dents ! C'est quoi, cette histoire ?

— Aucune idée.

— En tout cas, le téléphone arabe fonctionne bien, apparemment. Peu importe ! On aura besoin de toi vendredi après-midi. Devrait être fini dimanche mais ne compte pas trop dessus. D'accord ?

— D'accord.

— Il faut que je te prévienne que ton ami Suvinder sera là.

— Vraiment ? Ô joie !

— Eh oui ! Mais tu viens quand même, non ?

— Oncle Freddy, une invitation à Blysecrag reste un plaisir que je ne refuserai jamais. Oh, mon Dieu, je n'ai plus de pièces ! Alors, à vendredi. Ciao !

— Ah, parfait ! Super ! Salut !

Qu'est-ce qu'il a ton téléphone ?

Mon nouveau ne marche pas dans ce coin-ci. Tu imagines ?

Non ? Mais que fait la police ? Tu n'as qu'à t'en acheter un autre, il paraît que ça se trouve, à Tokyo ! Comment s'est passée la signature ?

Super. K.S. a bien apprécié sa bouteille de scotch. C'est réellement du cinquante ans d'âge ?

Affirmatif. P.-S. bien arrivé ?

Toujours aussi discret. Apparemment, le X veut dire Xerxès. On l'a vu pour la dernière fois en train d'escorter plusieurs geishas vers son 737 pour leur montrer son lit circulaire. Purée, quel dragueur, ce mec !

En parlant de parler…

Oh, je vois… Non, K.S. n'a pas semblé trop gêné par ma déficience dentaire. Sourires et cour-bettes à tout va. A peut-être trouvé ça hila-rant, un gajin édenté. M'a recommandé son dentiste. Aussitôt dit, aussitôt fait. Suis

```
maintenant équipé de superbes dents japo-
naises. Au teflon. Avant : - #, maintenant : -).
   Eh ben, sacrée dent d'un chien !
   Ça t'a pris vingt-quatre heures ?
   Plein de trucs à faire.
```

Les origines de ce que nous appelons maintenant le
Business précèdent la chrétienté, mais pas l'Empire
romain auquel, précisément, il doit son existence. Il y eut
même une période où, techniquement du moins, on a pu
dire que le Business possédait l'Empire romain.

Posséder l'Empire romain, ne serait-ce que pour un
total de soixante-six jours comme ce fut le cas, semble
une épopée prodigieusement romanesque. Et un sacré
coup, en termes d'affaires ! Pourtant, nous considérons
cette aventure comme une de nos plus grossières erreurs,
l'exemple à ne pas suivre, et nous en avons tiré une leçon
que nous n'avons jamais oubliée.

On peut lire l'essentiel de toute l'histoire, reprise sous
une forme assez digeste, dans *Décadence et chute de
l'Empire romain*, de Gibbon qui l'a rapportée dans le
tome I, chapitre v (période 180 à 248). On y relate
comment un sénateur « riche et stupide » du nom de
Didius Julianus acheta l'empire au cours d'enchères
publiques organisées par les gardes prétoriens qui
venaient de se débarrasser du propriétaire précédent – un
certain Pertinax –, lequel avait montré un peu trop de
zèle à vouloir lutter à tous les niveaux contre la corruption de cet empire. (Pertinax avait réussi à se maintenir au
pouvoir quatre-vingt-six jours, trois semaines de plus
que ne devait le faire notre homme.) Ce que les gens du
Business sont les seuls à savoir, c'est que le malheureux
Didius Julianus – devenu l'empereur Julien après son
accession au trône – n'était qu'un leurre, l'homme de

paille d'un consortium de commerçants et d'usuriers qui avaient hérité de cette ligue commerciale depuis plusieurs générations.

Sans doute grisés par leur succès et incapables de savoir comment l'exploiter, les marchands, déchirés par leurs querelles internes, lâchèrent les rênes du pouvoir. Trois généraux en profitèrent pour se révolter, l'un en Grande-Bretagne, l'autre dans la région du Danube et le troisième dans l'empire de l'Est, ce qui écourta considérablement l'occupation du trône par l'empereur Julien. Le malheureux fut renversé à peine plus de deux mois après son accession, entraînant dans cette chute bon nombre de ses partisans.

Le Business existait déjà depuis plusieurs siècles, à cette époque. À Rome, il fournissait les fourrures de Scythie, l'ambre de la Baltique, les tapis de Babylone, et aussi – aspect le plus important et le plus lucratif de l'entreprise – l'approvisionnement en épices, aromates, soieries, pierres précieuses, et autres trésors variés venus d'Arabie, d'Inde et d'Extrême-Orient. Évitant intelligemment d'assumer un pouvoir politique direct, tous les actionnaires avaient prospéré : acquisition de propriétés, construction de villas, armement de navires, accroissement de troupeaux, achats d'esclaves et d'œuvres d'art. Avec le fiasco de Didius Julianus, la faillite fut presque complète. Comme je l'ai dit, c'est une leçon que nous n'avons jamais oubliée et qui nous a servi de garde-fou pendant presque deux millénaires (en fait, jusqu'à nos jours, avec cette histoire du Pacifique).

Des documents – sous forme de tablettes d'argile, principalement –, stockés dans ce qui est l'équivalent de notre quartier général mondial, à Château-d'Œx en Suisse, permettent d'établir que l'essentiel de notre fortune provient du commerce, du stockage de denrées, de prêts d'argent. On assure qu'il y aurait eu aussi quelques escroqueries : des naufrages bidon, des caravanes dépouillées par nos propres agents, des entrepôts qui brûlèrent avec ou sans leur contenu (selon les registres que l'on consulte), enfin juste assez d'entourloupes pour nous situer dans la moyenne des escrocs mais certainement pas dans les pires.

Selon la rumeur, on posséderait encore certains objets confiés par l'Église catholique et le Saint Empire. Mais malheureusement rien d'aussi sensationnel que le corps du Christ ou le Saint Graal ! Néanmoins j'ai entendu dire, de source sûre, que nous détenons l'exemplaire d'un livre ignoré des savants qui aurait pu devenir la Bible, un ouvrage inconnu de dessins de Léonard de Vinci, une douzaine de peintures pornographiques de Michel-Ange, un assortiment d'œuvres d'art, certains documents précieux et autres joyaux de la Couronne.

La rumeur rapporte aussi que notre banque suisse serait impliquée, indirectement, dans le récent scandale de l'or des nazis. Si les faits sont avérés, tout aspect éthique mis à part, cela risque d'être très gênant et très dommageable pour nos projets avec les Rothschild et pour les bonnes relations que nous avons toujours entretenues avec le monde juif des affaires depuis des siècles.

En tout cas, une des raisons qui permettent au Business de mener sa barque sans trop de publicité – négative ou autre –, c'est le nombre considérable de cadavres dans le placard qu'il détient à peu près sur tout le monde – qu'il s'agisse de grandes sociétés commerciales, d'États souverains ou de religions établies.

Il y a aussi d'autres raisons, mais nous y viendrons plus tard. Chaque chose en son temps, une denrée que, vu l'extrême longévité du Business, nous avons évidemment l'habitude de manipuler en gros !

2

— Eh bien, merci de m'avoir accompagnée.

Raymond m'adressa un grand sourire.

— Ce fut un grand plaisir de vous transporter, Ms Telman.

Il me serra la main avec une force dépassant la simple politesse de rigueur, toucha la visière de sa casquette et glissa son corps musclé dans la Lexus.

Je m'autorisai un très bref dernier regard, accompagné d'un léger soupir, avant de suivre les deux valets qui portaient mes bagages à l'intérieur de cette vaste symphonie de pierre grise qu'est Blysecrag House, tandis que la voiture, dans un crissement de gravier, repartait vers la grand-route à travers le parc et les bois peuplés de biches.

— Kate ! Mon enfant ! Comme je suis heureux de te voir !

Vêtu d'un costume de tweed fatigué, agitant une houlette de berger avec la désinvolture d'un homme habitué à vivre sous de hauts plafonds, suivi d'un couple de vieux chiens-loups dégingandés laissant une double trace de poils gris et de bave sur le parquet, sa propre chevelure blanche en bataille semblant flotter comme un halo autour de son crâne, Freddy Ferrindonald descendait le hall d'entrée, tout sourires, les bras largement écartés.

Sa silhouette était éclairée par le soleil d'hiver plongeant à travers un vitrail haut de deux étages représentant une aciérie victorienne – une composition en vermillon criard mêlé d'orange agressif et de jaune étincelant, avec de gros nuages de fumée noire crachés par d'énormes machines, où s'affairaient de pauvres formes humaines courbées, difficiles à distinguer au milieu des volutes de vapeur et des gerbes d'étincelles.

Aristocrate de la vieille école, d'une excentricité un peu pataude, ce fringant oncle Freddy était réellement mon oncle adoptif puisqu'il était le demi-frère de Mrs Telman. Mais ces liens familiaux ne l'avaient jamais empêché de développer à mon égard une affection ambiguë, qu'il manifestait par des allusions égrillardes et libidineuses, voire à l'occasion par une gaillarde main aux fesses. Mais il était vraiment drôle et, puisque ni lui ni moi ne possédions de véritable famille, nous nous étions toujours remarquablement bien entendus.

— Heureux de t'avoir parmi nous !

Freddy me serra contre lui avec toute la vigueur enthousiaste que lui permettaient son corps frêle et ses quatre-vingts ans bien sonnés. Puis il me repoussa pour mieux m'examiner.

— Tu es plus ravissante que jamais !

— Comme vous, oncle Freddy !

Il sembla trouver la réponse du dernier comique, et partit dans un rire tonitruant qui roula en écho dans les galeries supérieures des étages tout en dévoilant un assortiment de dents de teintes et de formes diverses. Il passa son bras autour de mon épaule et m'entraîna vers les contreforts lointains de l'escalier principal.

Miss Heggies apparut. Miss Heggies était la gouvernante de Blysecrag, une personne de petite taille, incroyablement impressionnante, coiffée d'un chignon de cheveux gris, avec un regard d'acier, des lèvres de la couleur et de la forme d'un petit élastique et une voix à sectionner un bloc de titane. Elle donnait l'impression de disposer d'un centre de commande quelque part dans les tréfonds du château, qui lui donnait le pouvoir de se matérialiser à volonté lorsqu'elle le souhaitait, là où elle le désirait. Mais, à la différence de la mise en scène des épisodes de *Star Trek* ou *Dr Who* (là, un bruitage minable accompagné d'un scintillement de forme vaguement humaine, ou bien l'apparition subite d'un téléphone de la police métropolitaine, vous donnait au moins un léger préavis), Miss H. avait mis au point l'art consommé de surgir comme par magie et sans le moindre bruit.

— Ah, Miss H. ! brailla oncle Freddy. Où va-t-on loger la charmante Kate ?

Miss Heggies fit un signe de la tête aux deux valets qui attendaient patiemment avec leur charge de bagages.

— Ms Telman est dans la suite Richmond, leur lança-t-elle.

— Miss Heggies, dis-je avec un petit hochement de tête et un sourire que j'espérais suffisamment respectueux.

Miss Heggies fait partie de ces gens dont on a intérêt à se concilier les bonnes grâces.

— Ms Telman. Bienvenue à Blysecrag, fit-elle en imprimant à sa tête une inclination d'un degré avec un léger frémissement des commissures des lèvres, ce qu'il fallait interpréter comme une profonde révérence et un large sourire plein de soumission.

Je me sentis vraiment honorée. On commença à gravir les marches.

J'ouvris toutes grandes les hautes fenêtres, sortis sur le balcon, les bras serrés autour de ma taille, et inspirai l'air vif et frais sous un ciel d'un bleu de cobalt sans défaut, mon haleine formant de petits nuages de buée. Au-delà de la balustrade de pierre, la vue plongeait brutalement sur une série de terrasses travaillées, riches de pelouses, de massifs de fleurs, de cascades et de pièces d'eau, jusque dans le lit boisé de la vallée. On y voyait étinceler les méandres d'une rivière qui s'élargissait au loin, sur la droite, pour former un lac au centre duquel jaillissait un immense jet d'eau. Les frondaisons du parc s'étendaient à perte de vue jusqu'aux collines et vallons environnants.

En suivant du regard l'escarpement où était construit le château, j'aperçus une longue structure ressemblant au sommet d'une grue, installée sur la pelouse et surplombant le précipice. Des volutes de vapeur s'y accrochaient et l'arrière de l'ensemble était caché par les tours crénelées d'une autre aile du bâtiment.

Je me frottai les bras sous l'épaisseur de mon blazer et de mon chemisier, et je me rendis compte que je souriais au panorama.

C'était Blysecrag. Un duc de la région en avait commencé la construction, au début du XVIIIe siècle, bien déterminé à en faire l'une des grandes demeures de l'Angleterre. C'est lui qui avait eu l'idée d'installer un barrage dans les collines, à huit kilomètres au nord du bâtiment. Grâce à deux aqueducs enjambant les vallées et à tout un réseau de canaux, citernes et bassins de régulation, ce réservoir fournissait l'eau et la pression nécessaires aux débauches aquatiques du domaine – le grand jet d'eau du lac n'en étant que le fleuron le plus immédiatement visible.

Le duc consacra tout son temps à la création de son domaine, mais négligea l'entretien de la fortune qui était censée payer cette folie. En conséquence, comme on pouvait s'y attendre, il fit faillite. Le domaine fut racheté par un certain Hieronymus Cowle, un original dont la richesse familiale provenait, à l'origine, des manufactures locales, et qui avait connu une seconde chance avec le développement des chemins de fer. Il estimait que cette vaste structure inachevée, sans plan défini, était un début prometteur mais dépourvu d'ambition. Il jeta dans la bataille une escouade d'architectes, une armée de paysagistes, d'hydrologues et de tailleurs de pierre ainsi qu'une brochette d'artistes.

Lorsque Hieronymus en eut terminé, Blysecrag s'enorgueillissait de trois cents chambres, dix-huit tours, trois kilomètres et demi de caves, cinq ascenseurs, trente monte-plats, un nombre équivalent de monte-charge de service dissimulés dans des placards, un funiculaire hydraulique reliant la résidence à sa propre ligne de chemin de fer, un théâtre souterrain de six cents places avec une scène tournante, une multitude de jets d'eau et un lac aux eaux miroitantes de plus d'un kilomètre et demi. L'endroit avait été équipé de toute une gamme de systèmes permettant de communiquer avec la valetaille et bénéficiait d'un système d'éclairage à vapeur d'essence pressurisée, alimenté par l'une des premières turbines hydrauliques.

Hieronymus mourut avant de pouvoir y emménager. Son fils, Bardolphe, dépensa le reste des deniers familiaux à satisfaire ses deux passions : le jeu et l'aviation. Il convertit une des salles de bal en casino et utilisa la surface calme du lac – fort opportunément orienté vers l'ouest, dans le sens des vents dominants – comme piste d'atterrissage pour hydravions. À l'une des extrémités du lac, sur un escarpement au sommet d'un petit plan incliné, il fit installer la première catapulte terrestre à vapeur du monde, pour pouvoir lancer son avion. C'était précisément cette structure enveloppée de vapeur que j'apercevais de mon balcon. Oncle Freddy l'avait fait remettre en état de marche.

Mais non content de pouvoir poser son hydravion de jour, Bardolphe avait imaginé de faire installer, juste au-dessous de la surface du lac, une conduite de méthane émettant des bulles de gaz que l'on enflammerait aux heures d'obscurité afin de baliser la piste et de permettre les atterrissages de nuit. Bardolphe mourut à l'automne 1913, en tentant son premier atterrissage nocturne : apparemment le vent avait éteint la plupart des torchères et mis le feu à plusieurs tas de feuilles mortes sur l'autre rive du lac, ce qui incita le pilote à voler vers un bosquet d'arbres où il s'écrasa sur le toit d'une pagode ornementale. On enterra le malheureux sur une colline dominant le lac et la maison, dans un cercueil représentant une table de casino, sous un mausolée en forme d'aéroplane.

Blysecrag servit de maison de convalescence pour les blessés de la Première Guerre mondiale, puis toute la propriété tomba en décrépitude tandis que la famille luttait en vain pour faire face aux coûts ruineux de son entretien. Elle fut convertie en centre d'entraînement pour l'armée de terre pendant la Seconde Guerre mondiale, et le ministère de la Défense la vendit en 1949 au Business, qui l'utilisa à son tour comme centre d'entraînement. Oncle Freddy l'avait ensuite achetée à la compagnie à la fin des années 50 et il y vivait depuis le début des années 60. Le Business avait commencé des restaurations qu'oncle Freddy avait terminées. C'est à lui qu'on devait notamment la réparation de la catapulte à vapeur et la rénovation du système d'éclairage du lac, converti au gaz de la mer du Nord.

Je retournai dans ma chambre et fermai la fenêtre. Les domestiques avaient suspendu mon sac-housse dans l'une des deux énormes garde-robes et posé mes autres bagages sur le lit. J'examinai la pièce : aucune trace de téléviseur. Pour l'oncle Freddy, une pièce commune spéciale consacrée à la télévision semblait une concession largement suffisante à la technologie moderne. Blysecrag possédait des tuyaux acoustiques, un système d'appel du personnel, un réseau interne de pneumatiques, son propre télégraphe intérieur, et un réseau d'interphones d'une complexité baroque reliant des téléphones militaires, mais on n'y trouvait que très peu de téléviseurs et seulement dans les appartements des domestiques.

Je dois reconnaître que je suis une accro de l'information. Mon premier geste, dès que je pénètre dans une chambre d'hôtel, est de brancher la télé pour regarder CNN ou Bloomberg. Enfin, je m'en passerais ! Je frissonnai dans ma tenue légère. Je me retrouvais dans cette immense demeure bourrée d'antiquités, avec une armée de domestiques à ma disposition, m'attendant à voir débarquer les riches et les puissants de ce monde, et tout cet environnement m'était familier. C'est dans ces moments-là que je prenais conscience de la chance que j'avais eue et de la vie privilégiée que je menais.

Comme d'habitude, la première chose que je déballai, avant même ma trousse de toilette, fut une statuette de porcelaine japonaise, un petit singe netsuké à l'expression douloureuse et aux yeux en verroterie rouge. Je l'installai sur la table de nuit. Dans tous mes déplacements à travers le monde, ce fétiche prenait place à côté de mon lit – avec ma montre et une lampe de poche –, m'assurant un décor familier au réveil. Cette petite statue au regard triste était l'un des premiers objets que je m'étais achetés en quittant l'école. Sertie dans sa base, il y avait une pièce de monnaie vieille de trente-cinq ans, d'avant le système décimal. Cette vieille pièce de trois pence à douze côtés était celle-là même que m'avait donnée Mrs Telman, ce samedi après-midi d'automne pluvieux, en 1968.

Oncle Freddy avait décidé de pêcher. J'enfilai un vieux jean, une chemise confortable et un épais pull-over découvert dans un tiroir. La maison fournissait le gilet-bouée de sauvetage multipoche et les cuissardes de pêche. Une jeep antique conduite avec une désinvolture gériatrique par l'oncle Freddy nous conduisit en cahotant sur une piste en herbe jusqu'à un hangar à bateaux, au bord du lac. Les deux chiens-loups nous suivaient en courant, projetant des giclées de bave dans leur course. Dans le hangar, nous trouvâmes deux vieilles cannes et l'attirail nécessaire pour la pêche à la mouche.

— Vous croyez qu'on a une chance d'attraper quoi que ce soit, à cette époque ? demandai-je tandis que nous longions la rive, suivis de loin par les chiens.

— Grands dieux, non ! fit oncle Freddy en éclatant de rire.

Nous progressions sur des eaux peu profondes et ombragées, pas très loin de l'endroit où la rivière se déversait dans le lac, après un mur de barrage décoré de statues d'angelots grassouillets.

— Donc, ces salauds mijotent quelque chose de louche, dit oncle Freddy en lançant sa ligne dans le courant paresseux.

Je lui avais raconté ma visite à Silex Systems et fait part de la conduite suspecte de MM. Rix et Henderson devant cette mystérieuse porte fermée. Freddy me jeta un coup d'œil.

— Enfin, si tu es sûre de ne rien inventer !

— J'en suis sûre. Ils ont été d'une politesse parfaite, tous les deux, mais je sentais que ma visite les gênait. J'avais l'impression d'être à peu près aussi bienvenue qu'une taupe sur un gazon anglais !

— Ha !

— J'ai épluché leurs comptes, après ma visite de l'usine, repris-je en exécutant un lancer acceptable. Il y a des variations bizarres. C'est un peu comme un tableau. De loin, tout semble parfait. Et puis, en s'approchant, on voit les coups de pinceau, toutes les petites retouches.

— Mais que diable peuvent-ils bien manigancer ? s'écria oncle Freddy avec exaspération. Est-ce qu'ils auraient monté une autre chaîne de production ? Tu crois qu'ils pourraient fabriquer et vendre des composants électroniques pour leur propre compte ?

— J'y ai pensé. Les puces valent plus que leur pesant d'or, plus que des diamants industriels. Mais je ne vois pas comment ils auraient pu cacher le coût de l'investissement de départ. L'achat de matières premières, peut-être, mais pas les machines, pas la chaîne de montage... Impossible.

— Cette boîte, Silex, on n'en est pas totalement propriétaires, hein ?

Je secouai la tête.

— Non, on est en partenariat avec Ligence US, à quarante-huit pour cent chacun. Les quatre pour cent qui restent appartiennent au personnel. Rix et Henderson sont nos hommes, mais via Hazleton.

— Merde ! s'exclama oncle Freddy.

Hazleton est un des cadres de niveau un, un échelon au-dessus d'oncle Freddy. Un grand parmi les grands. Un des gros pontes absolument intouchables de la compagnie, membre à part entière du Conseil. Il était attendu plus tard dans la journée avec d'autres personnages de poids. Oncle Freddy – un niveau-un frustré s'il en fut – nourrissait quelque ressentiment vis-à-vis de Hazleton.

— Est-ce qu'on peut légalement intervenir ?

— Seulement via Hazleton, répondis-je. Ou via un autre niveau-un.

Oncle Freddy émit un petit ricanement de dérision.

— À moins qu'on n'attende les élections de l'an prochain, poursuivis-je. Ce qui signifie qu'on devrait commencer la campagne dès maintenant. Et je ne vois pas comment le justifier ni qui proposer. (J'expliquerai cette histoire d'élections un peu plus tard.)

— Il faudrait simplement qu'on introduise un de nos gars chez Silex, déclara oncle Freddy.

— Je le crois aussi. Voulez-vous que j'en parle à quelqu'un ?

— Oui. Essaie d'avoir un type d'un de nos bureaux européens. Quelqu'un de compétent, un Écossais, j'imagine, mais pas en poste là-bas, ni à Londres.

— Il me semble qu'il y a quelqu'un à Bruxelles qui pourrait très bien convenir. Avec votre bénédiction, je demanderai à la sécurité de l'envoyer en détachement.

— C'est ça, oui. On devrait au moins essayer ça.

Et, là-dessus, la ligne d'oncle Freddy, qui dessinait jusqu'alors un S paresseux à la surface de l'eau, subit une violente secousse et disparut. Avec une exclamation de surprise – « Eh bien ! Du diable si je m'attendais… » –, il bloqua le défilement du moulinet.

— Il faut prendre ça comme un heureux présage ! dis-je.

Le Business a établi des accords d'entente avec plusieurs États ou régimes politiques. Au fil des siècles, nous nous sommes taillé nos propres zones d'influence dans différents coins du globe. Nous avons, par exemple, une petite usine sur la base militaire américaine de Guantanamo, à Cuba, qui produit les seuls cigares authentiquement cubains qu'il est plus ou moins légal de vendre aux États-Unis. Mais ils sont tellement rares et chers, et d'une légalité tellement douteuse, qu'on n'en a jamais fait la publicité. La rumeur prétend que c'était un cigare de cette marque que le Président Clinton… Enfin, passons… !

Fort opportunément située à côté de Guantanamo, la petite île de Great Inagua, dans l'archipel des Bahamas, n'a jamais été totalement indépendante mais possède son propre parlement semi-autonome. Nous y avons des intérêts, là aussi. Sur le territoire continental américain, nous possédons deux casinos et quelques autres affaires dans la « Rèze », comme on l'appelle d'habitude. Il s'agit en fait de la Wolf Bend Native American Reservation, une réserve indienne perdue dans un coin paumé de l'Idaho, là où, une fois encore très opportunément, la loi américaine ne s'applique pas tout à fait.

Nous sommes la seule organisation non gouvernementale à posséder une base permanente dans l'Antarctique, sur la Terre de Kronprinzess Euphemia, entre la Terre de Dronning Maud et la Terre de Coats. Nous l'avons achetée à l'Argentine au moment de la junte, ce qui nous rend, pratiquement, propriétaires d'un petit État ayant le double avantage d'être affreusement isolé et à l'abri de toute juridiction internationale. D'effrayantes rumeurs circulent dans la compagnie, prétendant que Kronprinzess Euphemia serait l'équivalent de la Sibérie, notre propre goulag. Mais personne, à ma connaissance, n'y a jamais été envoyé contre sa volonté. J'imagine que c'est seulement une histoire destinée à garantir que chacun va filer doux.

Quelques États – en échange de traités commerciaux, de services rendus ou même, carrément, de pots-de-vin –

ont offert à nos dirigeants le titre de « diplomates ». Ce qui explique l'intérêt que nous portons au sort du général Pinochet, qui voyageait avec un passeport diplomatique au moment de son arrestation à Londres.

Cela semble être devenu la dernière marotte de nos gros pontes de niveau un. Autrefois, personne ne semblait s'y intéresser. Mais il y a sans doute un moment où, à force d'être riche, on ne s'intéresse plus qu'à ce que l'argent lui-même ne peut vous acheter. Ma théorie personnelle c'est qu'un jour, au cours d'une réception, une de nos huiles est tombée sur un catholique de haut rang et a découvert qu'il était chevalier de l'ordre de Malte, donc accrédité dans les meilleurs cercles diplomatiques par le Vatican (comme Lee Iacocca [1], par exemple). Ce qui a fait prendre conscience à notre niveau-un de son gros handicap : seuls les catholiques peuvent devenir chevaliers de Malte. Or, une règle très stricte du Business exige que tous nos cadres – au-dessus du niveau six – renoncent formellement à toute obédience religieuse, sans doute pour mieux se consacrer au culte de Mammon.

Bref, nos cadres possèdent parfois des passeports diplomatiques émis par des régimes peu recommandables, comme l'Irak ou le Myanmar. D'autres viennent de pays si obscurs que, parfois, même des douaniers ou des officiers des services d'immigration très expérimentés sont obligés de fouiller dans leurs livres de référence pour arriver à les situer – des endroits comme Dasah, un petit État du golfe Persique, ou Thulahn, une principauté montagneuse entre le Sikkim et le Bhoutan, ou la République populaire zoroastrienne du Magadan

---

1. Homme d'affaires habile et retors, spécialiste du sauvetage d'entreprises (comme Chrysler). [N.d.T.]

intérieur, entre la mer d'Okhotsk et l'océan Arctique, ou San Borodin, la seule île indépendante des Canaries.

Tous ces accords sont utiles mais restent fragiles et coûtent fort cher. Les régimes changent, et si nous pouvons les acheter aujourd'hui un autre pourra les acheter demain. D'où l'idée d'une nouvelle combine, une façon pratique de tout arranger : nous avons l'intention d'acheter notre propre État. Carrément !

Outre la possibilité de nous faire délivrer tous les passeports diplomatiques imaginables, avec un accès illimité à cette voie de contrebande parfaitement légale qu'est la valise diplomatique, cela nous donnerait enfin un siège aux Nations unies, ce qui est devenu le rêve de nos niveau-un les plus ambitieux.

Le candidat est Fenua Ua, qui fait partie de l'archipel des îles de la Société dans le Pacifique Sud. Fenua Ua possède un îlot habité, deux gisements de guano (épuisés), mais aucune autre richesse naturelle mis à part du soleil, du sable, du sel à volonté, et une espèce de poisson épineux de comestibilité douteuse. Les habitants en sont arrivés à un tel point de désespoir financier qu'ils ont invité les Français à faire exploser leurs bombes nucléaires sous leurs pieds. Les Français ont refusé. Autrefois, on devait y importer l'eau potable mais, depuis peu, on a installé une usine de dessalement. Malgré tout, l'eau y garde un goût nettement saumâtre.

Le groupe électrogène ne fonctionne que par intermittence, il n'y a aucun port sur l'île principale, à peine assez de place pour un aéroport, et les récifs empêcheraient les plaisanciers d'y aborder même s'il leur en prenait l'envie. Mais, comme Fenua Ua est dépourvue de merveilles naturelles et ne possède aucune tradition populaire mis à part l'art d'enlever les épines de poisson, cela ne vient à l'idée de personne.

Un des plus gros handicaps de Fenua Ua est son

altitude qui ne dépasse nulle part un mètre cinquante par rapport au niveau de la mer. Actuellement, les récifs la protègent des vagues et de la houle de l'océan Pacifique mais ils se révéleront d'une insuffisance évidente lorsqu'il s'agira de lutter contre les effets du réchauffement planétaire. Si la tendance actuelle se poursuit, on prévoit que dans cinquante ans l'île se retrouvera en grande partie submergée et ressemblera à Venise un lendemain de tempête sur l'Adriatique.

Notre futur accord avec Fenua Ua comporte la construction d'une digue autour de l'atoll. À titre de réciprocité, les Fenuans nous abandonneront le contrôle de leur pays. Comme la population ne compte que trois mille cinq cents âmes démoralisées, il n'a pas été difficile d'acheter les faveurs de presque toute la nation. Les trois derniers référendums, depuis cinq ans, ont soutenu notre projet à une écrasante majorité.

Mais, malgré tout, l'affaire ne s'est pas révélée si simple à conclure. Différents gouvernements ayant eu vent de la transaction se sont ingéniés à la bloquer en proposant toute une gamme d'aides, de crédits commerciaux, et autres graissages de pattes fenuanes. Les États-Unis, le Royaume-Uni, le Japon et la France avaient montré un entêtement particulièrement remarquable. Bien sûr, nous n'avions pas encore investi de sommes vraiment sérieuses dans toute l'opération – quelques semaines de vacances à Gstaad, un ou deux yachts, quelques appartements à Miami et autres babioles coûteuses de ce style –, mais nous y avions consacré pas mal d'efforts ; et chaque fois que nous pensions être sur le point de conclure, le gouvernement de Fenua Ua nous inventait une nouvelle objection, ou faisait remarquer que les Français leur avaient promis un aéroport international, ou que les Japonais allaient leur installer une nouvelle usine de dessalement de l'eau, ou que les Américains leur proposaient une centrale nucléaire, ou encore que les Britanniques avaient laissé espérer la visite du prince Charles en personne.

Cependant, de récentes rumeurs indiquaient qu'une solution avait été trouvée puisque le but de cette réunion à Blysecrag était, semble-t-il, la conclusion d'un accord final. On allait sortir les stylos, échanger de cordiales poignées de main, se remettre de grands dossiers de maroquin, et peut-être bien pas plus tard que ce soir même. Telles étaient mes réflexions alors que je pataugeais dans mes cuissardes en admirant la petite truite qui se débattait énergiquement au bout de la ligne d'oncle Freddy.

— Ah ! s'exclama oncle Freddy en braquant à mort, les mains croisées sur le volant tandis que la Ferrari partait sur le côté en amorçant un dérapage. Allons, allons, ma fille ! reprit-il entre ses dents.

Évidemment les supplications d'oncle Freddy ne s'adressaient pas à moi, mais à la voiture. Quant à moi, je tenais mon sac à main serré contre ma poitrine, j'avais d'instinct replié mes jambes et mes mollets écrasaient les luxueux sacs en papier glacé contenant mes récentes emplettes. Après avoir continué à glisser vers la haie pendant une fraction de seconde interminable, la Daytona sembla se ressaisir juste avant la fin du virage et, redressant dans un rugissement son long capot rouge, elle reprit une trajectoire conforme au tracé de la route. Les voitures étaient la grande faiblesse de l'oncle Freddy. Les vieilles écuries de Blysecrag contenaient une collection invraisemblable d'automobiles – parfois de vrais bolides – qui aurait fait pâlir d'envie bon nombre de musées.

Nous revenions de Harrowgate, à environ quarante

minutes de Blysecrag (trente minutes, en conduisant comme oncle Freddy). Il m'avait proposé de m'emmener en ville chercher une nouvelle robe pour la réception de la soirée. J'avais oublié son enthousiasme au volant ! Nous avions amorcé une discussion – surtout pour me distraire du péril mortel qu'il nous faisait courir à tous deux – sur la situation de Fenua Ua et je lui avais fait part de mon espoir prudent, comme je l'ai déjà mentionné, de voir se régler les choses précisément ce soir.

C'est alors qu'oncle Freddy avait dit : « Ah ! » sur ce ton de voix qui m'avait alarmée tout en titillant ma curiosité. Ce « Ah ! » cachait quelque chose d'important.

J'avais essayé de détourner mon attention de sa conduite sportive en comptant les billets de banque que je venais de retirer aux divers distributeurs de Harrowgate. Le monde civilisé se divise en deux camps bien distincts : ceux qui sont angoissés lorsqu'ils ont trop d'argent sur eux – parce qu'ils courent le risque d'être agressés ou dévalisés. Et ceux qui paniquent quand ils n'en ont pas assez – de peur de rater une bonne affaire. J'appartiens fermement à cette seconde catégorie et mon seuil de tolérance se situe largement au-dessus de la moyenne. Je perds souvent beaucoup en taux de change mais vous ne me trouverez jamais à court de cash. J'imagine que l'on peut imputer cela à mon éducation. Je relevai les yeux de mon portefeuille pour regarder oncle Freddy. « *Ah ?* » fis-je à mon tour.

— Dégage, connard ! lança-t-il entre ses dents à l'adresse d'un tracteur qui tenait un côté de la route au moment où un flot continu de voitures interdisait tout dépassement ; ensuite, il me regarda en souriant : J'imagine qu'il vaut mieux que je te le dise maintenant.

— Quoi ?

— Que nous ne nous intéressons pas vraiment à Fenua Ua.

Je le fixai, les yeux écarquillés. Puis, sans terminer mes comptes, je rangeai mes liasses de billets. Je répétai calmement :

— Quoi ?

— C'est du bluff, Kate. Une mascarade.

— Une mascarade ?

— Ouaip !

— Qui cache quoi ?

— Les véritables négociations.

— Les véritables négociations…

Je me sentais franchement idiote, à répéter ce que Freddy me disait.

— Ouaip, lâcha-t-il en profitant d'un petit trou dans la circulation pour doubler le tracteur. L'endroit que nous voulons vraiment acheter, c'est Thulahn.

— Thulahn ?

C'était cette minuscule principauté himalayenne avec laquelle nous avions établi, du moins jusqu'à présent, d'épisodiques rapports. Rien de plus que les bakchichs habituels pour l'achat de nos passeports diplomatiques. La veille, au téléphone, oncle Freddy m'avait informée de la venue de Suvinder Dzung, l'actuel prince de Thulahn, à Blysecrag ce week-end. Mais je n'y avais plus pensé, sauf pour me résigner à l'idée d'une soirée de drague appuyée et à une nouvelle escalade de propositions de troupeaux de yaks et autres joyaux, si j'acceptais de laisser ma porte ouverte cette nuit-là.

— Thulahn, confirma oncle Freddy. Nous achetons Thulahn. Voilà comment nous aurons un siège aux Nations unies.

— Et Fenua Ua ?

— Ah, c'était seulement un leurre, pour brouiller les pistes des autres sièges !

Il faut que je précise que depuis une décennie, depuis que nos tout-puissants se sont mis dans l'idée d'acheter un pays et de devenir membres des Nations unies, nous faisons référence aux États souverains existants comme à des « sièges ».

— Comment ça ? Depuis le début ?

— Eh oui ! répondit oncle Freddy d'un ton désinvolte. Pendant qu'on poursuivait tranquillement nos négociations avec les Thulahnais, on graissait généreusement la patte d'un petit gars du Département d'État américain pour qu'ils nous inventent chaque mois de nouveaux obstacles à l'achat de Fenua Ua. Mais, entre nous, beurk ! – et oncle Freddy souligna son interjection d'un mouvement à l'italienne qui lui fit lâcher le volant – je te demande qui pourrait bien vouloir acheter Fenua Ua !

— Je croyais que l'endroit lui même n'avait aucune importance. Je croyais que la seule chose qui comptait, c'était d'acheter un siège à l'ONU ?

— Effectivement. Mais si tu te paies un État, autant choisir un endroit sympa, tu ne crois pas ?

— Sympa ? Mais Thulahn est un trou ! Je connais ! Il y a si peu de terrain plat que c'est le stade de foot qui sert d'aéroport. Quand j'y suis allée, on a failli s'écraser parce qu'ils avaient oublié d'enlever la cage du goal ! Le palais royal est chauffé aux bouses de yak, oncle Freddy ! (Du moins, certaines parties.) Et leur sport national est l'émigration !

— Eh oui... Mais tu vois, question altitude, c'est imbattable : aucun risque en cas de réchauffement planétaire. Toutes les garanties de survie en cas d'impact de météorites, apparemment ! Et nous avons l'intention de raser une des montagnes pour en faire une piste d'atterrissage correcte. Notre autre projet, c'est d'y creuser un réseau de grottes et de tunnels pour y transporter pas mal d'archives actuellement en Suisse. Il y a aussi un gros potentiel hydro-électrique à ce qu'il paraît, mais nous avons une centrale nucléaire achetée l'an dernier au Pakistan qui ne demande qu'à être utilisée. Allez ! Tu te bouges le cul ?

Cela était lancé à l'intention d'une caravane qui faisait baisser notre moyenne. Je restai plongée dans mes pensées, laissant oncle Freddy pester et fulminer. Thulahn ? Au fond, pourquoi pas ?

— Mais les gens de Fenua Ua vont être furieux, objectai-je.

— Ils nous ont bien exploités. Et nous ne ferons pas un grand battage autour de l'achat de Thulahn. On va continuer toute cette farce jusqu'à ce qu'ils aient leur aéroport ou leur unité de dessalement ou ce qu'ils veulent obtenir des autres sièges.

— Mais dans une ou deux générations, ils seront sous l'eau !

— Ils pourront se payer des yachts, avec tout le fric qu'on leur a filé.

— Vous parlez d'une consolation !

— Allez, va te faire foutre ! grommela oncle Freddy en dépassant la caravane à une allure de comète ; il ajouta : Et toi aussi ! – à l'adresse de l'automobiliste qui lui faisait des appels de phares, tandis que la Ferrari amorçait un virage serré pour prendre l'entrée de la propriété – puis : Excuse le langage ! dit-il à mon intention.

La Ferrari projeta des gerbes de gravier qui crépitèrent sous les roues comme de gros grêlons, et tangua dangereusement avant de se rétablir sur le macadam devant la loge d'entrée. Nous attaquâmes l'allée dans un rugissement.

Après vérification du décalage horaire, j'appelai au téléphone une de mes amies en Californie.

— Luce ?

— Kate ! Tu vas bien, ma chérie ?

— Tout baigne. Et toi ?

— Aussi bien que possible. Sauf que je viens de me faire battre à plate couture par ma vieille vache de boss.

— Comme c'est diplomate de ta part de la laisser gagner ! Au fait, je croyais que c'était un mec, ton patron ?

— Non. C'est Deana Markins.

— Qui donc ?

— Deana Markins. Tu la connais. Tu l'as rencontrée chez Ming, l'an passé. Pour le réveillon. Tu te rappelles ?

— Non.

— Une soirée entre filles !

— Euh…

— Mais si, tu t'en souviens ! Cette soirée où on était allées en boîte et où tu avais remarqué que cette pauvre Pénélope Ives faisait décidément tapisserie !

— Ah, ce soir-là…

— Ouais. Donc c'est elle. Ah, et mon chat est à la clinique vétérinaire.

— Oh, mon Dieu, qu'est-ce qu'il a, ce pauvre Tracassin ?

— Pelade foudroyante. Je t'épargne les détails. Tu es toujours au pays de Braveheart ? *Ach*, ils peuvent nous prrrendre la vie, mais ils ne nous prrrendrront jamais au sérieux !

— Luce, franchement ! Tu as autant besoin d'un prof de diction que de te mettre sérieusement au jogging. Mais la réponse est non. Maintenant je suis dans le Yorkshire, en Angleterre.

— Dans cette mégabaraque qui appartient à ton oncle ?

— Exact.

— Et ton bien-aimé risque d'être là lui aussi ?

— Je crois. Mais consentant, j'en doute fort.

— Au fait, il s'appelle comment déjà ?

— Zut, ne me dis pas que tu as oublié ça !

— Allons, tu ne me l'as jamais dit. Tu es tellement secrète, Kate. Toujours sur la défensive, ouvre-toi davantage !

— C'est ce que je n'arrête pas de lui proposer, à ce type !

— Salope !

— Si seulement ! Enfin, patience…

— Un jour ton prince viendra…

— Qui sait ? Tiens, c'est drôle mais demain il y a un vrai prince qui débarque. Un certain Suvinder Dzung. Je t'en ai peut-être déjà parlé ?

— Ah oui, le mec qui t'a fait des avances dans une arrière-cuisine ?

— En fait il s'agissait d'une orangerie, mais bon. Oui, celui-là même. Je n'ose pas croire qu'on m'a invitée seulement pour ça, mais j'ai tout de même nettement l'impression qu'on m'a fait venir pour le distraire !

— C'est l'Himalayen ?

— Enfin il vient de ce coin-là, même s'il n'en a pas l'apparence.

— Et il est le prince de ce bled ?

— Oui.

— Mais je croyais qu'il régnait ?

— Il règne.

— Alors, comment se fait-il que ce gars s'appelle un prince, s'il règne ? On devrait l'appeler roi, non ?

— Tu m'en demandes trop. J'imagine que c'est une principauté, pas un royaume. Non, attends, oncle F. m'a dit que ça avait un rapport avec sa mère. Elle est toujours vivante mais il a été marié, brièvement, donc elle n'est

71

plus officiellement reine et en même temps il n'est pas encore roi. Enfin, un truc de ce genre. Enfin, franchement, on s'en tape, non ?

— *Amen !*

3

Dans les quelques heures qui suivirent, Blysecrag changea totalement d'ambiance et connut une intense agitation. Des voitures, des camionnettes, des minibus arrivèrent, en ordre dispersé ou en convoi, gravissant bruyamment les deux kilomètres de pente qui terminaient la grande allée. Des hélicoptères se posaient brièvement, le temps de dégorger leur chargement de passagers entre les courts de tennis et le terrain de polo. De là, les invités, les agents de sécurité, les techniciens, les artistes et autres étaient conduits jusqu'à la maison par une flotte de monospaces.

En principe oncle Freddy était responsable de toute l'organisation mais en réalité, comme d'habitude, derrière tout cela il y avait les gens du Business, cette bonne vieille division Récréation et Interlude – couramment appelés les Ambianceurs.

On avait fait venir de Londres un des plus grands chefs cuisiniers du pays, avec son équipe au complet (il avait fallu s'opposer par la force à l'embarquement d'une équipe de télévision de la BBC, spécialisée dans les reportages *people* un peu croustillants, qui s'obstinait à vouloir les suivre).

On avait programmé, de façon que tout semble le fruit du hasard, une séance photo avec un photographe de réputation internationale, pour une revue de luxe, propriété d'une de nos filiales. L'objectif était de rendre un peu moins suspect ce rassemblement d'hommes riches et puissants (invités sans leurs femmes ni leurs compagnes) avec tout un escadron de filles splendides et apparemment sans attaches, de jeunes beautés décidées à se faire un nom dans la mode, la photographie, le cinéma, enfin, pratiquement dans n'importe quoi et à n'importe quel prix.

Des renforts de cuisiniers, domestiques, animateurs et autres débarquaient d'une noria d'autocars et de minibus. À un certain moment, je remarquai Miss Heggies, observant toute cette agitation d'un des balcons du troisième étage. Elle me rappela une vieille lionne fière et solitaire dont le territoire aurait été envahi par une centaine d'hyènes glapissantes.

Nos propres agents de sécurité occupaient les lieux, des hommes et des femmes aux cheveux impeccablement coupés, en tenue sobre, les yeux cachés derrière des lunettes noires, un fil reliant une oreille à leur revers de col, chuchotant des messages dans un micro invisible. On remarquait tout de suite les nouveaux agents aux gouttes de sueur perlant sur leur front. Les malheureux découvraient quel cauchemar représente Blysecrag pour un professionnel de la sécurité. Avec ses myriades d'ascenseurs, de souterrains, de couloirs, de corridors, d'escaliers, de galeries, de passe-plats, de monte-charge et de pièces imbriquées les unes dans les autres, la sécurité du château était une gageure. Il fallait se contenter de passer parcs et jardins au peigne fin en remerciant la Providence qu'il n'y ait que deux kilomètres entre le haut mur d'enceinte et la résidence elle-même – et en essayant surtout de ne pas s'y perdre.

Le prince Suvinder Dzung de Thulahn arriva de l'aéroport de Leeds-Bradford en voiture. Vingt ans auparavant, le prince avait perdu sa jeune femme, quelques mois après leurs noces, lors d'un accident d'hélicoptère dans l'Himalaya, ce qui expliquait son aversion pour ce moyen de transport. Sa voiture avait été obligeamment fournie par l'oncle Freddy : une Bucciali Tav 12, sans doute un des véhicules les plus extravagants du monde, avec un capot de la longueur d'une mini. Après avoir expédié un mail à Bruxelles demandant d'envoyer à l'usine Silex de Motherwell un agent sur lequel Freddy et moi pourrions compter, j'avais rejoint oncle F. sur les marches du grand escalier pour accueillir notre invité d'honneur.

— Frederick ! Ah ! Et cette charmante Kate ! Ah ! Je suis ravi de vous revoir tous les deux ! Kate, comme toujours, vous me coupez le souffle !

— Toujours gratifiant d'être comparée à un crochet dans le plexus, prince !

— Hello, hello, hello ! tonitrua oncle Freddy, sans doute convaincu que le prince était devenu sourd et méritait une bienvenue en trois exemplaires.

Rayonnant, le prince accepta la poignée chaleureuse de l'oncle Freddy et m'imposa une accolade prolongée avant de m'infliger un baiser mouillé sur le majeur de la main droite.

— Vous êtes toujours droitière, délicieuse Miss Telman ?

Je retirai prestement ma main pour l'essuyer dans mon dos.

— J'ai aussi un excellent direct du gauche, prince. Quel plaisir de vous revoir. Bienvenue à Blysecrag !

— Merci. J'ai l'impression de rentrer chez moi.

Suvinder Dzung était un homme de taille plutôt moyenne, un peu enveloppé mais fort agile, dont le visage d'une complexion olivâtre s'ornait d'une moustache coquine noir de jais assortie d'une chevelure aux ondulations brillantinées impeccablement coupée. Le prince avait été éduqué à Eton, parlait anglais sans la moindre trace d'accent exotique – sauf lorsqu'il avait trop bu – et s'habillait, chaque fois qu'il séjournait en Angleterre, dans le style Savile Row le plus traditionnel. Outre ses talents de danseur qu'il aimait exhiber sur les pistes, il adorait faire étalage de ses bagues en or où scintillaient rubis, diamants et émeraudes.

— Entrez, entrez, entrez, mon vieux ! poursuivit oncle Freddy, s'adressant toujours à son triumvirat de princes et agitant son bâton de berger avec tant d'enthousiasme qu'il faillit renverser B. K. Bousande, un petit être falot aux yeux de fouine qui, secrétaire particulier du prince, se tenait près de lui, son attaché-case à la main.

— Oups ! Désolé, B. K. ! s'exclama oncle Freddy en éclatant de rire. Par ici, prince ! Vous avez votre suite habituelle.

— Ma très chère Kate, fit le prince en se retournant pour m'adresser un clin d'œil. À plus, ma puce !

Je ris.

— Cool, Raoul !

Il me regarda, perplexe.

— Enfin, Dieu merci, nous n'avons pas trop investi en Russie ! s'exclama oncle Freddy.

Il me passa la carafe de porto et reprit son cigare posé sur le cendrier. Puis, tirant une bouffée dont il roula les volutes dans sa bouche, il ajouta :

— Quelle sacrée pétaudière !

— J'avais pourtant l'impression que nous avions, au contraire, beaucoup investi en Russie, rétorqua Mr Hazleton, assis face à moi, depuis l'autre bout de la table.

Il m'observa tandis que je me versais une petite rasade. Avec le café, je m'étais autorisé un cigare Guantanamo dont les dimensions modestes ne suggéraient rien de trop phallique.

Les distractions de la soirée n'avaient pas encore commencé. On nous avait promis une séance au casino un peu plus tard, avec pile de jetons à la disposition de chacun, suivie d'un bal pour qui voulait danser. Jusque-là, on s'était abstenu d'aborder avec l'aimable Suvinder Dzung un sujet aussi trivial que l'achat de son pays. Je passai le porto à Son Altesse.

Nous étions huit, rassemblés autour d'une petite table dans une pièce relativement modeste, située en annexe de la grande salle à manger d'apparat du château. Le dîner avait réuni un groupe plus nombreux, comprenant notre photographe officiel, un présentateur de télévision, un couple de chanteurs d'opéra – ténor et soprano –, un cardinal français, un général de l'US Air Force, deux pop stars d'allure juvénile (que je connaissais de nom mais n'avais jamais entendues), une vieille star du rock (que je connaissais bien), un chef d'orchestre américain, un membre du gouvernement, un jeune poète noir à la mode, quelques lords, un duc et deux *dons* (l'un d'Oxford, l'autre de Chicago).

Après le dessert, les membres de notre petit groupe s'étaient excusés, entraînant le prince avec eux : nous devions parler affaires. Mais il n'en avait pas encore été beaucoup question. Tout cela avait pour objectif d'impressionner Suvinder. Je commençais à trouver que nous en faisions un peu trop. Peut-être s'attendait-on à des difficultés pendant les séances de négociations qui devaient commencer le lendemain ?

Étaient également présents, en arrière-plan, quelques-uns de nos jeunes cadres de grade inférieur, à moitié cachés, avec deux domestiques du prince ; et on apercevait, bien en retrait, plantée pieds écartés, mains jointes, la silhouette attentive et imposante de Colin Walker, garde du corps de Mr Hazleton.

— En effet, mais cela dépend ce qu'on entend par *beaucoup* d'argent, insista oncle Freddy. En fait, nous y avons investi bien moins que la plupart des gens et infiniment moins que quelques-uns. Proportionnellement, on sera gagnants quand on nous présentera la douloureuse.

— Quel réconfort ! répliqua Mr Hazleton.

Hazleton est un grand gaillard imposant dont le large visage bronzé et quelque peu grêlé s'abrite sous une abondante chevelure blanche, aussi parfaitement disciplinée que celle d'oncle F. est laissée à l'abandon. Il a une voix grave dont l'accent se situe entre Kensington et l'Alabama. Lorsque je l'avais rencontré, à mes débuts, il m'avait semblé être l'archétype du vieil aristo parfaitement policé (par opposition à l'oncle Freddy qui se rattacherait plutôt à la variété parfaitement excentrique) mais, comme moi, il a passé une dizaine d'années en Amérique dont il a rapporté de curieuses intonations. Cela lui confère un accent qui, selon le point de vue, peut sembler tout à fait délicieux ou, au contraire, évoquer la mauvaise prestation d'un acteur anglais auditionnant pour un rôle dans *Autant en emporte le vent*.

Hazleton jouait délicatement avec une grande boule de cristal de Bunnahabhain tout en tirant sur un cigare de la taille d'un bâton de dynamite.

J'ai toujours eu de la difficulté à évaluer les niveau-un dans le genre de Hazleton sans leur affecter un quotient multiplicateur en rapport avec leur richesse – comme si tout leur fric, propriétés et stock options agissaient telle une gigantesque loupe qui multipliait leur personnalité dans n'importe quel espace social, selon le jeu des miroirs réfléchissants des ascenseurs. Aujourd'hui, on en était arrivé au point où tous nos niveau-un pouvaient être raisonnablement considérés comme milliardaires. Bien sûr, pas tout à fait dans les mêmes hauteurs stratosphériques qu'un Bill Gates ou le sultan de Brunei, mais pas très loin ; peut-être avec un facteur dix d'écart.

Le seul autre cadre de niveau un présent était Mme Tchassot, une petite femme d'allure fragile, d'une soixantaine d'années, portant de petites lunettes et dont les cheveux d'un noir invraisemblable étaient coiffés en chignon. Elle arborait un visage chafouin et fumait des Dunhill à la chaîne.

En comptant l'oncle Freddy, il y avait cinq niveau-deux – parmi lesquels le fameux Adrian Poudenhaut, tout récemment promu à ce grade. A. P., protégé de Hazleton et son représentant principal en Europe, était un Anglais grand et rondouillard, à l'accent mi-britannique mi-américain, qui avait été, jusqu'à ce que je lui ravisse le titre, le plus jeune niveau-trois du Business. Nous ne nous étions jamais bien entendu. Oncle Freddy avait un certain faible pour lui parce que Adrian partageait sa passion des bagnoles, ce qui lui valait une petite visite particulière des garages à chaque séjour à Blysecrag. La rumeur disait qu'il avait une liaison avec Mme Tchassot, mais rien ne le prouvait. Comme Poudenhaut résidait généralement en Suisse, qu'il quittait ce pays seulement pour rendre visite à Hazleton aux États-Unis, leurs relations devaient être pour le moins sporadiques. Pour ma part, l'idée de ces deux mochetés en train de s'envoyer en l'air me donnait la nausée.

Les autres niveau-deux étaient MM. Abillah, un petit Marocain septuagénaire le plus souvent silencieux,

Christopher Tieschler, un grand gaillard d'Allemand assumant des rondeurs extravagantes avec une jovialité satisfaite, et Jesus Becerrea, un Portugais aux allures d'aristocrate et au regard sombre.

Il n'y avait qu'un autre niveau-trois, en dehors de moi : Stephen Buzetski, cheveux cendrés, mince et élancé, de quelques années mon aîné, l'homme que j'aimais, que j'avais aimé dès le premier jour, qui le savait, et qui en était à la fois flatté et profondément gêné. Un homme d'une perfection intolérable, si gentil et si droit qu'il refusait de tromper sa femme, avec laquelle, soit dit en passant, il n'était même pas heureux. Seulement fidèle, le salaud.

— On dit que les Russes ont besoin d'un homme fort. Il leur faut un tsar, un Staline, intervint Suvinder en laissant un de ses domestiques lui servir son porto tandis qu'il délaçait son nœud papillon et déboutonnait son smoking.

Il portait une ceinture de soirée pourpre aux fermoirs d'or. Il avait l'habitude d'enfoncer ses deux pouces sous le tissu en l'étirant contre son ventre. Peut-être n'avait-il pas encore compris qu'une bonne ceinture n'est pas élastique.

— Ce qu'ils risquent d'écoper, Altesse, c'est un retour du communisme, dit Hazleton avec son accent traînant. Si je n'étais pas persuadé qu'Eltsine n'est qu'un clown alcoolique, je croirais volontiers qu'il est lui-même secrètement communiste et qu'il fait semblant de tenter l'expérience du capitalisme, mais avec une telle pagaille que l'époque Brejnev apparaîtra rétrospectivement comme un âge d'or et les marxistes-léninistes comme des sauveurs.

— Ms Telman, intervint brutalement Mme Tchassot de sa petite voix de fausset, je crois que vous avez fait un tour en Russie, récemment. Qu'en pensez-vous ?

J'exhalai la fumée de mon cigare. Je m'étais promis de peu intervenir dans la discussion et de me faire oublier, après ce dîner où je m'étais déjà montrée sous mon jour le plus dangereusement gauchiste. (J'avais souligné le contraste apparu dans le monde occidental, lorsqu'il avait fallu réagir à la récente catastrophe causée en Amérique centrale par l'ouragan Mitch. D'un côté, un fonds d'entraide de plusieurs milliards de dollars collectés auprès du public en quelques jours. De l'autre, chez les riches de notre espèce, un ou deux millions accordés à regret, à condition qu'il ne soit pas question d'un moratoire, ou, pis encore, d'investissements à fonds perdus.)

— Oui, je suis allée en Russie. Mais c'était un voyage destiné à étudier certaines technologies prometteuses, pas la société dans son ensemble.

— En fait, ce qui s'est passé, lança Adrian Poudenhaut, c'est que les Russes ont créé leur capitalisme à l'image d'un Occident tel qu'il leur a été présenté par la vieille propagande soviétique. On leur avait dit que ce n'était que gangstérisme, corruption à grande échelle, loi du profit, avec un vaste sous-prolétariat exploité et affamé et un petit nombre de vautours capitalistes, des escrocs complètement pourris se jugeant au-dessus des lois. Naturellement, même à son époque du plus grand laisser-faire libéral, jamais le monde occidental n'a été comme ça – et de loin. Pourtant, c'est ce monde-là que les Russes ont pris pour modèle.

— Vous voulez dire que Radio Free Europe ne les a pas convaincus de la douceur de vivre dans notre monde capitaliste ? questionna Hazleton en souriant.

— Peut-être que si, concéda Poudenhaut. Mais peut-être ont-ils pensé que c'était une autre forme de propagande et ils ont fait la moyenne.

— Les Soviétiques n'ont jamais calomnié l'Ouest à ce point-là, affirmai-je.

— Ah non ? répliqua Poudenhaut. J'ai vu leurs vieux films. Il m'a semblé que c'était le cas, pourtant.

— De très vieux films alors, pas très représentatifs. Le problème, c'est que les Russes n'ont toujours pas instauré le capitalisme à l'heure actuelle. Les gens ne paient pas leurs impôts, donc l'État ne paie pas ses fonctionnaires. La majorité des gens vivent en autarcie ou grâce au troc. Quant au volume des capitaux et à l'investissement dans des projets de développement, il reste négligeable car tout l'argent est détourné vers des banques suisses, dont la nôtre. En fait, ce que les Russes ont établi aujourd'hui, c'est la barbarie.

— Je ne dis pas que les Russes aient jamais cru que le mode de vie occidental était aussi horrible qu'on le dépeignait, expliqua Poudenhaut, mais simplement qu'ils sont en train de copier, avec une fidélité amusante, une caricature et non une réalité. Je crois qu'ils ne le comprennent pas eux-mêmes.

— Tandis que vous, vous le comprenez ! suggérai-je.

— Et que pouvons-nous y faire ? me demanda Hazleton.

— Pour nous remplir les poches ou pour les aider ?

— Les deux, de préférence.

Je réfléchis un peu.

— Eh bien, je crois que nous rendrions un très grand service à l'humanité en général si nous faisions assassiner XXX. (Ici, je lançai le nom d'un politicien russe assez connu.)

Poudenhaut ricana. Les yeux bleus de Hazleton disparurent dans un réseau plissé de petites rides.

— Je crois que nous avons déjà eu à faire avec ce monsieur, remarqua-t-il. Il a ses moments de bouffonnerie, je vous l'accorde, mais il n'est peut-être pas aussi noir qu'on le dépeint.

Je haussai les sourcils et souris. Quelqu'un s'éclaircit la gorge, à l'autre bout de la table. À côté de moi, le prince éternua, et un domestique se précipita en déployant un mouchoir.

— Vous pensez qu'il est aussi noir qu'on le prétend, Ms Telman ? insista Hazleton.

— Je ne peux m'empêcher d'éprouver un curieux sentiment. Je me demande s'il n'y a pas eu quelqu'un de mon genre – mais de sexe masculin, bien sûr –, ajoutai-je avec un sourire à la ronde (ce qui me permit de surprendre le regard inquiet de Stephen Buzetski), quelqu'un assis à ma place, il y a soixante-dix ans, qui aura sans doute déclaré la même chose à propos de l'Allemagne et d'un politicien de troisième ordre, un bouffon assez amusant nommé Adolf Hitler.

En disant cela, je me rendis compte de la hardiesse de mes propos. Après tout il fallait que je me rappelle, même s'il était un peu tard, qu'il y avait des gens extrêmement puissants dans cette pièce. Adrian Poudenhaut se mit à rire puis, voyant le regard sérieux et intéressé que me jetait Hazleton, stoppa net.

— C'est une sacrée comparaison que vous faites là, Ms Telman, observa Hazleton.

— *Hitler* ? s'écria oncle Freddy comme s'il venait juste de se réveiller. Tu as bien dit *Hitler*, chère enfant ?

Je réalisai soudain que tous les regards de l'assemblée convergeaient vers moi. Herr Tieschler examinait poliment le bout de son cigare.

— Le problème, en fait, c'est qu'on ne peut jamais savoir, intervint calmement Stephen Buzetski. Si quelqu'un avait assassiné Hitler il y a soixante-dix ans, un autre aurait peut-être pris sa place et l'Histoire se serait déroulée de la même façon. Tout dépend si on croit à la primauté de l'individu sur les forces sociales, j'imagine, conclut-il en haussant les épaules.

— J'espère sincèrement me tromper, admis-je. Je le souhaite vraiment. Mais en ce moment, la situation en Russie est telle qu'elle inspire ce genre de réflexion.

— Hitler était un homme fort, fit remarquer M. Abillah.

— Très fort pour faire rouler les wagons à bestiaux à l'heure, opinai-je.

— L'homme était un mauvais génie, de la pire espèce, indiscutablement, laissa tomber le prince. Mais l'Allemagne était dans un état pitoyable lorsqu'il a pris le pouvoir, n'est-ce pas ? ajouta-t-il en se tournant vers Herr Tieschler qui l'ignora.

— C'est certain, admis-je. Et dans un bien meilleur état après qu'un millier de bombardiers alliés et cent divisions de l'Armée rouge lui eurent rendu visite !

— Écoutez…, commença Stephen Buzetski.

— Est-ce que vous pensez vraiment, Ms Telman, que notre tâche est d'abattre les politiciens ? coupa Jesus Becerrea d'une voix assez forte pour couvrir celle de Stephen.

— Non, répondis-je, en fixant Hazleton qui, je le savais, nous avait fait gagner une fortune, tout en accroissant son pécule personnel, en Amérique du Sud et en Amérique centrale, pendant des années. Je suis sûre que ça ne nous viendrait même pas à l'esprit !

— Et si c'était le cas, ce serait une pensée qu'il faudrait s'empresser de chasser, Ms Telman, répliqua Hazleton avec un sourire glacé. Car agir de cette façon nous mettrait dans le camp des méchants, n'est-ce pas ?

Est-ce que tout le monde se liguait contre moi ? En tout cas, on me poussait nettement dans ce trou que je m'acharnais à creuser moi-même depuis un moment !

— Cela ne nous rendrait pas meilleurs que les autres, avançai-je, et puis j'aperçus l'oncle Freddy qui me faisait des clins d'œil frénétiques sous sa tignasse blanche. Cependant, proportionnellement, pour citer Mr Ferrindonald, nous pouvons espérer avoir une longueur d'avance lorsqu'on partagera la douloureuse.

— La douleur est parfois une bonne chose, dit Poudenhaut.

— Relativement, acquiesçai-je. En termes d'évolution, il vaut mieux ressentir la douleur et se reposer que continuer à marcher et à chasser avec une jambe cassée, par exemple. Mais...

— Mais il s'agit de discipline, n'est-ce pas ?

— Vraiment ?

— La douleur vous enseigne une bonne leçon.

— C'est une façon de voir. Il y a d'autres manières d'enseigner.

— Parfois, on n'a pas le choix.

— Vous croyez ? ripostai-je en écarquillant les yeux. Fichtre !

— C'est comme avec un enfant, expliqua-t-il patiemment. On peut discuter avec un gamin et ça ne mène à rien. Ou alors on peut lui administrer une petite tape et tout est réglé. Cela s'applique aux parents, aux écoles... à toutes les relations où l'un des partenaires en sait plus long que l'autre.

— Je vois, Mr Poudenhaut. Et vous battez votre partenaire ? Je veux dire : est-ce que vous battez vos enfants ?

— Je n'appelle pas ça *battre*, fit Poudenhaut en riant. Je leur donne une petite claque, de temps en temps.

Il prit le reste de l'assistance à témoin.

— Toutes les familles ont un martinet, non ?

— Est-ce qu'on vous battait quand vous étiez enfant, Adrian ? demandai-je.

Il sourit.

— Souvent, à l'école, en fait, répondit-il, et il baissa un peu la tête en regardant les autres, comme s'il était plutôt fier de cette preuve de caractère. Ça ne m'a jamais fait de tort !

— Mon Dieu ! m'exclamai-je en me carrant dans mon fauteuil, vous voulez dire que vous auriez été ce que vous êtes *de toute façon* ?

Il ignora ma remarque.

— Vous n'avez pas d'enfants, n'est-ce pas, Kate ?

— Non, effectivement.

— Donc…

— Donc je ne sais pas de quoi je parle, j'imagine, lançai-je d'un ton dégagé. Mais je me rappelle parfaitement avoir été une enfant.

— Nous avons tous besoin de recevoir des leçons, énonça Stephen Buzetski avec bonne humeur.

Puis, tout en éteignant son cigare dans un cendrier d'onyx, il enchaîna rapidement :

— Pour ma part, j'ai besoin qu'on m'enseigne que le jeu ne paie pas.

Il tourna les yeux vers oncle Freddy, tassé sur son siège, et lui sourit.

— Alors, ce casino annoncé est ouvert, sir ?

— Le casino ! s'écria oncle Freddy en se redressant d'un seul coup. Quelle idée géniale !

— Baise-moi seulement, Stephen !

— Ça ne serait pas bien, Kate.

— Alors laisse-moi seulement te baiser. Tu n'auras rien à faire. Je me chargerai de tout et ce sera fabuleux, comme dans un rêve. Tu pourras même prétendre qu'il ne s'est rien passé !

— Non, ce ne serait pas bien non plus.

— Mais si. Ce serait même très bien ! Fais-moi confiance. Ce serait la chose la plus douce, la plus agréable, la plus merveilleuse qui pourrait nous arriver à tous les deux. Je le sais. Je le sens dans mes tripes. Tu peux te fier à moi. Laisse-moi seulement faire !

— Kate, j'ai fait une promesse. J'ai prêté serment.

— Et après ? Tu n'es pas le seul ! Et tout le monde triche.

— Je sais que certains trichent.

— Tout le monde.

— Non.

— Tous les hommes le font.

— Pas tous.

— Tous ceux que j'ai rencontrés le font – ou l'auraient fait si j'avais été d'accord.

— C'est ta faute. Tu es tellement attirante.

— Mais pas pour toi.

— Mais si, pour moi aussi.

— Et pourtant, tu arrives à résister ?

— J'en ai bien peur !

Tournant le dos à la maison, nous nous tenions debout dans l'obscurité, près d'un mur de pierre surplombant l'extrémité du lac aux eaux miroitantes. Ce soir-là, oncle Freddy avait fait allumer pour la première fois les lumières de la piste balisée récemment remise en état. Suvinder Dzung avait eu le privilège de déclencher l'opération, et une petite plaque célébrant l'événement avait été dévoilée, à la joie évidente du prince. Les bulles de gaz remontaient à la surface de l'eau, avec un bruit de flatulences assez comique. Les flammes brûlaient au-dessus de l'eau, telles des torches se détachant sur une immense plaque d'obsidienne de quinze cents mètres de long. Au loin, les lumières se réduisaient à de petites corolles jaune soufre qui ourlaient le bord de la nuit. En regardant attentivement, on pouvait distinguer le cône

87

bleuté des flammes pilotes qui chuintaient au bout des fines conduites de cuivre émergeant des eaux sombres et bouillonnantes.

J'avais joué au casino. (En ce moment je jouais aussi, mais l'enjeu n'était pas le même et j'avais peu d'espoir de gagner.) J'avais parlé à des tas de gens – et même conclu une sorte de pacte avec Adrian Poudenhaut. J'avais réussi à décliner, poliment mais avec fermeté, l'offre du prince qui me proposait d'aller visiter sa chambre. Je m'étais tenue sur la terrasse, avec tous les autres, pour admirer le feu d'artifice dont les étincelles illuminaient le ciel sombre des collines, en écartant discrètement une main baladeuse chargée de bagues – le prince ayant profité de l'occasion pour se mettre près de moi et tenter de me caresser les fesses. Partout ailleurs, dans la grande demeure, on pouvait trouver une gamme variée de drogues, et il se déroulait même dans une pièce, paraît-il, un Sex Show Live qui dégénérerait plus tard en partouze, selon la demande.

J'avais parlé au poète et à la soprano, et je m'étais sentie, telle une adolescente, toute godiche face à ce rocker vieillissant pour lequel j'avais eu le béguin, autrefois. Je m'étais fait draguer par le chef d'orchestre américain et le doyen d'Oxford. J'avais salué ce monument de muscles en bronze Armani qu'est Colin Walker, debout derrière son patron Hazleton assis à la table de black jack. Je lui avais demandé si sa visite en Angleterre se passait bien et il m'avait répondu, de sa voix douce et contrôlée, qu'il avait atterri hier seulement mais que jusque-là tout était parfait, oui, Ma'me.

Je m'étais démenée énergiquement au son d'une musique de style *rave*, dans une des petites salles, avec les plus jeunes de nos cadres et invités. Puis j'avais dansé plus sereinement aux sons d'un grand orchestre sur de vieux airs des années 40 et 50, dans une vaste salle de bal où s'étaient retrouvées les huiles. Suvinder Dzung, souple et indéniablement doué, m'avait emportée dans quelques danses toubillonnantes autour de la piste. Mais il semblait désormais très intéressé par une paire de beautés élancées, l'une blonde, l'autre rousse, qui, je le devinai, représentait la cavalerie fort opportunément envoyée à ma rescousse par l'oncle Freddy.

C'était là, dans cette salle de bal, que j'avais enfin rejoint Stephen. Je l'avais forcé à se lever pour danser avec moi et nos virevoltes nous avaient conduits dans l'air de la nuit, sur cette terrasse où nous avions aperçu les lumières balisant le lac. J'avais ôté mes chaussures et il les avait portées pour moi quand nous avions traversé la pelouse.

Il faisait froid, et ma petite robe bleu-noir Versace ne m'apportait que peu de protection, ce qui me fournit une bonne excuse pour me blottir contre lui et me laisser envelopper de son veston tout imprégné de son odeur. Mes chaussures dépassaient de ses poches.

— Stephen, tu es riche et beau. Et tu es un type bien. Mais la vie est courte, bonté divine ! Qu'est-ce qui ne va pas ? dis-je en lui donnant une bourrade amicale dans la poitrine. Est-ce que c'est moi ? Je ne suis pas assez séduisante ? Trop vieille ? C'est ça, non ? Je suis trop vieille ?

Il sourit, son visage éclairé par le reflet mat des flammes jaunes.

— Kate, nous avons déjà eu cette conversation. Tu es la femme la plus belle et la plus attirante que j'aie jamais eu la chance de rencontrer.

Je me collai contre sa poitrine, le serrant plus fort, désespérément, me réjouissant comme une adolescente de ce qui n'était sans doute qu'un mensonge.

— Donc, ça n'a rien à voir avec mon âge, murmurai-je, le visage enfoui dans sa chemise.

Il se mit à rire.

— Écoute, tu es plus jeune que moi et, de toute façon, tu ne fais pas ton âge. Contente ?

— Oui. Non.

Je m'écartai pour le regarder dans les yeux.

— Alors, pourquoi ? Tu n'aimes pas les femmes qui prennent l'initiative ?

C'était, ainsi qu'il l'avait dit, une discussion que nous avions déjà eue mais c'était aussi comme un rite, un parcours obligé. Nous avions eu la même conversation, il y avait quatre ans, ici même. J'avais suggéré à l'époque qu'il était *gay* et il avait levé les yeux au ciel.

À ce moment-là, avec ce geste d'exaspération, j'avais compris qu'il était parfait. La mimique était irrésistiblement charmante et elle révélait aussi, de façon bien trop évidente, que ça lui était arrivé auparavant, que d'autres femmes, honteuses et vexées d'avoir été rejetées, l'avaient accusé d'être *gay* et qu'il était las de l'entendre.

J'avais compris alors qu'il ne s'agissait pas seulement de moi, mais des autres femmes aussi. Sans doute de toutes les autres femmes. Il n'était pas spécialement difficile ou gentiment sadique. Il était seulement d'une extrême fidélité à sa femme. Ce qui, évidemment, le rendait parfait. Parce que nous l'oubliions trop souvent : s'il accepte de tromper sa femme avec vous, il acceptera, un jour, de vous tromper avec une autre.

Trouver un homme de cette qualité, c'est comme toucher le gros lot, découvrir le bon filon, conclure l'affaire de votre vie… Et découvrir aussi qu'on a perdu le ticket gagnant, que le filon a déjà été exploité et qu'on a déjà signé le contrat sans vous.

Mes amies et moi connaissions cette situation. Arrivées à nos âges, tous les types bien étaient pris.

Pourtant c'est à notre âge seulement qu'on pouvait savoir qui étaient les types bien. Quelle était la solution ? Se marier jeune en espérant avoir fait le bon choix ? Attendre qu'ils divorcent, en espérant tomber sur la victime et non sur l'infidèle ? Ou revoir ses exigences à la baisse, et accepter une relation différente où l'on restera un individu sans jamais être la moitié d'un couple ? C'était ce que j'avais voulu faire, et puis j'avais rencontré Stephen.

— Pas du tout. Je trouve très flatteur que les femmes prennent l'initiative.

— Mais tu ne cèdes jamais ?

— Comment te le dire ? J'ai compris que j'étais, finalement, de cette espèce ennuyeuse : l'homme d'une seule femme.

(Ce qui signifiait qu'il était honnête, et aussi assez intelligent pour ne pas me donner la vraie réponse. Qu'il avait fait un écart, un jour, une fois, et qu'il savait de quoi il parlait. Ce qui m'attrista encore davantage, puisqu'il n'avait pas commis cette infidélité avec moi. Ainsi, je n'avais pas raté ma chance une seule fois mais deux.)

— Tous les autres le font, Stephen.

— Allons, Kate, ce n'est pas un argument ! D'ailleurs je ne suis pas « les autres ».

— Mais tu rates quelque chose. C'est une occasion… Tu… rates quelque chose, répétai-je misérablement.

— Il ne s'agit pas d'une affaire, Kate.

— Mais si ! Tout est question d'affaires ! Tout est commerce, transaction, options, possibilités. Le mariage aussi ! Il l'a toujours été. Je te fais une offre qui pourrait être fabuleuse pour tous les deux, où aucun des deux ne serait perdant : un profit net, une satisfaction garantie des deux côtés. Une offre que tu serais bien fou de refuser.

— J'y perdrais la paix de ma conscience, Kate. J'imagine déjà tous les complexes de culpabilité qui m'attendraient, ensuite. Il faudrait que j'avoue tout à Emma.

— Tu es fou ! Il ne faut rien lui dire !

— Elle s'en apercevrait certainement. Elle demanderait le divorce et partirait avec les enfants.

— Elle ne le saura jamais. Je ne te demande pas de la plaquer, ni d'abandonner tes enfants. Je veux ce que tu peux me donner, n'importe quoi : une liaison, l'affaire d'une nuit, coucher avec toi une seule fois ; n'importe quoi.

— Je ne peux pas, Kate.

— Mais tu n'es même pas amoureux d'elle !

— Si.

— Mais non ! Tu es simplement bien avec elle.

— Et alors ? C'est souvent l'aboutissement de la passion, une maturité.

— Pas forcément… Pourquoi es-tu si… décidé, si ambitieux dans ta vie professionnelle et si lâche en privé ? Tu ne devrais pas te contenter de si peu. Ou bien, s'il te faut vraiment ce confort insipide, tu as droit aussi à la passion. Avec une autre. Avec moi. Tu mérites de m'avoir.

Il m'écarta gentiment, gardant mes mains dans les siennes et me fixant dans les yeux.

— Kate, je refuse de discuter de ma vie avec Emma et les enfants, même avec toi.

Il reprit, embarrassé :

— C'est déjà un peu comme si j'avais une liaison. Je me sens coupable de parler avec toi comme on le fait.

— Dans ce cas, tu n'as plus rien à perdre !

— Au contraire, j'ai tout à perdre. Crois-moi, ce genre de sentiment fait déjà légèrement osciller mon détecteur de culpabilité personnel. Mais si je couchais avec toi, je ferais sauter le compteur.

Je me blottis contre lui, fermant les yeux rien qu'à l'imaginer.

— Crois-moi, Stephen. Si on couchait ensemble, on ferait vraiment sauter tous les compteurs.

Il rit doucement et me repoussa encore une fois. Je n'aurais jamais imaginé que quelqu'un puisse vous écarter avec autant de tendresse.

— J'en suis tout simplement incapable, Kate, dit-il d'un ton solennel et, à sa voix, je compris qu'il s'agissait d'un refus irrévocable.

Nous étions arrivés à une sorte de résultat bancal, une solution qui n'en était pas une. Mais je sentis que je ne pouvais pas insister, au risque de l'agacer sérieusement.

— Un détecteur de culpabilité, franchement ! m'exclamai-je en secouant la tête.

— Tu sais ce que je veux dire.

— Oui. Enfin, j'imagine.

Il frissonna dans sa chemise blanche.

— Eh, il commence à faire froid par ici, tu ne trouves pas ?

— Si. Rentrons.

— Je me paierais bien une petite baignade, avant de me coucher.

— Je peux venir te regarder ?

— Mais bien sûr.

La piscine de Blysecrag, qui n'était pas loin d'avoir des dimensions olympiques, se situait dans un sous-sol auquel on accédait après un dédale de corridors, principalement guidé par l'odeur de chlore. Je marchai bras dessus bras dessous avec Stephen, suivant le couloir couvert de moquette. Tout était éteint quand nous arrivâmes, et il nous fallut chercher les interrupteurs à tâtons. Les lampes s'allumèrent en papillotant autour de la piscine, illuminant les profondeurs des eaux calmes. Les murs étaient couverts de peintures en *trompe l'œil*, des fresques pastorales dans un paysage plus doucement vallonné que celui de Blysecrag, à moitié cachées par les colonnes doriques blanches entourant le bassin. Il y avait de nombreuses tables, des fauteuils, des chaises longues, des plantes vertes le long des murs, posées sur des bandes de gazon artificiel de la longueur de la pièce avec un bar tout au bout. Le plafond, voûté et peint en bleu, s'ornait de petits nuages d'un blanc cotonneux.

Je contemplai la surface de l'eau, si bleue, si lisse, tandis que Stephen allait se changer dans le vestiaire. Il y avait eu des visiteurs pourtant, qui avaient laissé leurs traces : de petites flaques d'eau sur le carrelage, des serviettes et des maillots de bain abandonnés çà et là, une quantité impressionnante de flûtes en plastique (de règle au bord d'une piscine) et des seaux à champagne éparpillés sur les tables ou le faux gazon. Mais maintenant, l'endroit était calme et vide et la surface de l'eau était parfaitement tranquille, sans la moindre ride, les pompes électriques étant arrêtées.

Je regardai ma montre : cinq heures quinze. Bien plus tard que je ne l'avais prévu. Mais tant pis.

Stephen revint, arborant un caleçon bleu de coupe large ; il m'adressa un sourire et plongea. C'était un plongeon superbe, presque sans éclaboussures, créant à peine quelques vaguelettes et une onde qui se propagea paresseusement à la surface depuis le point d'impact. Je le suivis du regard, sa longue silhouette bronzée se découpant sur le carrelage turquoise du bassin. Puis il refit surface, secoua la tête, et se lança dans un crawl puissant et détendu.

Je restai assise au bord de la piscine, le menton appuyé sur mon genou replié, à le regarder, tout simplement. Il accomplit une douzaine de longueurs et fendit les mini-vagues pour venir vers moi, calant ses coudes dans la gouttière ourlant le bassin.

— Tu t'amuses bien ?

— Ouais. Un peu lent, ce bassin.

— Lent ? Qu'est-ce qui se passe ? Il est rempli d'eau lourde ou quoi ?

— Non, mais il y a cette murette, fit-il en tapotant le carrelage qui dominait la gouttière. Elle renvoie les vagues, ce qui fait qu'on les reçoit dans la figure. Les piscines modernes n'ont pas de rebord : l'eau est à ras du sol et s'écoule par le trop-plein dans un collecteur, sous une grille.

Il avait raison, naturellement.

— Ça coupe cet effet de clapotis, l'eau est plus calme et on va plus vite.

— Je vois.

Il me regarda, un peu intrigué.

— Tu crois qu'on pourrait nager dans de l'eau lourde ?

— H deux O deux ? On doit sacrément flotter !

— Bon, je vais me changer.

— Je t'attends.

Il fit quelques brasses en direction de l'échelle métallique qu'il gravit avec une souplesse exquise, puis se dirigea vers le vestiaire en abandonnant un sillage de gouttelettes.

Je restai assise, bercée par le ronronnement de la climatisation, contemplant les reflets que l'eau projetait sur les murs et au plafond. De longues rayures dorées ondulaient sur le ciel artificiel et scintillaient entre les rainures des colonnes de stuc blanc. Je regardais la surface de l'eau, tout agitée de vaguelettes, et me rappelais sa parfaite immobilité du début. Chaque ondulation, chaque ride, ainsi que la danse des lumières se réverbérant sur les voûtes du ciel et sur les nuages avaient été créées et animées par Stephen. C'étaient ses muscles qui avaient propulsé la forme et le poids de son corps, donnant vie à cette eau, l'animant de sa grâce et de ses efforts, projetant ce jeu de lumières dansantes sur le ciel et les nuages. Je me penchai et étendis la main pour laisser les vagues venir à la rencontre de ma paume et la lécher en de délicates caresses, comme rythmées par le battement léger d'un cœur inconstant.

Les eaux s'apaisèrent peu à peu. Les vaguelettes diminuèrent d'amplitude et la surface du bassin retrouva sa tranquillité. Les torsades dorées dansant au plafond prirent une lenteur languissante et s'élargirent, comme un fleuve arrivant à la mer. La climatisation ronronnait.

— O.K. ? demanda Stephen.

Je levai les yeux vers lui. Une partie de moi-même souhaitait le laisser repartir seul, pour profiter encore un peu de ce calme et des derniers murmures apaisants de l'eau. Mais son visage amical, ouvert, couvert de taches de rousseur, toujours souriant malgré la fatigue, m'en empêchait. J'acceptai sa main tendue, et, après avoir éteint les lumières, nous repartîmes vers le bâtiment principal.

Il m'accompagna jusqu'à la porte de ma chambre, m'embrassa gentiment sur la joue et me souhaita de bien dormir. Ce que je réussis à faire, au bout d'un moment.

— Mmmm. Oui ? Allô ?
— Kathryn, c'est vous ?
— Euh, oui. Elle-même. Oui. Qui est-ce ?
— Moi, c'est moi… Moi, quoi !
— Prince ? Suvinder ?
— Oui, Kathryn.
— Suvinder, voyons ! C'est le milieu de la nuit !
— Ah non !
— Comment ?

— Il faut… que je rectifie, Kathryn. On n'est pas au milieu de la nuit, non, non !

— Prince, c'est… attendez… six heures et demie du matin et…

— Exact. Vous voyez ?

— Suvinder, il fait encore noir. Je n'ai eu qu'une heure de sommeil et j'en espérais bien cinq ou six, au minimum. En ce qui me concerne, c'est le milieu de la nuit. Alors, à moins qu'il se passe quelque chose de grave…

— Kathryn ?

— Oui, Suvinder ?

— Kathryn.

— … *Oui ?*

— Kathryn.

— Prince, vous me paraissez terriblement ivre.

— Je le suis, Kathryn, et terriblement triste, aussi.

— Pourquoi êtes-vous triste, Suvinder ?

— Je vous ai été infidèle.

— *Quoi ?*

— Ces deux charmantes demoiselles. J'ai cussom… non, succombé à leurs nombreux charmes.

— Vous ?

— Kathryn, je suis un homme de petite vertu.

— Vous et tous les autres, prince. Écoutez, j'en suis ravie pour vous. J'espère que ces deux jeunes filles vous ont rendu très heureux, et que vous les avez rendues très heureuses elles aussi. Et ne vous faites aucun souci. Vous ne pouvez pas m'être infidèle puisque je ne suis ni votre femme ni votre petite amie. Nous ne nous sommes rien promis. Donc, il ne peut être question d'infidélité entre nous. Vous comprenez ?

— Mais moi, si.

— Vous, quoi ?

— J'ai fait une promesse, Kathryn !

— Pas à ma connaissance. En tout cas pas à moi.

— Non, je l'ai faite au fond de mon cœur, Kathryn.

— Vraiment ? J'en suis très flattée, Suvinder, mais il ne faut pas avoir mauvaise conscience, je vous pardonne. D'accord ? Je vous pardonne toutes vos infidélités passées, présentes et à venir. Qu'est-ce que vous en dites ? Maintenant, vous pouvez vous amuser autant que vous le voulez et ça ne me dérangera pas le moins du monde. Je m'en réjouirai pour vous.

— Kathryn.

— Oui ?

— Kathryn.

— Suvinder, *quoi* ?

— Est-ce que je peux garder un espoir ?

— Un espoir ?

— L'espoir qu'un jour… vous me considérerez avec affection.

— Mais c'est déjà le cas. J'ai beaucoup d'affection pour vous. Je vous aime bien. J'espère être considérée comme votre amie.

— Ce n'est pas ce que je veux dire, Kathryn.

— Non, je m'en doutais un peu.

— Puis-je espérer, Kathryn ?

— Prince…

— Un tout petit espoir, Kathryn ?

— Suvinder…

— Dites-moi seulement que ma cause n'est pas tout à fait désespérée, Kathryn.

— Suvinder, je vous aime bien, et franchement je suis très flattée que…

— Les femmes disent toujours ça ! Elles disent « flattée », elles disent « amie », elles disent « aime bien » et puis, tout de suite après, arrive le « mais ». *Mais* ceci, *mais* cela. *Mais* je suis mariée. *Mais* vous êtes trop vieux. *Mais* votre mère va me jeter un mauvais sort. *Mais* je ne suis pas vraiment une femme…

— Quoi ?

— Je pensais que vous seriez différente, Kathryn. Je pensais que peut-être, avec vous au moins, il n'y aurait pas de « mais ». Mais c'est pareil. Ce n'est pas juste, Kathryn. Ce n'est réellement pas juste. C'est de l'orgueil ou du racisme ou, ou… du classisme !

— Prince, je vous en prie. J'ai très mal dormi, il y a peu. J'ai terriblement besoin de sommeil, pour me remettre.

— Maintenant, vous êtes brouillée…

— Suvinder, je vous en prie !

— Je vous ai brouillée avec moi, je l'entends à votre voix. Votre patience est à bout, n'est-ce pas ?

— Suvinder, laissez-moi simplement dormir, s'il vous plaît ! Écoutez, on devrait en rester là, pour l'instant. On en reparlera demain matin. Nous verrons les choses différemment. Je crois que nous avons besoin de sommeil, tous les deux.

— Permettez moi de venir vous voir.

— Non, Suvinder !

— Dites-moi dans quelle chambre vous êtes, Kathryn.

— Absolument pas question, Suvinder !

— S'il vous plaît !

— Non !

— Je suis un homme, Kathryn.

— Quoi ? Oui, je sais, Suvinder.

— Un homme a des besoins… Qu'est-ce que c'est ? Vous soupirez ?

— Prince, je ne veux pas être impolie mais j'ai vraiment besoin de dormir. Alors, je vous demande de me souhaiter bonne nuit et de me laisser me reposer. Allons, s'il vous plaît, dites-moi bonne nuit !

— Très bien… Kathryn ?

— Oui ?

— Je ne cesserai jamais d'espérer.
— Excellente idée.
— Je suis sérieux, Kathryn.
— Je vous crois.
— C'est vrai : je suis sérieux.
— Eh bien, bravo.
— Oui. Alors, bonne nuit, Kathryn.
— Bonne nuit, Suvinder.

4

Le moment est venu de vous expliquer le fonctionnement de notre société. D'abord il faut savoir qu'elle obéit, jusqu'à un certain point, à des règles démocratiques. En schématisant un peu, on pourrait dire que nous élisons nos patrons. Laissons cela de côté pour l'instant, nous y reviendrons.

Deuxième point, très important : nous exigeons de toute personne désireuse de s'élever dans la hiérarchie qu'elle abandonne toute pratique religieuse. Concrètement, cela signifie qu'un cadre promu au rang appelé autrefois *magistratus*, puis « diacre » et maintenant « niveau six », doit jurer avoir renoncé à sa foi.

Nous ne demandons pas que nos employés cessent de fréquenter leur église ou leur temple, qu'ils s'arrêtent de faire leurs dévotions en public ou en privé, ni même qu'ils cessent de financer des œuvres religieuses (encore qu'un geste en ce sens soit attendu et apprécié). Autrement dit, nous ne les empêchons en rien de croire dans leur cœur ou dans leur âme. Tout ce qu'on leur demande, c'est de jurer qu'ils ont cessé de croire. Cela paraît suffisant pour éliminer la race des zélateurs fanatiques, tous ces individus – admirables en un sens si vous approuvez ce genre de comportement – prêts à périr sur le bûcher plutôt que de changer un seul article de leur *credo*.

Troisièmement : nous pratiquons une parfaite transparence financière. N'importe quel cadre de la société peut inspecter les comptes de son collègue. Bien sûr, c'est une technique qui est devenue relativement simple depuis quelques années, avec l'avènement des ordinateurs et du courrier électronique. Mais ce principe est appliqué depuis le Ier siècle de l'ère chrétienne. Il a pour conséquence de rendre toute pratique de corruption impossible, sauf à une échelle négligeable.

Cependant, il a un désavantage : la complexité. C'était déjà vrai lorsque les gens devaient, en cas d'inspection, ouvrir des coffres pleins de tablettes de cire, dérouler des papyrus, déverrouiller de lourds registres dans la salle des comptables, aller rechercher de gros dossiers aux archives, faire des recherches dans les microfiches ; c'est encore vrai aujourd'hui, avec les comptes informatisés. Pendant deux millénaires, chaque progrès technologique qui promettait de rendre la tâche plus facile a été suivi, rapidement et inexorablement semble-t-il, d'une complexité accrue des chiffres et systèmes en question.

Dans un souci d'économies, nous avons tenté, à diverses reprises, de supprimer pareille pratique, prêts à l'abandonner si ces essais étaient concluants. Les résultats nous ont persuadés que les avantages étaient bien supérieurs aux coûts.

Bien sûr, la corruption demeure possible et probablement inévitable. Une des grandes préoccupations de la société est d'éviter qu'un des nôtres puisse détourner de petites sommes sur une longue période et se constituer ainsi un capital de base pour des transactions qui, bien qu'existant en dehors du Business, ne sont possibles que grâce aux contacts, informations et renseignements récoltés par cette personne au sein de la société. De tels agissements finiraient par croître de manière exponentielle jusqu'à menacer les intérêts mêmes du Business.

Plusieurs individus se sont essayés à ce type d'escroquerie dans le passé mais, en règle générale, ils ont été démasqués. À moins d'enterrer son butin dans un trou, l'escroc doit bien faire quelque chose de ses gains ! Et tout cadre qui vivrait de façon trop voyante au-dessus de ressources financières si aisément vérifiables serait aussitôt suspect et soupçonné d'entourloupe. Si tel autre, continuant à vivre de manière assez modeste, réussit à accumuler un pécule suffisant pour prendre une retraite brutalement anticipée et se retirer, soudainement nanti, dans sa propre île des Caraïbes, nous nous estimerons en droit de recourir à certaines procédures bien à nous pour récupérer des fonds qui, logiquement, nous appartiennent. Mais le Business n'est pas la Mafia et nous ne mitraillons pas, à ma connaissance, les jambes de nos traîtres. Cependant, il est surprenant de voir ce que l'on peut obtenir lorsqu'on possède sa propre banque suisse et une « clientèle » redevable de faveurs depuis des siècles. En fait, j'imagine que ce n'est pas surprenant du tout !

N'empêche, il est possible de se jouer de notre système, et dans les grandes largeurs. Vers la fin du XIXᵉ siècle, un certain M. Couffable, un de nos cadres supérieurs français, s'était taillé une fortune personnelle considérable en jouant avec la Bourse de Paris, ce que nous n'avons découvert qu'à sa mort. Il avait tout investi dans l'achat de tableaux de maîtres hollandais qu'il gardait dans une galerie souterraine de son château de la Loire. Vous voyez, quand je disais qu'ils devaient enterrer leur butin !

Nous n'avons jamais réussi à mettre la main sur ces toiles, bien que disposant d'avocats compétents et de la coopération totale de la veuve de feu M. Couffable (le couple n'avait pas d'enfants et M. Couffable avait tout laissé à sa maîtresse). Cette pratique a reçu le surnom de « couffablage » et désormais le Business prend de très, très grandes précautions pour éviter de se faire « couffabler ».

En règle générale, ce qui est à nous reste à nous. Dans le Business, quiconque se constitue une fortune personnelle, même légale, n'en est jamais tout à fait propriétaire. Il ne pourra donc jamais la léguer à sa progéniture ou à toute personne extérieure au Business. Plus une personne s'élève dans la hiérarchie, plus forte est la proportion de salaire payée sous forme de stock options, droits de retraite, voyages et autres avantages divers.

Rien d'anormal jusque-là : des tas de grosses boîtes réduisent la charge fiscale de leurs cadres supérieurs en mettant à leur disposition, souvent sans limites, voiture et chauffeur, appartement, hôtel particulier, avion et yacht. Le jet Lear appartient peut-être à la société et figure sur ses registres de comptabilité, mais il est à la seule disposition du P-DG, qui peut s'en servir pour aller faire son shopping ou jouer au golf si ça lui chante. De même, c'est la compagnie qui paiera l'abonnement à l'Opéra, la loge pour assister aux grands matchs ou l'abonnement au yacht-club ou au country-club.

Nous faisons la même chose, et peut-être même plus encore.

Notre différence tient à la manière dont nos cadres peuvent disposer des avoirs qui sont, en principe, acquis à leur nom. La plupart de ces avoirs ne peuvent être rachetés que par d'autres membres du Business, et encore : selon des critères hiérarchiques strictement établis.

Cela signifie qu'il est difficile de créer – et impossible de perpétuer – une dynastie au sein du Business. Chez nous, même le père le plus aimant n'aura jamais la possibilité de léguer tout son argent et tout son pouvoir à son cher fiston simplement parce qu'il le désire. Un père peut rendre son fils « riche », selon les standards du *vulgum pecus*, et il peut essayer de favoriser la carrière de son rejeton au sein du Business, mais jamais il ne lui sera possible de faire en sorte que junior soit automatiquement aussi riche et aussi puissant que papa l'a été.

Dans leur majorité, nos cadres supérieurs approuvent tout à fait ce système, car ils appartiennent en général à cette catégorie d'individus qui croit aux vertus du travail et de l'intelligence pour réussir, et considère d'un mauvais œil tout privilège hérité plutôt que durement gagné. En fait, cette même attitude est souvent observée à l'extérieur du Business, où l'on voit des pères très riches et très puissants, seuls maîtres de leur compagnie, léguer à leurs enfants une somme relativement modeste. Ce choix n'est pas dicté par la rancœur ou la défiance mais par la volonté de ne pas trop gâter leurs rejetons au moment où ils démarrent dans la vie. Ainsi, s'ils réussissent un jour, ils sauront qu'ils le doivent au moins autant à leurs talents qu'à l'argent hérité par chance d'un riche papa.

Naturellement, les choses sont différentes si un membre de la société invente quelque chose ou dépose des brevets à son nom. Prenez mon oncle Freddy, par exemple. Grade niveau deux en fin de carrière, il serait sans doute resté niveau cinq ou six s'il n'avait pas inventé le chilp™. Le chilp™ est le nom technique (forgé par oncle Freddy lui-même, à mon avis un peu déçu que ce mot ne soit pas passé dans le vocabulaire courant) de ces récipients de liquide blanc qu'on vous sert au lieu d'un vrai pot de lait dans les avions en classe touriste, dans les cafés, stations-service ou restaurants de second rang.

À l'origine, on vous remettait d'horribles petites

boîtes couvertes d'une pellicule d'aluminium, qu'il fallait ouvrir à deux mains et qui, si vous aviez la chance d'y parvenir et malgré toutes vos précautions, ne manquaient jamais de vous inonder. C'est à l'oncle Freddy que l'on doit la version moderne, beaucoup plus pratique, des petits pots qui s'ouvrent proprement et d'une seule main. Le genre de gadget qu'on regarde en se disant : « Mais pourquoi diable n'y a-t-on pas pensé plus tôt ? » Ou plutôt : « Pourquoi n'y ai-je pas pensé moi-même ? »... Sauf que c'est oncle Freddy qui l'a fait !

Or, bien qu'étant littéralement de toutes petites choses, les chilp™ sont produits par milliards chaque année. Donc, même la plus infime royalty sur chacun d'entre eux finit par rapporter des sommes considérables. Comme oncle Freddy en est l'inventeur, il en possède le brevet et c'est à lui que revient tout l'argent. Sa promotion au rang des niveau-deux lui a été accordée à titre honorifique. Ce genre d'ascension déstabilise un peu la rigueur du système, mais le Business s'est toujours arrangé pour s'accommoder des oncles Freddy de ce monde. Certes, nous aurions préféré posséder le brevet en partenariat et il existe un certain nombre de cas, lucratifs, où nous le faisons. Pour d'autres, nous nourrissons un optimisme prudent.

Un bon exemple en est l'Incan™. Il est constitué d'un tube en aluminium, en plastique ou même en papier cartonné, conçu pour injecter deux doses de poudre dans les narines. Le brevet a été officiellement déposé comme « dispositif pour injecter du tabac à priser ou toute autre molécule médicinale pulvérulente à prendre par voie nasale », mais personne n'a d'illusion sur sa finalité véritable – et nous n'avons aucune intention d'en limiter l'emploi à ces fonctions triviales.

L'Incan™ est un appareil à inhaler de la cocaïne, destiné au jour où cette drogue sera légalisée. On pourra alors acheter, dans des lieux autorisés, un paquet d'Incan™ pas plus grand qu'un paquet de cigarettes ordinaires (dont la vente, d'ici là, sera devenue totalement illégale, n'en doutons pas), on n'aura qu'à faire sauter la capsule, et snif, snif, banzaï ! Fini, l'opération du tripatouillage, découpage et étalage de ces stupides petites lignes sur les miroirs ou couvercles des chasses d'eau – sauf si cette sorte de rituel représente pour vous la meilleure partie de l'aventure.

Je les ai testés dans nos labos de Miami : ça marche ! Pour nous, le grand avantage est que ces distributeurs ne sont utilisables qu'une seule fois et, à moins d'être une sorte d'Unabomber de la micro-industrie, il est pratiquement impossible de les recharger. Les Incan d'origine sont prévus en aluminium, des petits tubes très design et sexy ressemblant un peu à des cartouches de fusil de chasse en argent. Nous prévoyons une gamme de luxe, plaquée or pour l'élite et les cadeaux de prix. La version plastique est plutôt orientée vers la classe laborieuse. Et avec le papier cartonné, biodégradable, nous pensons séduire le consommateur ami de l'environnement.

Nous sommes très optimistes sur l'avenir de l'Incan™.

Mais revenons à ces pratiques de corruption, racket, pots-de-vin, chantage et autres, si fréquentes dans le monde des affaires. Même si notre organisation a toujours été tolérante vis-à-vis des délits sans victimes tels que la prostitution, le blasphème, l'usage de drogue, l'appartenance à un syndicat, les relations sexuelles en dehors du mariage avec ou sans procréation, l'homosexualité et bien d'autres, les sociétés dans lesquelles nous devons vivre et commercer ont en général d'autres points de vue sur ces questions. Aussi mensonges et chantages n'ont jamais totalement disparu du programme.

Nous sommes avant tout des pragmatiques. La corruption n'est pas tant réprouvée pour des raisons morales que parce qu'elle agit comme un court-circuit dans la mécanique des affaires ou comme un parasite sur le corps de la compagnie. On essaie donc de réduire ces pratiques à un niveau tolérable, sans faire de trop grands efforts pour les éradiquer car cela entraînerait un régime tellement strict et étouffant qu'il limiterait la capacité de l'entreprise à s'adapter et briderait son dynamisme encore plus sûrement que ne le feraient des comportements de corruption généralisée. Il n'empêche que ce que nous considérons comme le seuil de tolérance de la corruption interne se situe, grâce à nos règles sur la transparence financière, à un niveau infiniment moindre que celui pratiqué dans les autres organisations avec lesquelles nous traitons. Nous pouvons ainsi nous enorgueillir, dans toutes les transactions ou tous les accords conclus, d'être presque à coup sûr le partenaire le plus honnête et le plus respectueux des grands principes.

Nous ne répugnons pas à traiter avec des nations ou des régimes corrompus tant que la comptabilité reste irréprochable de notre côté. De nombreuses cultures tiennent pour respectables et admises des pratiques commerciales que l'Occident qualifie de corrompues, et nous sommes tout à fait désireux d'assumer et d'adopter également ce point de vue. Mais en Occident ces pratiques sont tout aussi courantes. Simplement elles ne sont pas respectables, ni ouvertement reconnues.

En l'occurrence, naturellement, nous agissons comme n'importe quel État ou organisation. Mais nous, nous le faisons depuis plus longtemps et avec moins d'hypocrisie, d'où notre supériorité. L'expérience améliore tout, même la corruption. On pourrait en faire une de nos devises : « La corruption, c'est notre affaire ! »

La pratique qui consiste à élire nos supérieurs immédiats est celle qui surprend le plus l'observateur. Les travailleurs manuels et les employés de bureau ont tendance à la juger loufoque et irréaliste tandis que les cadres supérieurs réagissent parfois avec une incrédulité mêlée d'indignation : comment diable cela peut-il fonctionner ?

Et pourtant, ça marche ! Sans doute parce qu'en général les gens ne sont pas idiots et que nous prenons soin de recruter des individus plus intelligents que la moyenne. Cela marche aussi parce que nous pouvons nous permettre d'adopter des stratégies à long terme, et peut-être parce que cette pratique ne s'applique pas aux organisations avec lesquelles nous traitons ou réalisons des affaires en partenariat.

Nous avons commandité plusieurs études coûteuses et confidentielles, réalisées par des universités ou écoles de commerce prestigieuses, et toutes ont avalisé notre conviction : quand les gens élisent leurs patrons, une proportion plus élevée d'individus doués et compétents peut s'épanouir et gravir les échelons au sein de l'entreprise. Le système habituel, où les gens sont sélectionnés par leurs supérieurs, a certes des avantages – une personne de talent a plus de chances d'être rapidement remarquée et promue, sautant ainsi les étapes de la hiérarchie –, mais nous sommes fermement persuadés que ce système engendre davantage de problèmes qu'il n'en résout, et produit une culture de l'entreprise où chacun essaie de flatter son supérieur, saboter la carrière de ses égaux, exploiter, opprimer ou dénigrer ses inférieurs, bref où chacun passe plus de temps en manœuvres spécieuses et égoïstes, plus soucieux de son propre statut que de la recherche sérieuse et lucrative de la productivité

Naturellement, notre système n'arrive pas à empêcher

toute manœuvre politicienne dans les bureaux. Il ne met pas non plus à l'abri de canailles éventuelles, de petits chefs habiles ou d'idiots chanceux, mais il les rend plus faciles à repérer, contrôler et éliminer avant qu'ils n'aillent trop loin. Obtenir un avancement en flattant un patron, surtout un patron sensible à la flatterie ou aux faveurs sexuelles, peut être chose aisée. Gagner la confiance de ceux qui travaillent avec vous, jour après jour, et qui seront amenés à vous obéir est sans conteste autrement plus difficile !

On nous fait généralement une objection : comment être sûr que les gens ne voteront pas pour la personne qui leur garantira ensuite la vie belle ?

Cela arrive parfois et une division de la compagnie pâtira d'avoir un indécis pathologique à sa tête. Mais les chefs aussi peuvent être déboulonnés par leurs subalternes ou mis à la retraite prématurément ; ou alors, dans le pire des cas, le département entier peut être fermé par décision supérieure, sa structure démantelée, ses tâches redistribuées et le personnel dispersé.

Mais ce cas de figure reste extrêmement rare. Les gens choisissent le plus souvent d'élire des responsables compétents et dignes de respect – même s'ils savent que ceux-ci seront amenés parfois à prendre des mesures jugées désagréables – plutôt que de se retrouver obligés de travailler avec quelqu'un qui prendra des décisions faciles mais dommageables pour l'avenir de leurs intérêts.

Il existe aussi des comités d'entreprise dans la plupart des filiales que nous contrôlons à cent pour cent. Ils opèrent à un niveau qui, je l'avoue, ne m'est pas terriblement familier.

Tout ce qui précède ne signifie pas que la direction ne possède aucun pouvoir, mais simplement que chaque individu dispose d'un pouvoir qui prend une forme différente – plus orientée vers le haut, dominant moins le bas – que celles des autres structures traditionnelles. Il reste possible aux cadres supérieurs de favoriser la carrière des plus jeunes, tout comme il est possible aux jeunes cadres de se faire remarquer par leurs aînés et d'en tirer les bénéfices. Simplement, les deux parties ne peuvent pas agir sans tenir compte tacitement de l'avis de ceux qui auront à supporter les conséquences de leurs décisions.

Globalement, on peut dire qu'à bord l'ambiance est bonne !

Alors, comment se fait-il que vous n'ayez pas entendu parler de nous jusqu'à présent ? Nous n'agissons pas en conspirateurs et nous n'essayons pas spécialement de nous dissimuler. Nous ne cherchons pas non plus à nous mettre en avant, mais nous sommes suffisamment certains de notre probité pour ne pas nous inquiéter d'être exposés à l'occasion aux yeux du public.

Une des raisons les moins nobles de notre obscurité relative vient de ce que nous pratiquons la transparence financière et la démocratie interne tout en rejetant le népotisme traditionnel, ce que les médias du monde – couramment gouvernés par des gens pour qui ces concepts ont comme une odeur de soufre – évitent d'exposer au public, dans leur propre intérêt.

Une autre raison tient à ce que nous travaillons surtout en participation, sous forme de joint-ventures, plutôt qu'en cavalier seul. Dans de telles situations, nous laissons notre partenaire s'attribuer tous les mérites et affronter seul la couverture médiatique. Nous sommes pour l'essentiel une société de holding, nos intérêts concernent d'autres compagnies et nous ne produisons directement ni biens manufacturés ni services au public. Ainsi, nous demeurons en grande partie invisibles. Nous possédons une gamme d'appellations différentes ou d'identités diverses pour chaque branche de l'entreprise. Mais il n'existe pas un nom unique pour l'ensemble – sauf, naturellement, ce surnom de *Business* qui est si neutre, si vague et si général qu'il garantit presque en soi l'anonymat. Parfois on nous confond avec la CIA, ce qui est absurde. Eux, c'est la Compagnie, bien sûr ; et puis, ils sont beaucoup plus ouverts au grand public. Après tout, il n'y a pas de pancarte sur l'autoroute de Washington – ni nulle part ailleurs – indiquant où se trouvent nos quartiers généraux !

Il peut arriver qu'un journaliste, ou plus souvent un concurrent, commence à enquêter sur nos possessions. Il découvre généralement que la piste mène (parfois tout droit, parfois après une série d'acrobaties financières ou de circonvolutions byzantines qui sont la marque artistique d'un comptable doué et imaginatif) à l'équivalent commercial de « trous noirs », dans lesquels l'information publique tombe mais ne sort jamais, des endroits comme les îles Caïmans, le Liechtenstein ou notre propre île de Great Inagua.

Pourtant, nous ne sommes pas tout à fait invisibles. De temps à autre on publie des articles sur nous, dans les revues ou dans la presse ; parfois un programme à la télévison aborde un sujet qui touche nos intérêts ; parfois un gros livre nous mentionne. Les théories sur la « conspiration » sont les plus amusantes. Il y a eu un certain nombre d'articles et de livres à ce sujet, mais ce qui pourrait bien devenir notre Némésis se trouve sur le Net, ou maintenant sur le Web.

Il y a une douzaine de sites Web qui nous sont consacrés, mais aucun ne nous appartient. Au gré de votre fantaisie, vous pouvez croire ce que vous voulez, c'est-à-dire que le Business est, au choix :

a) la grande force derrière le Nouvel Ordre mondial (ce que les Américains – trop stupides pour comprendre que la guerre froide est terminée, qu'ils l'ont gagnée et que le monde leur appartient – ont adopté comme nouveau grand méchant loup, à présent que la bête noire de ce vieux Ronald est devenue une nation au PNB inférieur à celui de la société Disney) ;

b) une forme encore plus extrémiste, hideuse et sinistre, de la Conspiration internationale sioniste (autrement dit : les Juifs) ;

c) un groupement de cadres du parti, des entristes ayant infiltré les profondeurs du système capitaliste, chargés par le Conseil exécutif de la IVe Internationale de provoquer la chute de l'ordre capitaliste de l'intérieur en s'appropriant une majorité d'actions qu'ils mettront sur le marché d'un seul coup afin de provoquer un krach fatal (c'est, pour moi, la théorie la plus amusante) ;

d) la cabale du groupe richissime et peu connu des disciples du culte de Nostradamus, dont les intentions et la stratégie sont *grosso modo* similaires à celles des marxistes internationalistes, ce qui devrait conduire ces vaillants théoriciens à revoir leurs hypothèses si l'on survit tous à l'an 2000 ;

e) la branche commerciale militante de l'Église catholique romaine (comme si les histoires rocambolesques du Banco Ambrosio et des Black Friars ne lui suffisaient pas !) ;

f) un syndicat tout aussi extrémiste de frères musulmans décidés à concurrencer, dépasser et ruiner les juifs (le moins plausible jusque-là) ;

g) le reste du Saint Empire romain germanique, grotesque zombie sorti du tombeau, horriblement putréfié mais extraordinairement puissant, pour réimposer la domination européenne au Nouvel Ordre mondial en général, et aux États-Unis en particulier, grâce à des pratiques cosmopolites des plus retorses et à

113

l'introduction de l'euro (mérite le Grand Prix de l'invention, d'après moi) ;

h) la partie émergée d'un cartel de financiers judéonègres déterminés à réduire la race blanche en esclavage (j'attends encore qu'on me présente un financier judéonègre, mais j'imagine que je ne fréquente pas le bon milieu… sauf que si, justement) ;

i) une conspiration d'extraterrestres dirigée d'un vaisseau spatial enterré sous le désert du Nouveau-Mexique dont le but est de faire effondrer… voir plus haut ;

ou bien :

j) le fonds de retraite de Bill Gates, tout simplement.

Bon, donc nous sommes tous allés au bord du lac. L'éclairage sous-marin de la piste avait été remis en état, on avait débarrassé les deux kilomètres du lacodrome d'oncle Freddy de toutes ses algues, un pilote téméraire avait frôlé les collines et la cime des arbres dans un hydravion Iliouchine blanc comme une colombe et de la taille d'un jouet, pour se poser avec succès, après avoir rasé la surface de l'eau, et venir se ranger dans un bruyant vrombissement au bout du quai sous les applaudissements chaleureux des rares amateurs de sport ayant réussi à se tirer du lit avant midi ; et c'est à ce moment que la catapulte à vapeur (réparation garantie par les meilleurs techniciens, coûtant une fortune) a affiché un signal de détresse. Le cauchemar, non ? À la vérité, je crois que le pilote, un superbe Iranien, en a été soulagé.

— Putain de merde !

— Ce n'est pas votre faute, oncle Freddy !

— La vache ! Putain de merde !

Et le bâton de berger d'oncle Freddy a décapité deux urnes d'asters et d'hortensias d'un seul mouvement cinglant.

Eh bien, on a été privés du spectacle d'un hydravion de l'ex-marine soviétique se faisant catapulter à travers la vallée sur de lointaines collines – en regardant attentivement, on pouvait encore distinguer les cratères creusés dans les bois par les camions remplis de plaques d'acier, catapultés par des ingénieurs chargés de la mise au point de la trajectoire –, mais nous, nous sommes allés nous consoler avec les autos tamponneuses.

S'asseoir dans un minivéhicule ressemblant à une boîte de sardines bariolée pour se faire cogner de tous côtés par une bande de fêtards enthousiastes n'ayant pas la décence d'afficher une bonne gueule de bois ni les moindres rudiments d'aptitude à la conduite, sous un plafond métallique électrifié, n'est pas forcément ce que j'aurais choisi pour faciliter mon retour à la sobriété ; mais c'était la moindre des politesses envers l'oncle Freddy, tellement déçu par le fiasco de la catapulte.

Réf. C. W.
De quoi ?
Colin Walker. Faire attention.
Quoi de neuf ?
Lui ai dit bonjour hier chez oncle F. Prétendait être arrivé la veille (donc jeudi), mais ça ne colle pas.
D'acc. Autre précision concernant rapport d'Adrian George sur C. W. (message d'origine brouillé mais pas de mon fait, évidemment) : A. G. a vu C. W. non pas *dans* le bureau, mais *en route* pour le bureau. Dans un taxi. Devait être mercredi. Alors ? Autre confusion possible ?
Aucune importance.
O.K. Ça boume la fête ?

Quelle fête ?

Tu n'es pas à B'crag en ce moment ?

Si. Mais fête pépère, comme dab. Dans quel coin tu traînes tes guêtres ?

Singapour.

Sympa ? S. m'a toujours semblé ce que deviendrait l'Orient géré par des Suisses. (Pas un compliment.)

Vois ce que tu veux dire. Sais-tu que le chewing-gum est interdit par ici ?

Ya. Lee Kwan U a dû poser ses fesses dessus un jour et n'a pas apprécié.

Me demande si la contrebande marche bien dans le coin.

Fais gaffe. En parler est probablement un gros délit, en tout cas mérite la fessée.

Je les emmerde ! Leurs lois anti-chewing-gum, je m'en bats l'œil !

Ouais. Tu ne risques rien. Tu n'arriverais même pas à le mâcher.

Hiark, hiark ! Très fin. Salut !

— Salut, Kate !

— B'jour, oncle Freddy.

J'avais été convoquée après le déjeuner dans l'immense bureau-foutoir d'oncle F., alors que la plupart des invités se remettaient des excès de la nuit précédente pour se préparer à affronter les excès de la nuit suivante.

— Jebbet E. Dessous.

— À tes souhaits !

— Très drôle. Non, c'est le nom d'un niveau-un.

— Je sais. Le type du Kansas, non ? Qui collectionne tanks et gadgets de ce genre ?

— Exact. Il a fait la une de la presse il y a quelque temps avec ses derniers jouets, des machins style rocket ou fusée.

— Des missiles Scud ?

— Tout juste.

— C'était lui ? Je croyais que c'était cet autre type, au sud de la Californie.

— Oh, peut-être que l'autre mec s'est fait pincer. Mais pas Jebbet. C'est bien son style. Me souviens pas trop.

Oncle Freddy semblait perturbé, et il se mit à fixer sur le plancher une grosse masse informe, grise et longue, qui se révéla être un des chiens-loups. La bête s'étira, bâilla en refermant sa gueule d'un seul claquement de mâchoire ; puis, épuisée par cette folle activité, elle s'allongea sur l'autre flanc avec un long soupir et se rendormit.

Oncle Freddy allait ouvrir la bouche pour parler quand quelque chose sur son bureau attira son attention. Ce bureau était couvert d'une bonne dizaine de centimètres d'un bric-à-brac étonnant, à base, principalement, de paperasses diverses. Il saisit un morceau de métal, une sorte de tube mince et élégant en forme de Y, le retourna entre ses mains en l'examinant avec intensité, haussa les épaules et le remit où il l'avait trouvé.

— Alors ? poursuivis-je

— Alors, ça te dirait d'aller rendre visite à ce vieux Jebbet ?

— C'est obligatoire ?

— Pourquoi ? Il ne te plaît pas ?

— Sais pas. Je ne l'ai jamais rencontré. Mais sa réputation le précède. Pourquoi devrais-je aller le voir ?

— Eh bien, c'est lui qui a demandé à te voir, ma chère Kate.

— C'est bon ou mauvais signe ?

117

— Qu'est-ce que tu veux dire ? Pour lui ou pour toi ?

— Pour moi, oncle Freddy.

— Aaah. Vachement bon, à mon avis. Peut pas faire de mal de le connaître, ce cher vieux Jebbet. Très respecté par les autres gros bonnets, ça oui.

Oncle Freddy marqua une pause et reprit.

— Complètement maboul, bien sûr. En fait, je crois que tu connais son… euh… son neveu, il me semble.

— Dwight ? dis-je.

Bon. Il y a une façon de prononcer Dwight – quelque chose comme Dou-aïte – à laquelle je ne peux pas résister, lorsqu'il s'agit de faire clairement comprendre que ce nom possède un coefficient d'attraction égal à une invitation à mâcher du papier argenté. Je n'y résistai donc pas.

— Dwight, répéta oncle Freddy d'un ton surpris, en étudiant le plafond. C'est un vrai prénom, d'après toi, Kate ? Ce type-là, cet Eisenhower, c'est bien comme ça qu'il s'appelait, non ? Pourtant, on l'appelait Ike, je me rappelle. C'est une contraction ou quoi ?

— Je pense que c'est un vrai prénom, oncle Freddy.

— Vraiment ?

— Oui, c'est américain.

— Ah bon ! Parfait. Donc, Jebbet veut que tu lui parles, déclara Freddy en fronçant le sourcil et en se tripotant le lobe de l'oreille. À son neveu. À ce Dwight. Il est auteur dramatique ou quelque chose comme ça, non ?

— Quelque chose comme ça.

— Je pensais bien que c'était lui. Il est bon ?

— Comme auteur dramatique ?

— Ouais.

— D'après ce que j'ai vu, non. Mais c'est très subjectif. On prétend qu'il est génial.

— Des trucs modernes, non, ce qu'il écrit ?

— Presque par définition, oui.

— Hum…

— Oncle Freddy, pourquoi Mr Dessous veut-il me parler de Dwight ?

— Hum… Bonne question… Pas la moindre idée.

— Il ne peut pas me téléphoner, m'envoyer un mail ?

Oncle Freddy avait l'air de souffrir, et il s'agita, mal à l'aise dans son fauteuil.

— Non, il tient vraiment à ce que tu ailles le voir, Kate. Mais écoute…

Oncle F. se pencha et posa ses coudes sur son bureau, provoquant une mini-avalanche de documents, enveloppes, vieilles revues, coupures de journaux, Kleenex et, d'après le bruit, d'un verre qui, caché jusque-là, roula par terre avec un bruit sourd et un léger tintement. Oncle Freddy soupira et accorda un bref regard à l'épave.

— Écoute, Kate, je pense que Jebbet veut que tu parles personnellement à ce garçon. Il se serait mis en tête une folie dont tu devrais le dissuader. Mais j'ai l'impression que Jebbet veut aussi te parler. Le neveu n'est peut-être qu'une excuse.

— Pourquoi ?

— Eh bien, la parole de Jebbet est respectée par nos confrères américains du Business, depuis son propre niveau jusqu'à un niveau bien inférieur au tien. C'est plein de ces jeunes Turcs, genre « jeune garde zélée », tu vois ? Pour eux, Jebbet est quasiment Dieu lui-même. Or ces gens, du côté américain, constituent la majorité de ton niveau. Et des niveaux au-dessous.

— Je sais.

— Parfaitement, parfaitement ! répéta-t-il, l'air satisfait.

— Oncle Freddy, vous n'avez pas vraiment répondu à ma question !

— Et c'était quoi, ta question, chère petite ?

— Pourquoi veut-il m'évaluer ?

— Oh, pour une promotion, j'imagine. Ce vieux Jebbet sait avec qui s'entretenir quand il le faut. Et, comme je te le disais, les jeunes l'écoutent. Il a dû entendre parler de toi. Tu l'auras impressionné à distance. Bravo !

— Je suis déjà au niveau trois, mon oncle. Et je me suis dit que j'allais attendre un peu avant d'accepter un avancement. Pour l'instant, je ne pense pas que je voterais pour moi.

— Il faut toujours raisonner sur le long terme, Kate, dit oncle Freddy en agitant un index sentencieux dans ma direction. Il n'est jamais trop tôt pour faire bonne impression, c'est toujours ce que j'ai dit.

— Eh bien, d'accord ! m'exclamai-je, mi-flattée, mi-soupçonneuse. Est-ce que le milieu de la semaine conviendrait ?

— D'après moi, ça devrait être parfait. Je vais vérifier avec son équipe.

— Tu es toujours dans l'État d'York ?

— Le Yorkshire, tu veux dire.

C'était la fin de l'après-midi en Californie et je venais de tomber sur Luce au moment où elle s'apprêtait à voir son psy.

— Je suis chez mon oncle Freddy.

— Ah oui, l'oncle Freddy. Ce vieux qui n'arrêtait pas de t'agresser ?

— Ne sois pas ridicule, Luce. Il me caresse les fesses de temps en temps, mais c'est tout. Il a toujours été vraiment très bon pour moi, surtout depuis la mort de Mrs Telman, l'année dernière. J'ai pleuré sur son épaule. Je me suis blottie dans ses bras. S'il avait vraiment voulu tenter quelque chose, c'était l'instant idéal. Mais il ne l'a pas fait.

— J'ai seulement peur qu'il t'ait violée autrefois et que tu refoules l'incident, c'est tout.

— Quoi ?

— Écoute, tu sembles lui obéir au doigt et à l'œil, et tu m'agresses dès que je te rappelle que c'est le type qui t'a harcelée sexuellement dans le passé…

— Quoi ? Simplement pour m'avoir mis la main aux fesses ?

— Ouais. C'est du harcèlement sexuel caractérisé. En Amérique, tu te fais virer de n'importe quelle boîte pour ce genre de choses. Interférence avec ton popotin ? Je veux, tiens !

— Le popotin seulement !

— S'il s'était agi de ta chatte, c'est sous les verrous qu'on le mettrait, dans ce pays.

— Eh bien, quitte à renoncer à mon prix de vertu, j'affirme que laisser ce vieux guignol me palper les fesses à travers plusieurs couches de tissu n'est pas une agression sexuelle.

— Mais tu n'en sais rien !

— Comment ça, je n'en sais rien ?

— Tu ne sais pas s'il a ou non abusé de toi.

— Mais si, je le sais !

— Non, tu ne le sais pas. Tu *imagines* le savoir mais en fait tu n'en sais rien.

— Luce, à mon avis, on est deux à ne rien savoir, et moi je crois que tu ne sais pas ce que tu racontes.

— Ce que je veux dire, c'est qu'autrefois il t'a peut-être fait des choses bien pires encore, des choses dont tu as refoulé tous les détails sordides, et que tu n'acceptes pas de le reconnaître. Ce refoulement inconscient est en train de te bousiller complètement.

— Tu déconnes complètement.

— Ça, c'est ton opinion !

— Tu sais, ce genre de bêtises peut continuer pendant longtemps.

— À moins que tu ne prennes les choses en main pour découvrir la vérité.

— Disons, par exemple, en allant m'allonger sur le canapé d'un psy, non ?

— Précisément !

— Dis-moi, tu prends une commission ou quoi ?

— Je prends du Prozac, c'est tout.

— Et moi, je préfère rester prosaïque. Ce que je me rappelle, c'est ce qui s'est vraiment passé. Bon, excuse-moi de t'avoir dérangée, Luce, je vais...

— Ne raccroche pas ! Ne raccroche pas ! Écoute, ce coup de fil était sans doute prédestiné, parce que j'allais justement... En fait, j'y suis. Je suis chez mon psy. Écoute, Kate, je crois que tu devrais lui parler. Attends une minute, O.K. ? Bonjour, c'est Luce T. Shrowe. Voilà, j'ai quelqu'un en ligne qui doit absolument parler au Dr Pegging, c'est possible ?

— Luce, Luce, tu ne vas pas...

— C'est possible ? Il est là ? Super !

— Luce, merde ! Tu ne vas pas faire ça ! Je ne vais pas... Je vais raccrocher...

— Bonjour, docteur. Ravie de vous entendre. Écoutez, je sais que c'est un peu bizarre mais je suis en ligne avec une amie qui...

— Luce, Luce, écoute-moi, sacré bon Dieu ! J'espère que c'est une plaisanterie. J'espère que tu es au supermarché ou chez ta manucure, parce que je t'avertis : je vais raccrocher...

— Allô, Dr Pegging à l'appareil.

— ... Ah !

— À qui ai-je l'honneur de parler ?

122

J'ai visé le bout de la pièce. « *O.K., Luce tu l'as cherché !* » me suis-je dit en plissant les yeux. Je me suis lancée :

— Allô ?

— Allô ? Vous êtes un de ces… enfin, un de ces gens un peu spéciaux, vous… aussi ?

— Pardon ? Je suis le Dr Pegging, psychanalyste à San José. Et à qui ai-je l'honneur de parler ?

— San José ? Purée ! C'est pas ce bled en Californie ou dans ce coin-là ?

— Absolument.

— Ah bon ! Alors, écoutez-moi, doc, enfin si c'est docteur que vous êtes, enfin scusez-moi, doc. Mais, vous voyez, y a cette bonne femme qui vous a passé le téléphone, doc, pas vrai ?

— Oui.

— Ben voilà, c'te bonne femme, ça fait ben deux mois qu'elle m'appelle. Chais pas si elle a fait mon numéro au hasard ou piqué mon nom su' l' bottin ou quoi, chais pas. Ah ouais, j'oubliais, désolée, j' m'appelle Linda. Linda Sinkowitz. J'habite quèque part dans le comté de Tuna, en Floride. Enfin, donc, comme je disais, c'est là que j' vis, en quèque sorte. Et pis un beau matin, y a cette bonne femme, Lucy qu'elle dit qu'è s'appelle et è m' dit qu'elle est ma meilleure amie, alors j' lui dis qu'elle doit s' gourer mais putain, el' s' décourage pas et ça continue un moment et pis elle raccroche. Alors j' me dis qù' c'est fini mais non. La v'là qui me rappelle, et encore et encore, p'têt' ben neuf ou dix fois. Alors j' lui dis d'arrêter de m'emmerder, scusez le vocabulaire, parce que je vais appeler la compagnie des téléphones et qu'elle devrait se faire soigner, alors… vous…

— C'est parfait, Mrs Sinkowitz. Vous avez bien fait. Je crois que je vois tout à fait ce que vous voulez dire. Eh bien, j'ai eu beaucoup de plaisir à vous parler. Je peux vous garantir que vous ne...

— Kate !

— Ms Shrowe, si vous permettez...

— Docteur, excusez-moi mais c'est mon téléphone ! Mon propre téléphone, merde ! Merci beaucoup, docteur ! Kate, qu'est-ce que c'est que cette histoire de Mrs Sinkowitz ?

— Profite bien de ta séance, Luce !

Le soir, un cirque était prévu au programme des divertissements.

La rumeur courait que pendant l'après-midi, une fois Suvinder réveillé et dessaoulé par ses valets, Hazleton, Mme Tchassot et Poudenhaut avaient repris les négociations avec le prince, B. K. Bousande son secrétaire particulier et Hisa Gidhaur, son ministre des Finances et des Affaires étrangères, arrivé le matin même. Les négociateurs étant en retard, le dîner fut reporté d'une demi-heure puis on commença sans eux. C'était un peu gênant, car ce soir-là oncle Freddy avait invité des gens encore plus importants, une brochette de VIP plus riches et plus titrés que le vendredi. Mais il s'arrangea pour justifier leur absence en inventant une histoire tirée par les cheveux, avec de grands éclats de rire. Puis il se lança dans une série de blagues interminables qui réussirent à divertir et à faire patienter l'assistance au salon jusqu'au moment où il fut décidé de passer à table sans attendre davantage.

Mon bien-aimé n'était plus là : Stephen Buzetski s'était éclipsé après le petit déjeuner, rappelé à Washington.

Le cirque, monté sous une tente sur la pelouse, appartenait à cette catégorie de spectacles qualifiés d'*extrêmes* où tous les participants semblent s'être habillés pour auditionner dans un nouvel épisode de *Mad Max*. Ils jonglaient avec des tronçonneuses, enchaînaient leurs organes sexuels à de lourdes machineries, et chevauchaient des motos vrombissantes tout en exécutant des cascades invraisemblables avec des poignards et des torches enflammées. L'ensemble était tout à la fois terriblement macho et horriblement kitsch, mais très divertissant. Comme j'avais eu l'occasion de voir le même spectacle à un des précédents festivals d'Édimbourg, je ne restai pas longtemps. Je repartis en flânant vers le château et me dirigeai vers la salle de billard.

Il m'arrive souvent de jouer au billard américain lorsque je traîne mes guêtres dans les boîtes branchées de la Silicon Valley. La plupart des petits génies de l'informatique sont des gamins qui trouvent assez cool l'idée de faire une partie avec une nana d'âge respectable mais encore baisable. Bien souvent, ils laissent tomber leurs défenses lorsqu'ils se rendent compte qu'ils risquent d'être battus ou se montrent moins nerveux et moins tendus si, contre toute attente, je leur permets de gagner.

S'exercer sur un snooker ou un grand billard est un excellent entraînement pour ce genre de jeu. Car arriver à empocher régulièrement des billes à travers trois mètres soixante de tapis vert vous donne, quand vous passez au billard américain, l'impression de jouer avec des trous de la taille d'un panier de basket.

Adrian Poudenhaut m'avait précédée dans la salle de billard, s'accordant, lui aussi, une partie solitaire. Il semblait fatigué. Il se montra poli, presque respectueux, et m'abandonna la table, refusant ma proposition de faire une partie. Il quitta la pièce en m'adressant un sourire prudent et entendu.

En contemplant mon image dans la grande glace, je me rendis compte que je fronçais les sourcils. Un éclat de lumière au loin attira mon regard et je m'approchai de la fenêtre. La salle de billard était au deuxième étage de Blysecrag (au troisième, si l'on compte comme les Américains), juste au-dessous de l'étage du personnel dans les combles. Il me revint que de là, par temps dégagé, on pouvait apercevoir les lumières de Harrogate. Une autre floraison d'étincelles s'éleva au-dessus de la ville. On tirait un feu d'artifice. C'était deux jours après la fête de Guy Fawkes, mais bien souvent les célébrations sont reportées au week-end qui suit le 5 novembre traditionnel. Appuyée au chambranle de la fenêtre, bras croisés, j'admirais le spectacle.

— Vous avez l'air bien triste, Kate.

Je sursautai violemment, ce qui n'est pas dans mes habitudes, et me retournai. Quoique la voix fût masculine, je m'attendais presque à trouver Miss Heggies dans une de ses brusques apparitions.

Suvinder Dzung, l'air triste et fatigué lui aussi, se tenait près de la table de snooker, vêtu d'un de ses costumes de Savile Row, la cravate dénouée, le gilet déboutonné et les cheveux en bataille. J'étais vexée de ne pas l'avoir entendu entrer et de ne pas avoir aperçu son reflet dans la vitre.

— J'avais vraiment l'air triste ? demandai-je pour me donner le temps de reprendre mes esprits.

— J'ai eu cette impression. Que regardiez-vous ?

Suvinder s'approcha pour venir se ranger à mon côté. Je me souvins du feu d'artifice de Blysecrag, la nuit précédente, sur la terrasse, lorsqu'il avait enlacé ma taille. Je m'écartai légèrement, comme pour lui laisser un peu de place, persuadée cependant qu'il n'était pas dupe. Il m'adressa un petit sourire, peut-être en guise d'excuse, et n'essaya pas de me toucher. Se rappelait-il encore notre conversation matinale au téléphone ?

— On tire un feu d'artifice, expliquai-je. Regardez !

— Ah oui, bien sûr ! Complot, trahison, « Conspiration des poudres » et tout le bazar !

— Et tout le bazar, approuvai-je

Un silence gêné s'installa.

— La vue est superbe, pour une salle de billard, repris-je.

Il me regarda.

— On les met généralement au rez-de-chaussée. À cause du poids, expliquai-je.

Il approuva d'un hochement de tête et resta songeur.

— Est-ce que par hasard vous seriez catholique, Kate ?

— Pardon ?

— Vous aviez l'air si triste. Le complot organisé par Guy Fawkes visait à restaurer une succession catholique sur le trône d'Angleterre, n'est-ce pas ? Je me suis dit que vous étiez peut-être en train de regretter l'échec de sa tentative pour faire sauter le Parlement.

— Non, prince, dis-je en souriant, je n'ai jamais été catholique.

— Ah ?

Il soupira et s'absorba dans la contemplation des lumières lointaines. Son parfum évoquait un peu la fumée et il s'y mêlait une odeur d'eau de Cologne démodée. Ses yeux étaient sombres et cernés. Il semblait perdu dans ses propres pensées.

— Ah bon !

J'hésitai avant de reprendre :

— Mais vous avez l'air assez déprimé vous-même, prince. La journée a été longue ?

— Terriblement. Terriblement longue.

Puis, regardant toujours par la fenêtre, il se racla la gorge.

— Ah, ma chère Kate !

— Oui, Suvinder ?

— Pour revenir à notre conversation au téléphone, ce matin…

Je fis mine de bloquer une passe de ballon à hauteur de poitrine.

— Suvinder, coupai-je, l'incident est clos.

J'espérais m'en tirer avec ce geste et ces quelques mots, accompagnés d'un regard amical et compréhensif, mais, visiblement, le prince avait décidé d'aller jusqu'au bout de ce qu'il avait préparé. Ces gens tellement programmés m'agacent.

— J'espère que je ne vous ai pas offensée.

— Pas du tout, prince. Comme je vous l'ai déjà dit, cela m'a agacée d'être réveillée à une heure aussi matinale, mais vos sentiments étaient très flatteurs

— Ils étaient sincères, fit-il en déglutissant, sincères mais mal exprimés.

— C'est la sincérité qui m'a paru dominer, Suvinder, m'entendis-je répondre, un peu surprise de mes propres mots.

Le prince sembla ravi de ces paroles. Il se replongea dans sa contemplation, et nous regardâmes tous deux les dernières gerbes d'étincelles qui s'élevaient encore de la ville.

J'étais en train de penser à l'altitude de Blysecrag, aux vallées, falaises et montagnes qui nous séparaient de la ville lorsqu'il lança :

— C'est tellement plat, par ici.

Je le regardai.

— Est-ce que vous avez le mal du pays, Suvinder ?

— Peut-être un peu, déclara-t-il en me regardant. Vous n'êtes allée à Thulahn qu'une seule fois, n'est-ce pas, Kate ?

— Une seule fois et très brièvement.

— C'était la saison des pluies. Alors, vous n'avez pas vu mon pays sous son meilleur jour. Vous devriez y retourner. En ce moment il est très beau.

— J'en suis persuadée. Un jour peut-être…

Il sourit légèrement et dit :

— Cela me ferait le plus grand plaisir.

— C'est très gentil à vous.

Il se mordit la lèvre.

— Eh bien, alors, vous pourriez m'expliquer pourquoi vous aviez l'air si morose, chère Kate.

Je ne sais pas si c'est parce que je suis secrète de nature ou si j'ai appris à dissimuler mes faiblesses à force de vivre dans le monde des affaires où il importe de ne fournir à personne d'éventuelles armes contre vous –, mais en règle générale je répugne à dévoiler l'histoire de mes origines, comme on dit à Hollywood. Je répondis donc :

— Je crois que je trouve les feux d'artifice tristes. C'est la fête, bien sûr. Mais c'est un peu triste aussi.

Suvinder me regarda avec surprise.

— Comment ça ?

— Je pense que cela remonte à l'époque où j'étais petite fille. Nous n'avions pas les moyens de nous offrir des pétards ou des feux d'artifice. D'ailleurs, ma mère n'aimait pas ça. Elle était du genre à se cacher sous la table de la cuisine les jours d'orage. Comme seuls feux d'artifice, je n'ai jamais eu que quelques cierges magiques. Et j'ai même réussi à me brûler avec l'un d'eux ! On en voit encore la marque. Vous voyez ?

Et je lui montrai mon poignet gauche.

— Pauvre petite ! Désolé ! Où ça ?

— Ici. Bien sûr, la cicatrice est vraiment petite, plutôt comme une tache de rousseur. N'empêche…

— Une enfance sans feux d'artifice, c'est bien triste.

Je secouai la tête.

— Ce n'est pas tellement ça. En fait, le 6 novembre de chaque année, mes copains et moi faisions le tour de la ville où je vivais pour ramasser les fusées tirées la veille. On déterrait les chandelles romaines et on fouillait les bois et les jardins pour trouver les cartouches utilisées. On parcourait tous les terrains vagues à la recherche de ces tubes de carton multicolores. Ils étaient généralement mous et détrempés, et le papier qui commençait à se dérouler sentait l'humidité et la cendre. On en faisait un grand tas dans le jardin, comme s'ils étaient tous neufs et n'avaient jamais servi. L'idée, c'était de découvrir les plus gros et d'avoir un plus gros tas que les copains. J'avais remarqué que pour gagner il fallait quitter le quartier et aller là où les gens plus riches faisaient partir leurs feux d'artifice.

— Ah bon ! Vous ne le faisiez pas seulement pour nettoyer le terrain, alors ?

— Peut-être, inconsciemment. Mais en réalité c'était un genre de concours.

— Mais pourquoi était-ce triste ?

Je fixai son grand visage basané et mélancolique.

— Parce qu'il y a peu de choses aussi tristes et inutiles que des feux d'artifice mouillés et déjà utilisés. Et quand j'y repense, je trouve pitoyable qu'on ait pu chérir de telles bêtises, c'est tout, terminai-je en haussant les épaules.

Le prince resta silencieux un moment. Une nouvelle salve de fusées éclaira le ciel de Harrogate.

— Moi, quand j'étais petit, j'avais peur des feux d'artifice, avoua-t-il.

— À cause du bruit ?

— Oui. La coutume veut qu'on tire des feux d'artifice pour marquer les fêtes religieuses et l'anniversaire du roi. Mon père tenait beaucoup à ce que ce soit moi qui fasse partir la plus grande et la plus bruyante des fusées. Cela me terrifiait. Je n'en dormais pas la veille. Ma nourrice me bouchait les oreilles avec de la cire mais c'était inutile. Quand je mettais à feu les grands mortiers, l'explosion me plaquait presque à terre et je pleurais. Cela énervait mon père.

Je ne dis rien pendant quelques minutes. Nous regardions s'élever au loin les petites fusées silencieuses qui retombaient en pluie lumineuse sur la ville.

— Mais maintenant, c'est vous qui commandez, Suvinder. Vous pouvez interdire les feux d'artifice si vous le désirez.

— Oh non ! répliqua-t-il, l'air un peu choqué. Je ne ferai jamais une chose pareille. Non, non ! Ils font partie de la tradition. D'ailleurs, je suis arrivé à les supporter, continua-t-il avec un sourire timide. Je dirai même que j'aime bien ça, à présent.

— Bravo, prince ! dis-je en lui touchant le bras.

Il regarda ma main, et allait parler lorsque son secrétaire B. K. Bousande apparut sur le pas de la porte, en toussotant.

Suvinder Dzung se retourna, inclina la tête et dit, avec un sourire de regret :

— Il faut que j'y aille. Bonne nuit, Kate.

— Bonne nuit, Suvinder.

Je le regardai s'éloigner à petits pas rapides et silencieux puis je revins vers l'obscurité de la fenêtre, espérant voir s'élever d'autres petites lumières au-dessus de la ville. Mais le ciel resta sombre.

5

— Salope !

— Tu l'as bien cherché !

— J'essayais seulement de t'aider.

— Moi aussi.

— Qu'est-ce que tu veux dire ?

— Tu m'as tellement vanté ton fameux Dr Pegging… Je me suis dit que j'allais lui donner du grain à moudre. Financièrement, tu peux largement te le permettre et il faut bien qu'il gagne sa vie, le pauvre homme. De toute façon, je suis persuadée que tu en pinces pour lui. J'imagine que harceler au téléphone une parfaite inconnue que l'on s'obstine à prendre pour sa meilleure amie doit te garantir au minimum une année entière de traitement !

— Mon *ex*-meilleure amie.

— Si tu veux !

— Allez, Kate, ne sois pas si vache !

— Désolée, Luce. Alors, on oublie tout ?

— On oublie tout.

Le secrétariat de Jebbet E. Dessous m'avait fait savoir que notre réunion ne pouvait attendre le milieu de la semaine. On me réclamait d'urgence.

En conséquence, une Lancia Aurelia d'oncle Fred me conduisit à l'aéroport de Leeds-Bradford, où une panne quelconque dans les services merdiques de l'*aeroflot* régionale – incident assez fréquent, d'après les commentaires acides des autres passagers – m'obligea à louer un hélicoptère auprès d'une compagnie privée. Je téléphonai à l'un des avocats de notre société pour lui demander d'envoyer la facture à British Airways. Personnellement, je partage les goûts du prince : je me méfie des hélicoptères, ainsi que des petits avions. Mais, dans mon cas, cette aversion résulte simplement de la connaissance des statistiques.

Je gagnai donc Heathrow dans un Bell Jetranger dont le pilote en vrai professionnel m'épargna, Dieu merci, les banalités d'usage ; puis je me retrouvai dans la carlingue fuselée du Concorde, installée dans un fauteuil confortablement rembourré, près de l'un des hublots minuscules de ce cigare volant de luxe. Pas de billet de faveur, et une seule place libre à côté du directeur d'une boîte de pub – un individu suffisant, lui-même confortablement rembourré, déterminé à profiter au maximum du champagne gratuit et de nos deux heures d'intimité forcée. Je branchai les écouteurs et augmentai le niveau sonore de mon Walkman. La voix de Sheryl Crow à plein volume couvrit son baratin.

Je m'endormis à la fin du CD et me réveillai alors que nous amorcions notre descente au milieu de nuages chahuteurs. Je me trouvais dans cet état cotonneux et incohérent précédant le réveil, lorsque les circonvolutions cérébrales qui fabriquent les rêves n'ont pas encore été reprises en main par les parties rationnelles du cerveau, avec des résultats surprenants. Je me rappelle avoir contemplé la côte des États-Unis, loin au-dessous de nous, et m'être dit : « Eh bien, me voici arrivée, et Stephen est à Washington ; et si la Terre est victime d'un désastre planétaire, nous serons au moins sur le même continent ; et en imaginant que je survive au cataclysme, j'aurai toujours la ressource d'aller le rejoindre à pied ! Et, en supposant que son épouse ait tragiquement péri dans l'histoire, on pourra commencer ensemble une nouvelle vie tous les deux... »

Je fis un effort pour reprendre mes esprits, et sortis mon passeport américain pour limiter les formalités à l'arrivée à JFK.

De là, un Boeing 737 de l'American Airlines (lunch médiocre, mais café en progrès), puis le Fokker d'une compagnie régionale jusqu'à Omaha et enfin un Huey bruyant, style transport de troupes, jusqu'à l'immense propriété de Jebbet E. Dessous, à la frontière entre le Nebraska et le Dakota du Sud. Trente-deux mille hectares de plaines, bétail, arbres, broussailles, un quadrillage de routes et, en prime, toute la poussière que vous pouvez avaler. Le copilote qui m'aida à ajuster ma ceinture insista pour que je porte une paire de lourds écouteurs vert olive pendant le voyage. Mon brushing, qui avait survécu à quatre vols différents et à la traversée d'un océan et d'un demi-continent mais qui a toujours mal résisté aux chapeaux ou aux casques, allait avoir besoin d'une sérieuse révision à l'arrivée.

Après une demi-heure de trajet, le survol à basse altitude de crêtes couronnées de pins amena une zone de turbulences, et mon déjeuner commença à me signaler qu'il n'était toujours pas digéré et qu'il envisageait une relocalisation. Je me dis que le nom de l'hélicoptère – Huey – était en soi une onomatopée de circonstance et j'essayai de me distraire de ma nausée en cherchant d'autres noms aussi évocateurs. Je n'eus pas à aller plus loin que « Boeing », déjà nous étions sortis des turbulences. Mon repas décida, tout compte fait, de rester là où il était.

Nous nous posâmes en fin d'après-midi sur un aéroport poussiéreux dans un grand nuage de terre ocre, pas loin de ce qui paraissait être une petite ville déserte.

— Bienvenue à Big Bend, ma'ame, lança le pilote.

— Merci.

Je pris tout mon temps pour détacher ma ceinture et retirer mes écouteurs, histoire de laisser à la poussière le temps de retomber. Une jeep Willis, un vieux modèle aux couleurs de l'armée de terre américaine, surgit en rugissant et vint se ranger à bonne distance des pales du rotor tournant au ralenti.

Il soufflait une petite brise sèche, froide et perçante, et le ciel d'un bleu intense était barbouillé en altitude de traînées roses et duveteuses . Dans le lointain, on distinguait le tac-tac-tac caractéristique d'une arme lourde automatique. Le copilote déposa mes bagages sur le siège arrière de la jeep et repartit au petit trot vers le Huey qui s'apprêtait à redécoller.

— Ms Telman ?

Le chauffeur était un homme aux cheveux grisonnants, mon aîné d'une bonne dizaine d'années mais visiblement bien conservé, vêtu d'un treillis militaire beige. Il me tendit la main.

— Je m'appelle Eastil. John Eastil. C'est tout ce que vous avez comme bagages ?

— Bonjour. Oui, c'est tout.

— Je vous conduis à votre cabane. Accrochez-vous bien !

Il braqua brutalement le volant et fit ronfler le moteur puis, dans un vrombissement, nous nous éloignâmes de l'hélicoptère.

— Désolé, mais ce n'est pas une limousine !

— Aucune importance. D'ailleurs, j'avais besoin d'air frais.

En fait, je fus agréablement surprise de constater que la conduite de John Eastil était nettement plus relaxante que celle d'oncle Freddy, adepte du style « Banzaï à fond la caisse, et que le diable emporte ces bandes de ralentissement ! ».

— Vous faudra longtemps pour vous rafraîchir, Ms Telman ? demanda Eastil. Mr Dessous aimerait vous voir immédiatement.

— Accordez-moi cinq minutes.

Ma « cabane » était à dix minutes en voiture. C'était une vaste structure en bois nichée dans les pins, dominant une rivière paresseuse qui serpentait dans une vallée peu profonde et tapissée de hautes herbes vert pâle. John Eastil resta au volant de la jeep et j'entrai suspendre mon porte-habits. Ensuite je me lavai la figure, mis une giclée de parfum derrière mon oreille, me passai un coup de brosse à cheveux, un coup de brosse à dents et plantai mon petit singe fétiche sur la table de nuit. Je trouvai dans l'entrée un anorak que j'enfilai tout en me dirigeant vers la jeep.

Nous repartîmes vers la ville, que nous traversâmes en empruntant ses rues désertes jusqu'à un vieux cinéma de plein air, construit sur une sorte de terrain de la dimension d'un stade de base-ball, avec les reliques de ce qui avait un jour été un écran géant, un échafaudage métallique désormais dépourvu de toile, où subsistait seulement l'armature des poutrelles de soutien. D'imposants camions et de lourds derricks avaient été abandonnés çà et là, et aussi deux grandes grues dont l'une, la flèche déployée, était surélevée par de gros vérins.

Les emplacements envahis de mauvaises herbes gardaient encore des rangées régulières de petites bornes rouillées portant autrefois les haut-parleurs destinés aux automobilistes. Nous nous rangeâmes le long du bâtiment de projection, près d'un groupe de 4 × 4 et autres véhicules tout-terrain. C'était une sorte de bunker de béton presque aveugle dont les seules fenêtres étaient des ouvertures rectangulaires dirigées vers l'écran désormais absent. Un long tube émergeait d'un de ces trous.

— Miss Telman ! Ravi de vous rencontrer. Jebbet E. Dessous. Mais appelez-moi Jeb, je préfère. Je vous appellerai Miss Telman jusqu'à ce que nous nous connaissions mieux, si vous êtes d'accord. Comment s'est passé ce voyage ? La cabane vous convient ?

Un gros homme rougeaud venait d'émerger d'une porte du bâtiment de projection. Il était vêtu d'un de ces treillis beige tacheté, popularisé par l'opération « Tempête du désert », et arborait une casquette assortie – portée la visière en arrière, comme pour imiter le style hip-hop new-yorkais en vogue cinq ans auparavant – laissant échapper des mèches de cheveux cendrés à la limite du blanc jaunissant. Il me tendit une main massive qui serra la mienne avec délicatesse, presque avec précaution.

— Bonjour, Jeb. Tout a été parfait.

Il s'écarta et recula pour me contempler.

— Vous êtes sacrément jolie femme, Miss Telman, si vous me permettez. Voilà qui fait remonter d'un cran l'opinion que j'ai de mon imbécile de neveu et ce n'est pourtant pas facile, je vous garantis.

— Comment va Dwight ?

— Oh, toujours aussi crétin !

Il indiqua la jeep d'un mouvement de tête.

— Allez, je vous emmène le voir.

Il observa le ciel en fronçant les sourcils et remit sa casquette à l'endroit.

La conduite de Jeb Dessous était nettement plus

137

musclée que celle de John Eastil, qui se cramponnait maintenant à l'arrière en mâchouillant son cigare éteint.

— Chante-nous quelque chose, John, hurla Dessous alors que nous contournions les lisières de la ville désertée.

— Qu'est-ce que vous voulez ? questionna Eastil, visiblement habitué à ce genre de demande.

— N'importe quoi !

Dessous me regarda et tapota le centre du tableau de bord métallique de la jeep.

— Impossible d'installer une stéréo là-dedans !

J'approuvai d'un hochement de tête.

John Eastil se lança dans l'interprétation enthousiaste (traduire très forte) d'une vieille chanson que seul le refrain me permit d'identifier. C'était sa version personnelle de *Dixie Chicken* par Little Feat. Dessous essaya de s'y mettre aussi, mais il chantait horriblement faux.

Après avoir suivi le cours asséché d'une petite rivière, nous atteignîmes une vaste construction, une maison de pierres et de rondins dont l'architecture semblait devoir quelque chose à Frank Lloyd Wright – sans doute des excuses.

— Le gamin vient là pour écrire, me cria Dessous.

— Je vois. Ça marche pour lui ?

— Oh, on va jouer une de ses pièces à Broadway, d'après lui. Le crétin l'a probablement financée lui-même. Veut toujours se lancer à Hollywood. Son rêve, c'est d'avoir son nom en grosses lettres sur les affiches. Ce qui explique pourquoi... Enfin, il vous racontera.

— Oncle Freddy m'a dit que Dwight s'est mis en tête un projet un peu fou dont vous voulez que je le dissuade.

— Je ne veux rien avancer, Miss Telman. Après tout, je ne vous connais pas et je ne sais pas comment vous allez réagir. Je désire seulement que vous soyez franche avec ce garçon. Il vous estime beaucoup. Il vous écoutera peut-être. En tout cas, moi, il ne risque pas de m'écouter !

— Je ferai de mon mieux.

— Ouais, c'est ça. Essayez de viser juste.

Nous nous arrêtâmes devant la maison. Encore une fois, Eastil resta dans la jeep tandis que je suivais Jeb, qui s'était précipité pour tambouriner sur la porte d'entrée en hurlant : « Dwight ! T'es visible ? Il y a une dame qui désire te voir. » Il retira sa casquette, ébouriffa ses cheveux et entra.

Dans la pénombre, on distinguait une série de longs divans bas, de différents niveaux, des tapis recouvrant le sol de béton brut et des tentures accrochées aux murs. D'une pièce éloignée parvint une exclamation. « Une minute ! Une minute ! J'enregistre mon texte ! » Jeb Dessous se dirigea dans sa direction.

Nous trouvâmes le neveu dans une chambre donnant sur la rivière. Le grand lit était couvert de feuilles de papier et il y avait un vieux Macintosh sur le bureau devant la fenêtre. Dwight se tenait debout devant la machine, cliquant avec la souris. Il nous jeta un coup d'œil par-dessus l'épaule.

— Salut mon oncle, salut Kate ! Qu'est-ce qui t'amène par ici ?

Dwight était un grand gaillard dégingandé, aux traits anguleux, la moitié de mon âge ou guère plus. Il était pieds nus, vêtu d'un jean et d'une robe de chambre. Ses cheveux châtains mi-longs étaient rassemblés en une queue de cheval à demi défaite. Il arborait un petit bouc sur une peau mal rasée. Il pianota sur le clavier pour éteindre l'ordinateur et se dirigea vers moi. Puis, me saisissant les deux mains, il me gratifia de deux baisers humides sur les joues.

— Smack, smack ! Ravi de te voir ! Bienvenue !

— Ton idée, c'est *quoi* ?

Assis sur la terrasse qui surplombait le lit de la rivière à sec, Eastil, Dessous, Dwight et moi sirotions nos bières. Les étoiles commençaient à apparaître. De grosses vestes et un courant d'air tiède s'échappant de la porte-fenêtre entrouverte réussissaient tout juste à nous éviter l'hypothermie.

— C'est génial ! s'exclama Dwight en gesticulant. Génial, tu ne penses pas, non ?

Je résistai à l'envie de répondre que c'était lui qui ferait bien de penser, mais je me contentai de lancer :

— Tu peux me raconter ça en détail ?

— O.K. Bon, tu connais ce truc, cette *chose* qui ressemble à une cheminée de bateau ? À La Mecque, juste au milieu. Là où les musulmans vont en pèlerinage, tu sais bien ? Ce machin qu'ils vont voir, ce rocher, à l'intérieur de cette espèce d'édifice couvert de noir, au milieu de cette mégaplace dans le centre de La Mecque…

— La Kaaba ?

— Cool ! s'exclama Dwight, ravi. Tu connais le nom, Ouais, la Kaaba, ma vieille ! C'est ça !

Il avala une gorgée de Coors.

— Bon, alors l'idée du film c'est que ce rocher… ce truc, dans cette Kaaba, ah ouais… attends… c'est bien censé être tombé du ciel, d'accord ? Une sorte de cadeau de Dieu, d'Allah, non ? O.K., à présent tout le monde sait que ce n'est qu'une météorite mais c'est un truc toujours sacré, toujours vénéré, non ? Ou plutôt on *croit* savoir que c'est une météorite, ajouta Dwight en appuyant son coude sur la table et ratant de peu le bol de sauce. Mais l'idée du film, c'est que ce n'est pas une météorite du tout mais un vaisseau spatial, putain de merde !

— Dwight ! fit sèchement Dessous.

— Eh, mon oncle, répliqua Dwight avec un petit rire exaspéré. Laisse tomber ! Kate est une fille cool. Maintenant, même les meufs parlent comme ça.

Il me prit à témoin du regard et leva les yeux au ciel.

— Tu peux jurer en présence des dames si ça te chante, mais pas en présence des dames en ma présence.

— Bon, ça va ! dit Dwight en jetant à nouveau un bref regard vers les étoiles.

Puis il reprit avec une insistance un peu forcée :

— Donc, l'idée c'est que ce *rocher* dans la Kaaba n'est pas un rocher du tout. C'est un *canot de sauvetage*, la *capsule de secours* d'un *vaisseau spatial* extraterrestre qui a explosé au-dessus de la planète Terre il y a quinze siècles. Ce canot a brûlé en traversant l'atmosphère, c'est pour cela qu'il ressemble à un rocher. Ou peut-être a-t-il été prévu pour *ressembler* à un rocher, pour que personne n'aille voir ce qu'il contient à l'intérieur, va savoir ! Après tout, il y avait peut-être une sorte de *guerre* ? D'où ce besoin de *camouflage*, non ? Bon, bref ; en tout cas, il s'est crashé quelque part en Arabie et on l'a pris pour un truc *vachement* sacré. Et, après tout, peut-être qu'il faisait *vraiment* des choses, ce machin-là ? Qui sait ? Peut-être qu'on s'est mis à le vénérer parce qu'il faisait *vraiment* des trucs qu'un autre rocher ou qu'une météorite ne faisait pas habituellement, comme flotter au-dessus du sol ou s'enterrer dans le sable ou n'importe quoi, ou vitrifier le mec qui essaie de tailler dedans, va savoir ! Toujours est-il qu'on l'embarque à La Mecque et qu'on rapplique des quatre coins du monde pour l'adorer, mais...

Dwight avala une autre lampée de bière et poursuivit :

— Mais comme c'est un canot de sauvetage, il a envoyé un *signal de détresse*, non ?

Il se mit à rire, visiblement très satisfait de son imagination.

— Et il a fallu tout ce temps pour que le signal parvienne aux extraterrestres et qu'ils réagissent. Alors, quand l'histoire commence, je vois ça comme ça. Avant le générique : une séquence avec la bataille interplanétaire et l'engin de sauvetage qui tombe dans l'atmosphère en laissant une traînée de feu, observé par les bergers qui surveillent leurs troupeaux la nuit, ou un truc de ce genre. Et puis, quand l'histoire démarre *vraiment*, le vaisseau spatial est juste au-dessus de la Terre. Et on voit les petits gars *à l'intérieur* de la capsule qui commencent à peine à *se réveiller*.

Il se cala dans son siège, les yeux agrandis d'enthousiasme, les bras étendus.

— Alors, qu'est-ce que tu en penses ? Jusque-là, qu'est-ce que tu en dis ?

Je le fixai, les yeux ronds. Jebbet E. Dessous semblait mesurer de la main la largeur de son front. Eastil soufflait dans le goulot de sa bouteille, produisant une note basse et sifflante. Je me raclai la gorge.

— Et tu as écrit le reste de l'histoire ?

— Non, lâcha Dwight avec un geste d'impatience. Pour ça, ils ont des bataillons de scénaristes. C'est le concept d'origine qui compte. Tu en penses quoi, eh ? Sois franche !

Je regardai ce visage passionné qui me souriait, plein d'espoir, et dis enfin :

— Tu veux faire un film où la relique la plus sainte, la plus vénérée d'une religion qui est sans aucun doute la plus fanatique et la plus conservatrice du monde va être qualifiée de... de...

— D'artefact extraterrestre, approuva Dwight avec un hochement de tête. Ouais, je sais qu'oncle Jeb se tracasse à l'idée que ça dérange certaines personnes mais moi je *sais* que c'est une idée du tonnerre. Je connais des tas de gens à Hollywood qui tueraient père et mère pour produire ce film.

J'essayai de détecter chez Dwight une trace d'humour ou d'ironie. Mais rien. Je jetai un regard vers Jeb Dessous. Il secouait la tête.

— Dwight, demandai-je, est-ce que le mot *fatwa* te rappelle quelque chose ?

Dwight sourit.

— Ou le nom *Salman Rushdie* ?

Dwight éclata de rire.

— Allons, Kate ! Lui, c'était un musulman. Pas moi !

— À vrai dire, il avait abjuré sa religion, à l'époque.

— N'empêche, il venait d'une famille islamique ou dans le genre. Il était originaire de l'Inde, non ? Ce que je veux dire c'est que moi, je n'ai rien à voir avec leur religion. Putain, je ne sais même pas ce que je suis. Un baptiste déchu, non, oncle Jeb ?

— Je pense que ta mère était baptiste, effectivement, approuva Dessous. Mais je n'ai aucune idée de ce que ton père imaginait être.

— Tu vois ! me lança Dwight, comme si cela expliquait tout.

— Mm... mm ! fis-je. Le problème, Dwight, c'est qu'on pourrait penser que tu te moques de leur religion. Et ça risque d'être très mal vu, quelle que soit ta foi – ou ton absence de foi – personnelle.

— Kate, déclara Dwight en me regardant, soudain l'air grave. Je n'ai jamais dit que ce film n'engendrerait pas controverses ou débats. En fait, je souhaite vivement que ce film ait un impact. Je veux embarquer le public dans une méga-histoire, que le spectateur se redresse sur son siège, se mette à réfléchir, se *transcende* et commence à se poser des questions, tu vois ? Du genre « Eh, au fait, et si nos religions ne venaient pas de là-haut (Dwight singea un dévot en train d'adorer le ciel devenu

143

maintenant presque noir), mais si elles venaient, en quelque sorte, mettons, des *étoiles* ? » Tu vois ce que je veux dire ?

Il fit un large sourire et avala ce qui lui restait de bière.

Je pris une grande inspiration.

— Tu sais, ce n'est pas exactement une idée très originale, Dwight... Mais si tu y tiens absolument, pourquoi ne pas choisir une autre religion ? Ou même en inventer une ?

— En *inventer* une ?

Il fronça les sourcils.

Je haussai les épaules.

— Ça ne me paraît pas si difficile !

— Mais toute mon idée repose sur ce *truc*, cette *Kaaba*. J'ai besoin de cette capsule de secours.

— Dwight, si par miracle tu parviens à faire ce film, c'est toi qui auras besoin d'une capsule de secours !

— Déconne pas, Kate !

— Dwight, intervint Dessous, d'un ton las.

Dwight semblait véritablement peiné.

— J'imaginais que toi, au moins, tu me comprendrais ! Je suis un artiste et les artistes doivent savoir prendre des risques. C'est mon boulot. Ma *vocation*. Je dois rester fidèle à moi-même, à mes idées, ou alors à quoi bon ? À quoi rime tout ce que nous faisons ? Je me sens investi d'une responsabilité, Kate. Je dois rester fidèle à ma Muse.

— À ta *Muse* ? s'exclama Dessous en gloussant.

— Ouais, répondit Dwight, les yeux fixés sur moi. Ou alors, je ne serais plus qu'un... je ne sais pas, moi... un tricheur ! Et je refuse de devenir un tricheur, Kate.

— Dwight, il y a un film qui sort en ce moment. Son titre est *Le Siège*...

— Ouais, ouais, je sais..., coupa Dwight avec un sourire indulgent et en faisant mine de calmer d'une caresse un chien invisible. Je sais. Rien à voir, comme film. Mon film à moi sera mégabudget et mégaspectacle. Mais aussi une méchante incitation à la réflexion.

— Les gens qui ont réalisé *Le Siège* ont sans doute cru qu'ils allaient faire réfléchir, eux aussi. Ils ne s'imaginaient pas qu'ils se mettraient à dos toute la communauté arabo-américaine ni qu'ils déclencheraient une vague de piquets de protestation devant les cinémas de tout le pays.

— Devant les cinémas de New York seulement, corrigea Dwight en secouant la tête devant mon incompréhension. Bref, en résumé, tu es du côté de mon oncle, hein ? poursuivit-il. Franchement, je suis déçu. Je croyais que tu m'aiderais à le convaincre d'investir un peu de blé dans ce projet.

Cette fois-ci, Dessous s'étouffa carrément dans sa bière.

— Je pense que tu serais fou de t'obstiner dans ce projet, Dwight.

Celui-ci me fixa, sidéré, puis se pencha vers moi, les yeux plissés.

— Pourtant, tu penses que c'est une superidée, non ?

— C'est une idée extraordinaire, époustouflante. Mais si tu veux à tout prix l'utiliser intelligemment, cherche dans l'industrie du cinéma un type que tu détestes cordialement, quelqu'un que tu voudrais ruiner ou dont tu souhaites sincèrement la mort, et suggère-lui ce projet de manière qu'il en assume la pleine responsabilité.

— Pour que ce soit lui qui récolte les Oscars ? répliqua Dwight en riant de ma naïveté. Tu peux toujours courir !

Dessous et moi échangeâmes un regard.

Le dîner, une heure plus tard, se déroula dans la résidence de Jebbet E. Dessous, une villa dans le style italien dominant un grand lac aux abords de la ville déserte. Déserte, cette ville l'était vraiment. La bourgade de Premier, en bordure du ranch de Jeb Dessous dans le Nebraska, était déjà une localité sur le déclin bien avant que celui-ci ait acheté l'autre rive du lac. Il avait acquis tout le territoire, parcelle par parcelle, obligeant les gens à déménager et créant ainsi sa propre ville fantôme. Le but de l'opération, m'expliqua-t-il tout en me faisant visiter la villa avant le dîner, était d'obtenir l'espace nécessaire pour pouvoir utiliser de l'artillerie lourde.

Jebbet E. Dessous avait la passion des armes comme oncle Freddy avait celle des voitures. Pistolets, fusils, armes automatiques, mortiers, mitrailleuses, chars, lance-roquettes, il possédait tout, y compris un hélicoptère de combat dans un hangar de l'aéroport où j'avais atterri, et un bateau lance-torpilles dans un abri au bord du lac. La plupart des équipements lourds, comme les chars, garés dans un entrepôt de la ville, étaient des modèles anciens, des pièces de collection remontant à la Seconde Guerre mondiale ou à peine plus récentes. Jeb Dessous enrageait devant la réticence du gouvernement américain à laisser les honnêtes contribuables acquérir de gros chars de combat ou des missiles antiaériens.

Dwight et moi le suivîmes jusqu'aux écuries adjacentes à la maison principale. C'est là que Dessous conservait sa collection d'obusiers et d'armes de campagne, dont certaines remontaient à la guerre de Sécession.

— Vous voyez ça, fit-il en caressant ce qui ressemblait à de longs tuyaux montés sur une remorque. On appelait ça les « orgues de Staline ». La Wehrmacht en avait une peur bleue. L'Armée rouge aussi, d'ailleurs, parce que bien souvent le tir était trop court. On ne trouve plus les obus, de nos jours, mais j'en ai fait fabriquer quelques-uns.

Il frappa un des tubes vert olive de sa main massive.

— Font un raffut du diable, à ce qu'il paraît. Je me réjouis de les faire chanter un de ces jours, ces belles salopes !

— Quel est le plus gros missile de votre collection, demandai-je d'un ton aussi détaché que possible, pensant aux Scud qu'on le soupçonnait d'avoir achetés.

Il sourit. Maintenant il portait un smoking blanc – Dwight s'était habillé lui aussi – qui le faisait ressembler à un fermier se rendant au bal du village. « Ah, ah ! » fut tout ce qu'il accepta de répondre avec un clin d'œil.

— Sacrebleu, Telman, j'aurais imaginé que vous, au moins, vous seriez de cet avis !

Alors, j'étais « Telman » à présent. Je m'étais imaginé qu'ayant fait « plus ample connaissance », comme il l'avait annoncé à mon arrivée, Jeb Dessous en viendrait à m'appeler Kathryn ou Kate. Apparemment pas – ou peut-être beaucoup plus tard. Le point controversé était la facilité avec laquelle on pouvait sortir de la misère quand on le voulait vraiment.

— Pourquoi spécialement moi, Jeb ?

— Parce que vous sortez d'un bidonville, non ?

— Peut-être pas d'un bidonville, mais d'un monde sans grands moyens financiers, certainement.

— Et pourtant, vous avez réussi à vous en tirer ! Vous voyez bien, vous êtes ici !

« Ici », c'était la salle à manger de la villa, une pièce plutôt vaste, décorée d'un somptueux bric-à-brac. En plus de Dwight, Eastil, Dessous et moi-même, nous avions été rejoints par Mrs Dessous, une rousse de Los Angeles, ravissante, de l'âge de Dwight, en lamé d'argent et répondant au prénom de Marriette ; une douzaine d'autres personnes, collaborateurs immédiats de Jeb Dessous ; et un nombre équivalent de techniciens et ingénieurs qu'on me présenta collectivement.

La longue table était hiérarchisée, avec Dessous à sa tête versant le pétrus, et les jeunes techniciens loin à l'autre bout, réduits à la bière. Le repas, mexicain, avait été servi par de petits Mexicains merveilleusement prestes et discrets. Dessous organisait-il ses dîners par thèmes ? J'imagine que, pour un repas chinois, nous aurions été entourés de petits hommes jaunes avec natte et chapeau pointu, tandis qu'un repas italien aurait été apporté par des jeunes gens minces et basanés appelés Luigi. Le plat principal avait été un pavé de bœuf de première qualité, en provenance directe des troupeaux de Dessous. J'avais dû en laisser la moitié dans mon assiette tant les portions étaient énormes.

— J'ai eu une chance extraordinaire, Jeb, dis-je. La voiture de Mrs Telman a crevé juste à l'endroit où je jouais avec ma bande de copains. Sans cette chance, je serais probablement toujours en Écosse à l'heure actuelle. J'ai trente-huit ans. J'aurais pondu trois ou quatre moutards, j'aurais dix kilos de plus et paraîtrais aussi dix ans de plus. Je fumerais un paquet de clopes par jour, et me gaverais de chocolat et de frites trop grasses. Avec un peu de chance, j'aurais un mari qui ne me battrait pas et des enfants qui ne se drogueraient pas. Je serais peut-être allée jusqu'en terminale, peut-être pas. Avec beaucoup de chance, mais ce n'est guère probable, je serais entrée à l'université, auquel cas les choses auraient changé : je serais devenue prof ou assistante sociale, un métier très utile sur le plan social mais qui ne m'offrirait pas le genre de vie que je me suis mise à apprécier maintenant. Toutes ces hypothèses reposent sur un seul facteur : la chance.

— Mais non. Vous n'en savez rien ! Ce ne sont que des suppositions, s'entêta Dessous. c'est votre côté *british* qui ressort. Ce besoin de s'autodénigrer. Je connaissais Liz Telman. Elle m'a raconté que lorsqu'elle vous a rencontrée, vous vendiez des bonbons avec une marge bénéficiaire de cinquante-cinq pour cent. Vous n'allez pas prétendre que ce n'était pas un bon indice, non ?

— J'aurais peut-être fini par comprendre qu'il était facile de gruger les gens et ça m'aurait servi de leçon. Je me serais peut-être mise à travailler pour le Bureau d'aide sociale ou bien…

— Ne soyez pas de mauvaise foi, Telman ! La leçon la plus évidente à en tirer, c'est qu'il est facile d'utiliser son esprit d'initiative et d'entreprise pour échapper à son environnement. Et c'est ce que vous auriez fait, avec ou sans Liz Telman. Et c'est précisément ce que je veux dire, nom d'un chien ! Les gens qui le méritent finissent toujours par sortir de leur misère, finissent toujours par se sortir de n'importe quel environnement merdique, que ce soit en Écosse, au Honduras, à Los Angeles ou ailleurs !

— Mais ce ne sont pas forcément les plus méritants, Jeb. Comment pouvez-vous condamner la grande majorité de ceux qui restent dans les bidonvilles, les banlieues défavorisées, les *barrios*, les zones sensibles ? Ceux qui accordent la priorité à leur famille, à leurs amis, à leurs voisins ? Ceux qui restent pour aider ? Souvent, les gens qui s'en sortent sont précisément les individus les plus égoïstes, les plus cruels, les plus enclins à exploiter leur entourage.

— Parfaitement ! s'exclama Dessous. Des « entrepreneurs » !

— Ou des trafiquants de drogue, comme c'est le cas aujourd'hui.

— Mais ça fait aussi partie de l'évolution ! Les plus intelligents vendent, les plus bêtes consomment. C'est vache, mais c'est la faute à l'État et à ses lois imbéciles.

— Qu'est-ce qu'on est en train de dire par là, Jeb ? La société est un mélange de gens, c'est évident. Il y aura toujours ceux qui accepteront leur sort et ceux qui feront tout pour l'améliorer. Cela donne une vaste gamme de comportements allant de la résignation totale – des gens qui désirent seulement mener une vie tranquille, élever leurs enfants, parler du prochain match de foot, penser aux prochaines vacances, et rêver de gagner à la loterie – jusqu'à la rébellion. Parmi les rebelles, certains mettront au premier plan leurs semblables et lutteront pour améliorer la vie de tous. D'autres se battront pour eux seuls et feront tout pour réussir sur le plan matériel, y compris mentir, voler, tuer. Je voudrais qu'on me dise qui, parmi tous ces gens-là, mérite d'être qualifié de « meilleur que les autres » ?

— Finalement, vous essayez de nous faire croire que la lie a tendance à s'élever. Mais moi, je prétends que c'est la crème qui s'élève. Maintenant, de nous deux, dites-moi qui est l'optimiste et qui est le défaitiste ?

— Moi, et vous, Mr Dessous, dans cet ordre-là.

Dessous s'enfonça dans son fauteuil.

— Il va falloir que vous m'expliquiez ça, Telman.

— En fait, la lie et la crème peuvent s'élever. Tout dépend du contexte. D'ailleurs, je ne crois pas que cette analogie soit vraiment utile. La comparaison choisie trahit déjà le choix de votre camp. Néanmoins je pense être la plus optimiste, puisque je suis convaincue que dans la société chacun peut progresser et s'en sortir, et pas seulement un pourcentage d'ambitieux aux dents longues. Et c'est vous le défaitiste, puisque vous abandonnez neuf personnes sur dix à leur triste sort, en

150

estimant qu'on ne peut pas les aider et qu'ils n'ont qu'à s'en tirer seuls, en marchant sur la tête des autres.

— C'est l'évolution, Telman. Certains souffrent. Certains luttent. Certains réussissent. Il y en a qui luttent sans jamais réussir, d'autres qui réussissent sans avoir eu à lutter, mais ce sont des exceptions, et si on n'essaie pas de se battre on ne mérite pas de réussir. Il faut qu'il y ait lutte, concurrence. Il faut qu'il y ait des vaincus et des vainqueurs. On ne peut pas avoir une société uniforme comme l'imaginaient les communistes. D'ailleurs, regardez où ils en sont !

— Mais on peut avoir la justice.

Dessous éclata de rire.

— Telman ! Je regrette d'avoir à vous l'apprendre mais la vie n'est pas juste !

— Non, le monde n'est pas juste. L'univers n'est pas juste. La physique, les mathématiques, la chimie ne sont pas « justes ». Ni « injustes », d'ailleurs. La justice est une idée et seuls les êtres doués de conscience ont des idées. Comme nous. Nous avons une idée de ce qui est juste ou injuste. Nous avons inventé la notion de justice pour pouvoir juger ce qui est vrai ou faux. Nous avons développé la morale. Nous avons créé des règles de vie appelées « lois », pour rendre la vie plus juste. Mais, bien sûr, tout dépend de qui édicte ces lois et dans l'intérêt de qui...

— C'est l'égoïsme qui mène le monde, Telman. Pas la justice.

— Et c'est vous qui m'accusez de pessimisme, Jeb ? répliquai-je en souriant.

— Je suis réaliste.

— Je crois, déclarai-je, que beaucoup de gens qui ont réussi ont le cœur moins dur qu'ils ne l'imaginent. Au fond d'eux-mêmes, ils savent que les défavorisés souffrent terriblement sans être responsables de leur sort. Les riches ne veulent pas se l'avouer ; ils ne veulent pas accepter de reconnaître qu'ils ressemblent à ces pauvres gens. L'idée qu'ils auraient pu naître dans ces milieux-là, sans pouvoir en sortir, qu'ils y auraient souffert jusqu'à la mort, pauvres et anonymes après une vie misérable, cette idée-là leur fait horreur. Tout comme savoir que, pour s'en tirer, il leur aurait fallu être plus cruellement compétitifs que leurs semblables. Alors, pour calmer leur conscience, ils se persuadent que les gens des bidonvilles sont là parce que, d'une certaine façon, ils l'ont bien cherché et qu'ils pourraient s'en sortir en faisant un effort. C'est idiot mais, psychologiquement, ça se tient et ils se sentent mieux.

— Vous pensez que je me trompe moi-même, Telman ? demanda Dessous, l'air étonné mais pas fâché.

Pour ma part, j'espérais ne pas me tromper en pensant qu'il s'amusait beaucoup.

— Je ne sais pas, Jeb. Je ne sais pas ce que vous pensez vraiment. Je crois que vous êtes secrètement d'accord avec moi, mais que vous ne pouvez pas résister au plaisir d'une bonne discussion.

Dessous se mit à rire. Il donna une claque sur la table et regarda l'assistance. Les invités les plus proches avaient suivi notre débat. Mais, à l'autre extrémité de la table, dans la zone des relativement pauvres, les buveurs de bière s'en fichaient royalement, trop occupés à prendre du bon temps.

Dans le salon, après le dîner, échauffé par le bon vin et le cognac, Dessous alla discuter avec les techniciens placés en bout de la table. Il revint vers Eastil, Dwight et moi en se frottant les mains, rayonnant d'excitation.

— Le mécanisme est en place, annonca-t-il. L'écran est monté. Prêts pour l'exercice de tir ?

— Tu·parles, Charles ! fit Eastil en vidant son verre d'un trait

— Il faut que je voie ça, opina Dwight. Kate… tu devrais venir aussi.

— Vraiment ?

— Ya… hou ! lança Dessous en partant d'un pas décidé.

— Ya… hou ? interrogeai-je Dwight, qui, pour toute réponse, haussa les épaules.

Une douzaine d'entre nous grimpèrent dans trois camionnettes pour gagner le cinéma en plein air. Le ciel était dégagé et Dessous, se débarrassant de son smoking pour enfiler une doudoune, avait donné l'ordre aux deux autres chauffeurs de ne pas allumer leurs phares. Il conduisait en tête, fonçant vers la ville, guidé seulement par le clair de lune et le scintillement des étoiles, faisant fuir de gros lapins et discutant à la CB du sens du vent.

Les véhicules se garèrent près de la grosse masse sombre du bâtiment de projection. Alors que Dessous commençait à maudire tout le monde d'avoir oublié les lampes de poche, j'en tirai une de mon sac et l'allumai.

— Bravo, Telman ! Vous êtes toujours aussi bien équipée ?

— D'habitude, j'ai même une torche !

Il me sourit.

— Certains de mes amis vous reprendraient, Telman. On doit dire « lampe-torche ». Une torche, c'est ce qui sert à brûler les nègres.

— Ils diraient ça ? Parce que ce sont des enfoirés de racistes ou seulement pour le plaisir de choquer les gens ?

Dessous éclata de rire et déverrouilla la porte.

Les lumières de la salle de projection s'allumèrent en clignotant, nous éblouissant après ce voyage dans le noir.

Des interrupteurs furent enclenchés, mettant en route radiateurs et ventilateurs ainsi que deux gros projecteurs trente-cinq millimètres braqués sur de petits hublots en direction du grand écran désormais réinstallé.

Au début, je ne remarquai rien de spécial. L'endroit faisait très « technique », dans un genre un peu rétro, avec des gaines et des câbles électriques apparents, des bobines de films alignées sur des étagères dans des boîtes métalliques, des leviers d'interrupteurs bruyants et des fusibles de la taille d'une main. Deux types s'affairaient à charger les bobines de films et à guider la pellicule dans le réseau compliqué des rouleaux et galets des projecteurs. Et puis je vis ce qui était installé entre les deux projecteurs.

— Canon Oerlikon vingt millimètres, Telman, m'expliqua fièrement Dessous. Affût simple. Une merveille, non ?

Dwight, à mon côté, un verre à la main, se contenta de glousser.

À l'endroit prévu pour un troisième projecteur, il y avait en effet ce qui me parut une énorme mitrailleuse. Elle était montée sur un support cannelé, vissé sur le plancher en béton. À l'arrière, elle était équipée de deux espaces rembourrés prévus, semble-t-il, pour y appuyer les épaules, et était surmontée d'un magasin de munitions presque circulaire. Son long canon disparaissait dans un petit hublot, pointé vers l'énorme écran au bout du parking. Le métal gris anthracite luisait sous les plafonniers.

Le projecteur de droite s'enclencha dans un chuintement. On entreprit de distribuer les cannettes de bière ainsi que les casques de protection acoustique.

La première bobine présentait un combat aérien de la Seconde Guerre mondiale. C'était un film en noir et blanc qui semblait un document authentique. Dessous s'installa devant la mitrailleuse et, après avoir inspiré un grand coup, se mit à tirer.

Même avec les protections acoustiques et bien que le canon fût en partie à l'extérieur, le bruit était assourdissant. Dessous souriait et continuait à lancer ce que je devinais être d'autres « Ya... hou ! », mais sa voix était complètement étouffée par le vacarme. Malgré la conduite d'évacuation au-dessus du mécanisme, la pièce ne tarda pas à sentir la poudre et à s'emplir d'une fine fumée grise. Accroché au magasin de munitions et pendant mollement sur l'un des côtés de l'appareil, un gros sac commença à tressauter, comme rempli d'une portée de chatons affolés.

Tous les gens étaient groupés autour des ouvertures vides qui permettaient de voir l'écran. Je me glissai à côté de Dwight, qui passa un bras autour de ma taille. Il inclina la tête vers moi et hurla :

— Merde, c'est complètement dingue, non ?

Sur ma gauche, la cabine de projection était éclairée par les flashs saccadés des tirs. Le gouffre d'obscurité du parking était zébré par les balles traçantes disparaissant dans le ciel blanc et noir de l'Europe en guerre, où les Mustang et les Messerschmitt s'affrontaient en séries de loopings et de piqués, et où des formations de forteresses volantes progressaient lourdement à travers les nuages. Le faisceau de lumière du projecteur fut peu à peu envahi par la fumée s'échappant de la gueule du canon. Puis la machine se tut.

Il y eut un moment de silence, suivi d'acclamations, d'applaudissements et de sifflements enthousiastes. Dessous, radieux, descendit de l'engin en se frottant les épaules, le visage ruisselant de sueur. Il accepta les félicitations et serra la main d'Eastil et des autres techniciens. Sa femme, son fourreau d'argent caché sous une grosse veste en duvet, se hissa sur la pointe de ses petits pieds pour lui donner un baiser.

Une fois la machine rechargée, ce fut au tour d'Eastil. On avait vidé le sac plein de cartouches usagées et chargé une nouvelle bobine sur l'autre projecteur.

Apparemment, on suivait une chronologie historique. Cette fois-ci, c'était la guerre de Corée avec des combats de Mig et de Sabre. La gueule du canon éructait, tac-tac-tac, à la vitesse d'un cœur affolé. Je remarquai que sur l'écran quelques petits trous commençaient à être visibles.

— Vous êtes notre invitée d'honneur, Telman, déclara Dessous quand Eastil eut terminé. Ça vous tente d'essayer ?

Je le regardai, intriguée, sans trop savoir quelle réponse il espérait.

— C'est très gentil, répliquai-je en remarquant qu'on venait de charger une nouvelle bobine. Cette fois, on a droit au Vietnam, non ?

Dessous secoua sa grosse tête.

— Pas eu beaucoup de combats aériens dans cette guerre-là. On passe directement à celle du Kippour.

On m'expliqua brièvement le maniement de l'engin, qui consistait, en gros, à se cramponner, à se retenir de fermer les yeux et à presser très fort sur la détente. Le canon était équipé d'un collimateur qui ressemblait à la structure métallique d'un jeu de fléchettes réduit à la taille d'une cible de foire. Le fût sentait l'huile chaude et la fumée, et produisait autant de chaleur qu'un radiateur. Je calai mes épaules contre les coussins des montants qui me rappelaient, je ne sais trop pourquoi, les étriers du gynécologue. Ma bouche, je dois l'avouer, était complètement sèche.

L'image sur l'écran, à l'autre bout du drive-in, lança par flashs les chiffres 5, 4, 3, 2, 1, interrompus par les cadrans d'horloge tournant à l'envers, pour le compte à rebours. Maintenant, on se trouvait en Technicolor dans les sables de la péninsule du Sinaï et le ciel était rempli de Mig. Je louchai dans le viseur et appuyai sur la détente. Le canon vibra et le recul faillit me faire lâcher prise. Les balles traçantes sifflèrent vers l'écran, disparaissant dans l'obscurité de la nuit.

J'essayai de viser l'avion tournoyant devant moi, mais c'était difficile. Si j'arrivais à atteindre l'écran et non la charpente qui le soutenait, je m'estimerais satisfaite.

Le canon s'arrêta dans un grand fracas. Je pensai un instant qu'il s'était enrayé, puis je compris que j'avais utilisé toutes les munitions.

Je descendis en vacillant, les oreilles bourdonnantes et des picotis pleins les bras. J'avais mal aux épaules et mon corps tout entier semblait vibrer.

Dessous m'attrapa brièvement par le coude.

— Et alors, Telman ! Ça va ?

— Très bien ! répondis-je en riant. Ça décoiffe !

— Ouais !

Le centre de l'écran était bien endommagé lorsqu'on attaqua enfin le final. Trois personnes avaient eu leur tour, mais Dwight et Mrs Dessous avaient refusé. Jeb Dessous revint aux commandes, le projecteur se mit en route et, avant même le début du tir, un mélange d'acclamations et de huées s'éleva des groupes massés aux fenêtres.

Le visage facilement reconnaissable de Saddam Hussein était apparu sur l'écran, massif, lugubre et figé. Le fût du canon cracha vers lui ses obus de vingt millimètres. Le reste du court métrage présenta Hussein dans différents contextes : assis conversant avec ses officiers, traversant des foules en liesse, inspectant ses troupes, etc. Puis son visage réapparut en plan fixe, projeté à trente mètres de haut, de l'autre côté du drive-in désert.

Dessous visa les yeux jusqu'à ce que la toile argentée de l'écran commence à se déchiqueter, à faseyer, à tomber en tourbillonnant – noir, argenté, noir, argenté – jusqu'au sol. Des trous constellaient maintenant l'énorme nez, la moustache touffue et le vaste front. Finalement, en essayant de cribler la ligne entre la chemise de combat et la pomme d'Adam, Dessous toucha sans doute la structure métallique du bas de l'écran, car des étincelles jaillirent. Deux projectiles firent ricochet et s'élevèrent dans la nuit en traçant un V rouge vif. Le silence revint tandis que des flammes léchaient le visage géant encore visible sur le reste de l'écran. Des lambeaux de toile se détachaient, virevoltaient, puis, happés par les courants d'air ascendants, s'envolaient vers le ciel.

Il y eut un nouveau tonnerre d'acclamations, de hourras et de rires. Dessous arborait la mine ravie d'un gamin dans un magasin de friandises. Il s'inclina pour saluer l'assistance, s'essuya le front et accepta de bonne grâce bourrades amicales et poignées de main. Il était visiblement très content de lui.

À l'autre bout du terrain, les flammes finissaient de dévorer l'immense image déchirée, fragile et vacillante.

De retour à la villa, bien après minuit, je me retrouvai seule avec Dwight et Dessous dans le bureau de celui-ci. Les murs étaient couverts d'épées, de pistolets et de fusils impeccablement astiqués et luisants, présentés sur de petits supports chromés. L'endroit sentait la graisse à fusil et la fumée de cigare.

Dessous tira sur son havane, se détendit sur son fauteuil de cuir géant qui grinça sous son poids et posa bruyamment ses chaussures sur son immense bureau.

— Vous êtes sûre de ne pas être socialiste, Telman ? On pourrait vraiment le croire, à vous entendre !

— Vous trouvez ? J'ai eu ma petite phase, à l'université.

J'essayai d'avaler une gorgée de café, la seule boisson qui me tentait, à cette heure-ci. Trop chaud.

— Ouais. Vous savez combien vous valez ?

— Plus ou moins.

— À ce prix-là, vous pouvez vous permettre d'être socialiste !

— Sans doute, oui.

Dessous roula son gros cigare deux ou trois fois dans sa bouche, sans me quitter des yeux.

— Vous attachez de l'importance à la notion de communauté, Telman, non ?

— Je le pense. Nous appartenons tous à une communauté. À la société. Oui.

— Est-ce que nous représentons votre communauté ?

— Le Business ?

Il approuva.

— Oui, c'est ma communauté.

— Vous nous êtes dévouée ?

— Je crois l'avoir prouvé, depuis le temps.

— Pas seulement par fidélité à Mrs Telman ?

— Non, pas uniquement. C'est la raison sentimentale, si vous voulez. Il y en a d'autres.

— Comme par exemple ?

— J'admire le Business pour ce qu'il représente, pour...

— Qu'est-ce qu'il représente, d'après vous ? coupat-il très vite.

J'inspirai profondément.

— La raison, le rationnel, le progrès. Le respect de la science. La foi en la technologie, en l'être humain, en

159

l'intelligence en somme. Plutôt que la foi en un Dieu, en un Messie. Ou la fidélité à un monarque ou à un drapeau.

— Hum. Bon. D'accord. Désolé, Telman, je vous ai interrompue. Vous disiez ?

— J'admire le Business pour ses succès, sa longévité. Je suis fière d'en faire partie.

— Même si nous sommes de cruels oppresseurs capitalistes ?

Je me mis à rire.

— Capitalistes, d'accord. Mais je n'emploierai pas de termes plus forts.

— Certains de nos plus jeunes collègues – du niveau six jusqu'au niveau quatre – estimeraient que vos discours sur l'initiative et l'envie de réussir ressemblent presque à de l'hérésie. Certains diraient même à une trahison.

— Mais nous ne sommes ni une religion ni un État. Pas encore. Donc, ces termes ne peuvent pas s'appliquer, n'est-ce pas ?

Dessous sembla étudier l'extrémité de son cigare.

— À quel point êtes-vous fière de faire partie du Business, Telman ?

— J'en suis fière. Je ne connais pas d'unité scientifique internationale pour mesurer la fierté.

— Est-ce que vous placez votre intérêt personnel avant notre intérêt collectif ?

Encore une fois, j'essayai de boire une gorgée de café. Toujours trop chaud.

— Vous ne seriez pas en train de me demander de renoncer à mes stock options, Jeb, par hasard ?

Il gloussa.

— Non, j'essaie seulement de voir ce que le Business représente pour vous.

160

— C'est un assemblage de personnes. Il y a des gens que j'aime, d'autres que je n'aime pas. En tant qu'institution, comme je vous l'ai dit, je suis fière d'en faire partie.

— Vous feriez n'importe quoi pour elle ?

— Bien sûr que non. Et vous ?

— Non. Donc nous sommes tous là par intérêt personnel, si je comprends bien ?

— Oui, mais nous dépendons du soutien et de la coopération des autres pour réaliser nos objectifs personnels. Une communauté, c'est ça. Vous ne croyez pas ?

— Que refuseriez-vous de faire, personnellement, pour le Business ?

— Oh, les trucs classiques : tuer, torturer, piller.

Dessous hocha la tête.

— Évidemment. Que pensez-vous de la notion d'auto-sacrifice ? Si ce n'est pas pour le Business, pour qui accepteriez-vous de vous sacrifier ?

— Je ne sais pas. Pour mon prochain, peut-être. Tout dépend des circonstances.

Dessous fit une grimace et examina le plafond. Il semblait trouver tout à coup cette conversation ennuyeuse.

— Ouais, Telman, j'imagine que c'est toujours le cas, n'est-ce pas ?

Je me réveillai. Il faisait nuit noire. Où diable étais-je donc ? Hors du lit, l'air était glacé. Le lit lui-même semblait… inconnu. Il y avait un tintement, comme si quelqu'un frappait à un carreau. Je sortis le nez, soudain effrayée. Ce n'était pas ma maison, ni Londres, ni… Glasgow, ni Blysecrag… Ah, le ranch de Jeb Dessous ! Big Bend. J'étais dans le Nebraska, dans cette cabane sur la colline. Le bruit revint.

En cherchant la lampe, je touchai la statuette de mon petit singe. La lumière m'éblouit. Je fixai les rideaux qui cachaient la fenêtre. Je me sentais groggy, j'avais mal à la tête – pas la grosse migraine, mais suffisamment pour signaler que j'avais trop bu. Le bruit recommença. Je cherchai du regard le téléphone, sur l'autre table de chevet.

— Kate, dit une voix étouffée.

Je boutonnai le haut de ma veste de pyjama, allai jusqu'à la fenêtre et tirai les rideaux. Le visage pâle de Dwight apparut. J'ouvris la fenêtre. Une bouffée d'air glacé envahit la pièce.

— Dwight, qu'est-ce que tu fabriques ?

En dépit de sa grosse veste, il semblait frigorifié.

— Est-ce que je peux entrer ?

— Non !

— Kate, il fait rudement froid dehors !

— Alors, tu aurais dû rester chez toi !

— J'avais besoin de te parler.

— Tu n'as pas le téléphone ?

— Non. C'est pour ça que ma piaule est géniale. Pas de téléphone. Tu peux écrire.

— Pourquoi ? Tu veux que j'écrive une lettre ? demandai-je, éberluée.

Ce fut à son tour d'avoir l'air perplexe.

— Non, je veux dire qu'on peut y écrire, composer, n'importe quoi, sans être dérangé.

— Oh, je vois. Et ton portable ?

— Je le laisse débranché. Laisse-moi entrer, s'il te plaît !

— Non !… De quoi voulais-tu me parler ?

— Je ne peux pas te parler comme ça, je suis gelé !

— Moi aussi, alors fais vite.

— Oh… Kate…

162

— Dwight, ton oncle m'a cassé les oreilles toute la soirée, alors si tu as quelque chose à me dire, je te serais reconnaissante d'être concis. Je voudrais me remettre au lit aussi vite que possible. Je suis très fatiguée.

Il eut l'air peiné.

— Je voulais te demander… si tu accepterais d'assister à la première de ma pièce à Broadway, lança-t-il en se grattant la tête.

— Ta pièce ?

— Ouais, fit-il en souriant. Finalement, je suis arrivé à avoir mon nom en haut de l'affiche, juste au-dessus du titre. La pièce s'appelle *Un homme à abattre*. Elle est géniale. Sûr qu'elle te plaira.

— Quand ?

— Lundi prochain.

— J'essaierai.

— Vraiment ? Promis ?

— Non, je ne promets rien mais j'essaierai.

— Parfait.

Il hésita. Je frissonnai.

— Dwight, c'est tout ce que tu avais à me dire ?

— Euh… Ouais… Je crois.

— Bon. Alors, bonne nuit.

— Euh, O.K., déclara-t-il en amorçant un demi-tour. Je me préparais à fermer la fenêtre quand il se retourna.

— Ah, euh… Kate ?

— Quoi encore ?

— Est-ce que tu… euh… tu voudrais… euh, tu aimerais… disons… passer la nuit avec moi, peut-être ?

Je le regardai, les yeux écarquillés. J'imaginai des tas de réponses, mais je me contentai de dire simplement : « Non, Dwight ! »

— Mais, Kate, merde… Ce serait génial, tous les deux.

— Non, pas du tout.

— Mais si ! Je t'admire tellement !

— Dwight, ce n'est pas une raison.

— Mais, Kate, je te trouve tellement sexy, et pourtant les femmes de ton âge ne m'attirent pas, en général.

— Bonne nuit, Dwight.

— Ne me rejette pas, Kate ! Laisse-moi entrer. Je n'insisterai pas. Je ne t'agresserai pas, promis !

— Non. Retourne chez toi.

— Mais…

— C'est non !

Il courba le dos sous son anorak. Son soupir se matérialisa en volutes de buée. Puis il releva la tête.

— Mais tu viendras tout de même à la première de ma pièce ?

— Si je peux.

— Allez, promets-moi !

— Je ne peux rien promettre. Maintenant, rentre chez toi ! J'ai les pieds tout bleus.

— Je pourrais te les réchauffer !

— Merci, mais c'est non.

— Dis-moi que tu essaieras de venir.

— Oui !

— Tu ne dis pas ça seulement pour te débarrasser de moi ?

— Non !

— Tu viendras comme invitée, comme ma copine ?

— Seulement si tu n'as pas trouvé quelqu'un de ton âge. À présent, bonne nuit !

— Excellent !

Il pivota sur lui-même pour partir, allumant une lampe de poche. Je commençai à refermer la fenêtre, mais il fit demi-tour une fois de plus.

— Tu penses vraiment que mon idée de capsule de sauvetage dans la Kaaba est complètement nulle ?

— Pas nulle. C'est un arrêt de mort en puissance.

Il s'éloigna en secouant la tête.

— Merde !

Maintenant, j'avais vraiment les pieds glacés. Les mains aussi. Je fis couler vingt centimètres d'eau chaude dans la baignoire, retroussai mon pyjama et m'assis sur le rebord. Je laissai tremper mes pieds et mes mains jusqu'à ce que le sang y circule à nouveau. Je me séchai puis retournai me mettre au lit où je dormis comme un loir bien fatigué.

6

Pendant la nuit, il se mit à neiger. Et lorsque j'ouvris les rideaux, le lendemain, la neige tombait toujours, adoucissant le paysage, l'éclairant d'une beauté silencieuse. Je regardai tomber les flocons un moment, puis je me douchai et m'habillai. Le téléphone sonna alors que je me séchais les cheveux.

— Telman ?
— Jeb, bonjour !
— Vous voulez prendre le petit déjeuner ?
— Oui, volontiers.
— Bon, à table dans vingt minutes !
— Chez vous ?
— Ouais, à la villa.
— D'accord. Comment dois-je m'y rendre ?
— Il y a une camionnette dans le garage.
— Parfait !

Et effectivement, elle était là, une grande Chevy Blazer. Elle démarra du premier coup et je la sortis sur la neige. Derrière moi, la porte du garage bascula et se referma automatiquement. La voiture était suréquipée :

GPS, radio CB, téléphone, mais je me souvenais assez bien de l'itinéraire et ne me trompai qu'une ou deux fois.

Le petit déjeuner – encore sur le thème mexicain – était servi dans la cuisine, où je retrouvai les autres invités. J'avalai mes *huevos rancheros* tandis que Dwight, assis à côté de moi, faisait étalage de toutes les célébrités qu'il avait connues à Hollywood, parlait avec enthousiasme de sa future pièce de Broadway, bref se comportait comme s'il était auditionné pour le rôle du neveu idéal.

— Vous skiez, Telman ? me lança Dessous, du bout de la table.

— Un peu.

— Alors, sur les pistes dans une heure, si météo dégagée comme prévu. Aimerais que vous veniez. D'accord ?

— Affirmatif ! répliquai-je en adoptant son style télégraphique.

— Ça vous dérangerait que je me joigne à vous ? demanda Dwight, avec un sourire.

— Pas question de t'arracher aux bras de ta Muse, fiston !

— Sans problème : j'ai justement besoin d'une coupure.

— En fait, fiston, j'essayais d'être diplomate. Y a plus qu'une place dans les hélicos et Telman vient de la prendre.

— Oh…, fit Dwight, déconfit.

— Toujours d'attaque, Telman ?

— Ouaip !

Une éclaircie était venue de l'ouest. Nous étions une vingtaine à décoller de l'aéroport de Big Bend dans un British Aerospace 146. Nous nous envolâmes dans un univers parfaitement divisé entre le bleu du ciel et le blanc de la terre. Atterrissage à Sheridan, à l'est des Big Horn Mountains, où nous attendaient deux Bell 412. Le temps de charger nos skis dans les casiers attachés aux pattes des hélicoptères, et nous voilà emportés jusqu'aux champs de neige immaculée tapissant les pentes des hauts sommets. Les Bell nous déposèrent en soulevant leur propre petit blizzard, leurs patins suspendus à cinquante centimètres du sol. Ils nous accordèrent juste le temps de sauter et de récupérer nos skis, avant de repartir en direction de la vallée, dans le fracas des rotors.

Dessous me demanda de rester pour l'aider à ajuster une fixation un peu récalcitrante, tandis que tous les autres s'élançaient sur les larges pentes, petites silhouettes multicolores zébrant une montagne de sucre glace.

Une fois seuls, je lâchai :

— Elle n'a rien qui cloche, cette fixation, n'est-ce pas ?

— Non, dit Dessous.

Il regarda autour de lui. Nos compagnons avaient disparu dans les profondeurs de la large vallée. Seuls restaient visibles les hélicoptères, deux points noirs qui diminuaient rapidement et dont le bruit n'était déjà plus perceptible.

— Vous voulez vous asseoir ?

Nous nous assîmes dans la neige, nos skis plantés droits, leurs pointes dressées telles des griffes en plastique déchirant l'azur du ciel. Dessous sortit un étui en cuir.

— Cigare ?

— Non, seulement après le cognac. Mais ne vous gênez pas pour moi.

— J'ai aussi une flasque dans ma poche, mais généralement je la réserve pour les cas d'urgence.

— Tout à fait d'accord.

Avec beaucoup de soin, il prépara et alluma un long cigare, puis demanda :

— Vous vous en tirez comment, Telman, à votre avis ?

— Je ne sais pas. Dans quel domaine ?

— Eh bien, dans vos efforts pour m'impressionner.

— Franchement, je n'en ai pas la moindre idée. C'est plutôt à vous de me le dire, non ?

— Non ! Si je vous pose la question, c'est que j'ai envie de savoir ce que vous en pensez, vous.

— Eh bien, je pense que vous pensez que je suis une féministe de gauche, têtue, mi-américaine, mi-européenne, le genre de mélange qui allie à vos yeux les pires défauts des deux mentalités. Que j'ai brûlé mes vaisseaux avec quelques remarques à l'emporte-pièce. Et que je ne respecte pas les traditions du Business comme je le devrais.

Dessous se mit à rire, un rire qui dégénéra en quinte de toux.

— Un peu trop dure avec vous-même, Telman !

— Parfait ! C'est ce que j'espérais !

Nouvelle quinte.

— Allez, Jeb, repris-je, dites-moi plutôt de quoi il s'agit !

— Je ne suis pas autorisé à vous le dire, Telman, désolé.

— Alors qui ?

— Peut-être personne. Peut-être Tommy Cholongai. Je crois que vous le connaissez.

Effectivement, je l'avais déjà rencontré : un autre niveau-un. Un armateur sino-malais.

— Eh bien, poursuivit-il, Tommy et moi sommes tombés d'accord. Étant donné qu'on est rarement du même avis, c'est en soi une prouesse ! Et cela vous concerne, Telman. Alors, si Tommy et moi continuons à être d'accord tous les deux…

— Alors quoi ?

Il exhala un nuage de fumée gris bleuté.

— Alors il se peut que nous vous demandions de faire quelque chose, Telman.

— Qui serait de… ?

— Peux rien vous révéler pour l'instant…

— Pourquoi pas ?

— Peux même pas vous expliquer ça non plus.

Je le regardai attentivement. Il était assis, contemplant le plus haut sommet des montagnes environnantes, Cloud Peak, qu'il nous avait signalé, pendant le vol. Treize mille pieds. Le point culminant des Big Horn. La dernière bataille de Custer s'était déroulée trente kilomètres plus au nord, dans le Montana.

— Vous savez, lançai-je, tout ce mystère commence à m'agacer sérieusement. Et je risque bien de refuser votre proposition tout carrément, le jour où on daignera m'expliquer enfin de quoi il s'agit.

— Ouais, je sais. N'empêche que…, répliqua-t-il en me regardant avec un grand sourire qui me dévoila pour la première fois sa denture, des dents mal rangées, jaunâtres, donc probablement d'origine. Si cela ne tenait qu'à moi, Telman, je vous raconterais tout dès maintenant, pour en finir. Mais Tommy n'apprécierait guère, et un accord reste un accord.

— Je n'ai donc plus qu'à rendre visite à Mr Cholongai, c'est bien ça ?

— J'en ai peur, oui.

Bras croisés sur la poitrine, je m'absorbai un instant dans la contemplation du paysage. Le froid commençait à transpercer ma combinaison de ski rouge vif et à me geler les fesses.

— Écoutez, Jeb, je suis plus jeune dans la boîte que Cholongai et vous, j'en ai conscience. Mais je suis en congé sabbatique et, entre nous, je pense avoir suffisamment fait mes preuves pour refuser cette mise en examen.

— Mieux vaut être examinée qu'ignorée, observa Dessous en gloussant.

— Lorgnée qu'ignorée, rectifiai-je. Une citation de Mae West, je crois.

— Une sacrée belle femme !

— Bien d'accord.

Nous descendîmes à ski rejoindre les autres. Puis on revint nous chercher pour nous transporter sur d'autres sommets de poudreuse fraîche, et tout recommença, à l'exception de la conversation.

Bientôt ce fut l'heure du déjeuner, dans un restaurant vietnamien de Sheridan. Dessous nous gratifia de l'exposé des plans de conversion de son cinéma - stand de tir. Il projetait d'y installer toute une série d'écrans qu'on pourrait baisser successivement, ou même une sorte de dévidoir de toile, comme un parchemin géant. Ce qui permettrait, une fois l'écran réduit en cendres, d'en tirer un autre et d'abaisser une sorte de nouvelle page blanche.

On monta encore d'un cran dans le ridicule lorsque Dessous nous confia son autre projet – le genre de délire mégalo dont raffolent le plus souvent les dictateurs. Il s'agissait de rassembler sur un stade une foule de gens, soumis et exercés, munis de grands panneaux multicolores. L'idée était d'utiliser ces panneaux pour composer ce qui ressemblerait vu de loin à un tableau. Par exemple sur un stade. J'ai déjà vu ce genre de spectacle à la télé. En général, l'image représentée est celle du connard débile et ivre de pouvoir à la tête de l'État à ce moment-là.

Dessous trouvait le projet amusant, mais voulait encore l'améliorer pour en faire une composition « animée ».

Les chefs techniciens, qui étaient venus skier, commencèrent à s'exciter et à discuter des problèmes de réalisation. On arriva à un consensus : seule une nation du tiers monde pourrait fournir le nombre de figurants requis, ou bien, mieux encore, une division militaire qu'on louerait pour l'occasion. Concernant les couleurs, il faudrait utiliser des sortes de dés géants, aux facettes de différentes teintes, suffisamment réduits pour être manipulés sans gêner les voisins. Mais afin d'obtenir une couleur assez vive, il faudrait envisager un éclairage intérieur, ce qui les alourdirait. La vraie galère, c'était la coordination du système : chaque homme devait être traité comme un pixel individuel, mais ne pourrait mémoriser qu'une séquence limitée. Il faudrait chiader la programmation informatique.

Je suggérai de baptiser l'opération DPD, *Digital Proletariat Display*, ou bien LED, *Large Ego Display*. L'assistance trouva ça hilarant et continua de plus belle dans les astuces de cet acabit.

Tandis que les techniciens s'excitaient sur ce projet, Dessous animait un autre groupe de discussion, pour essayer de déterminer quel type d'images géantes on pourrait bien représenter sur ces mégaécrans. Les grands événements sportifs partaient largement favoris.

Je me glissai hors de la salle, fis un très long séjour aux toilettes et sortis dans la rue pour me retrouver seule. Je vérifiai la réception de mon téléphone mobile.

— Allô, Kate ! Comment vas-tu ?

— Oh, désolée, Stephen. Je… je ne l'ai pas fait exprès… J'ai appuyé sur la mauvaise touche…

— Pas grave. Tu vas bien ?

— Ça va, ça va… Et toi ?

— Parfait.

— O.K., bon, désolée de t'avoir dérangée.

— Aucun problème. Où es-tu, au fait ?

— Un bled nommé Sheridan. Dans le Wyoming, je crois.

— Tu skies avec Dessous ?

— Exact. Comment as-tu deviné ?

— Pure intuition masculine. Je connais le coin.

— Et toi, où es-tu en ce moment ?

— Toujours à Washington… Et je pense même être arrivé à destination.

J'entendis un bruit de circulation, puis la voix de Stephen s'adressant à une autre personne, avant qu'il me dise :

— Il faut que j'y aille. Prends bien soin de toi !

— O.K.

— Ne te casse rien, hein ?

— Ne t'inquiète pas.

« Seulement le cœur », pensai-je.

Le lendemain, je repris le même Huey pour regagner Omaha – avec toujours ce gros casque gris olive. Pour quelqu'un qui déteste les hélicoptères, je semblais passer mon temps dans ces fichus engins, en ce moment ! Ensuite, un 757 de l'United Airlines jusqu'à Los Angeles (muffins pâteux, mais steward aux fesses ravissantes. Petit dodo), un 737 de la Braniff jusqu'à San Francisco (voisine obèse aux chairs débordantes, pas bavarde, Dieu merci, mais dégageant une forte odeur de frites) et, de là, une voiture de location pour me rendre chez moi, à Woodside.

Il faisait plus chaud que dans le Nebraska, mais la

maison me parut froide. J'arrosai mes malheureux cactus et passai quelques coups de téléphone. Je retrouvai quelques vieux amis au « Quadrus », à Menlo Park, un restaurant fréquenté par les gars du Palo Alto Research Center. Trop mangé, trop bu, trop fumé et beaucoup bavardé.

J'invitai Pete Wells à me raccompagner chez moi. C'est un chercheur-analyste et un vieil ami-amant, toujours prêt à faire la fête et à s'envoyer en l'air à l'occasion ; mais ça ne durera plus très longtemps maintenant qu'il est fiancé à une fille de Marin, une sacrée veinarde. On a fait l'amour dans une brume d'alcool et de joints, un amour bien tempéré par le piano de Glenn Gould, tout en fredonnant Bach avec lui.

Bien dormi – mis à part un rêve bizarre où Mike Daniels cherchait ses dents manquantes dans mon jardin.

Le lendemain matin, Pete étant déjà parti, je me réveillai la tête un peu embrumée, pas vraiment reposée. Il me fallut refaire mes bagages – tenues DKNY principalement – et ramener la Buick au bercail, à l'aéroport international de San Francisco. Ensuite, ce fut un vol JAL, un 747 pour Tokyo, via Hawaii. Décollage avec vingt minutes de retard à cause de deux businessmen costume-cravate en retard. Je m'associai au reste des passagers pour les bombarder d'une haine collective quand ils s'installèrent, enfin, dans leurs sièges de première classe, l'air faussement dégagé, en évitant de nous regarder. Excellents sushis. Deux CD de Garbage, avec dans l'intervalle *Ray of Light* de Madonna. Bien dormi. Vol Airbus de la Cathay Pacific jusqu'à Karachi, pendant lequel un gamin japonais m'apprit à me servir de la console de jeux placée dans le dossier du siège devant moi. Très bien dormi. Peur de devenir comme la femme de la chanson qui ne dort qu'en avion. Atterrissage un peu rude.

Je m'étais imaginé que, quel que soit le passeport choisi pour l'arrivée à Karachi, je ferais le mauvais choix. Ayant finalement opté pour mon passeport britannique, j'eus l'heureuse surprise de passer les formalités comme une fleur. L'aérogare était bondée, l'air lourd de senteurs riches était à couper au couteau, l'humidité suffocante et l'éclairage abominable. Par-dessus la foule des têtes, je distinguai une pancarte portant une vague transcription de mon nom. N'ayant pas trouvé de chariot, j'utilisai mes bagages pour me frayer un passage dans la cohue.

— Mrs Telman ! cria le jeune homme à la pancarte. Je suis Mo Meridalawah. Heureux de faire votre connaissance.

— *Ms* Telman, s'il vous plaît. Très heureuse moi aussi. Bonjour !

— Bonjour, permettez-moi de…, fit-il en me libérant de mes bagages. Suivez-moi ! Par ici, s'il vous plaît ! Allez, faquin, dégage !

Il a dit ça. Authentique.

Nuit au Hilton mais, trop énervée, je me suis levée, piétinant les journaux de la veille pour brancher mon Thinkpad et passer un moment sur les réseaux d'informations technos avant de trouver un sommeil agité. Mo Meridalawah revint au milieu de la matinée pour me conduire à l'aéroport au milieu des pires embouteillages imaginables. La veille au soir, la circulation était déjà carrément infernale, ce que j'avais attribué à l'heure de pointe. L'excuse ne tenait plus maintenant et, en plein jour, c'était encore plus affolant : une marée de vélos, des camions crachant des jets de fumée noire, des autobus bariolés, des tricycles motorisés et des voitures zigzaguant au hasard, avec comme seul objectif, apparemment, celui de vous barrer la route ou de vous rentrer dedans. Mo Meridalawah conduisait en gesticulant et m'abreuvant de discours sur sa famille, le cricket et l'incompétence de ses concitoyens au volant. L'aéroport de Karachi me sembla presque un havre de paix.

Et un nouvel hélicoptère ! Cette fois-ci un Sikorsky, un vieux modèle haut sur pattes, le moteur dans un nez proéminent et le poste de pilotage accessible par une échelle. La cabine était en fait assez confortablement équipée, mais avec un côté vétuste et usagé plutôt inquiétant. Mo Meridalawah me fit ses adieux de la piste en agitant un mouchoir blanc comme si lui, en tout cas, pensait bien ne plus jamais me revoir. L'hélicoptère survola la ville puis les mangroves denses et vertes avant de longer la côte et de s'élancer, au-dessus des vagues déferlantes, vers la mer d'Arabie.

Le *Lorenzo-Uffizi* avait été reconverti en bateau de croisière il y a trente ans. Auparavant, il avait été un des derniers grands paquebots transatlantiques. Maintenant il était démodé, ses grosses machines trop vieilles manquaient de puissance, et, d'une manière générale, ce genre de navires trop coûteux à restaurer était désormais bon seulement pour la casse. La conjoncture l'avait donc conduit ici, après un ultime passage aux chantiers navals de Gênes où on l'avait dépouillé de ses derniers équipements de valeur.

Pour bon nombre de bateaux de la planète, le terminus c'est Sonmiani Bay. Sa vaste plage plonge en pente douce dans la mer de sorte que les bâtiments peuvent être lancés à pleine vitesse en direction de la terre pour venir s'échouer doucement sur le sable. Cette immense baie abrite toute une flotte de ces vieux rafiots et l'arrière-pays fournit la main-d'œuvre nécessaire, des hordes de malheureux disposés, pour un salaire de misère, à découper la tôle au chalumeau et à risquer leur vie chaque fois que palans et chaînes font s'effondrer des pans entiers de la vieille coque. Les plaques d'acier sont ensuite treuillées vers le rivage, chargées par grues sur des wagons plats avant d'être expédiées vers un autre port, à une cinquantaine de kilomètres de là, où, entassées dans d'autres bateaux, elles prendront finalement la direction d'une des douze aciéries mondiales spécialisées dans leur recyclage.

J'avais entendu parler de Sonmiani Bay. J'avais lu des enquêtes sur ces chantiers de démolition, il y avait une vingtaine d'années, et vu un reportage à la télévision deux ans avant. Mais je ne m'y étais jamais rendue. Et voici qu'aujourd'hui j'allais enfin pouvoir les découvrir et, mieux encore, y arriver en bateau. Tommy Cholongai était un niveau-un qui méritait son titre de magnat de l'armement maritime. La première fois que j'avais utilisé ce terme devant mon amie Luce, elle m'avait demandé si cela signifiait qu'il était magnétique. J'avais préféré ne pas relever.

Aujourd'hui, m'avait-on informé, Mr Cholongai allait réaliser le rêve de sa vie : être à la barre lorsque le bateau viendrait s'échouer sur la plage à pleine vitesse.

Le *Lorenzo-Uffizi* demeurait un bâtiment impressionnant. Il se trouvait à environ cinquante kilomètres du large, mouillé à une centaine de mètres du yacht privé de Cholongai qui paraissait, en comparaison, un véritable joujou. Notre hélicoptère décrivit un cercle autour du paquebot à la hauteur de ses deux hautes cheminées peintes en bleu et rouge. La coque blanc crème était zébrée par la rouille. La cheminée de proue crachait une mince fumée grise. Les hublots scintillaient au soleil. Les mâts de charge des chaloupes de sauvetage, désormais absentes, tendaient leurs bras comme des tiges de réverbère le long du pont des embarcations. Il ne restait plus qu'une chaloupe de chaque côté, au niveau de la passerelle. Les deux piscines bleu clair avaient été vidées et béaient sous un ciel aussi limpide et éblouissant qu'un paysage de science-fiction.

Le Sikorsky se posa sur la plate-forme arrière, à l'endroit encore balisé pour les jeux de pont. Pran, un assistant de Mr Cholongai, un petit Thaï que je me rappelais vaguement avoir rencontré à une conférence quelques années auparavant, fit glisser la porte de l'appareil et articula une formule de bienvenue qui fut couverte par le fracas du moteur.

— J'en rêve depuis des années ! confia Tommy Cholongai. Commandant, vous permettez ?

— Je vous en prie !

Cholongai saisit la manette de cuivre et abaissa l'indicateur de transmetteur d'ordres sur la position « En avant toute ». Il y eut les tintements et les bruits de sonnerie appropriés. Puis il le ramena en position « Arrêt », ce qui provoqua d'autres sonneries, avant de revenir à « En avant toute » où l'indicateur s'immobilisa. Nous étions tous présents – le commandant du *Lorenzo-Uffizi*, son second, le pilote local ainsi que la suite personnelle de Cholongai. Un ou deux secrétaires particuliers commencèrent à applaudir avec enthousiasme mais Cholongai se contenta de sourire modestement, les réduisant au silence d'un geste.

Le bateau se mit à vibrer sous nos pieds, avec l'accélération des moteurs. Cholongai se dirigea vers la barre, suivi de toute l'assistance. Le gouvernail aux manettes gainées de cuivre mesurait bien un mètre de diamètre. Lorsque le bateau, accélérant peu à peu et fendant la modeste houle sans tanguer, eut pris suffisamment de vitesse, Cholongai demanda au pilote de lui indiquer le cap puis manœuvra en surveillant la boussole. La course du navire s'incurva doucement pour mettre le cap sur les sables de Sonmiani Bay, encore cachés derrière la ligne de l'horizon. À une allure de près de trente nœuds, on devait arriver avec la marée haute.

Après s'être assuré auprès du commandant et du pilote que le cap était bon, Tommy Cholongai abandonna les commandes à un Chinois qui paraissait loin d'être assez grand pour tenir la barre.

— Et maintenant, je vous confie le bateau ! lui déclara Cholongai avec un grand sourire et une tape amicale sur l'épaule.

Le petit Chinois approuva d'un hochement de tête enthousiaste.

— Je reviendrai dans une heure.

Nouveaux sourires et hochements de tête.

Cholongai se retourna, balayant du regard les têtes qui l'entouraient jusqu'à ce qu'il me vît.

— Ms Telman ? dit-il tout en m'indiquant la sortie du poste de pilotage.

Nous étions installés sur le pont supérieur, juste au-dessous des vitres de la passerelle, abrités du vent créé par la marche du bateau derrière de grands panneaux de verre inclinés, maculés de sel de mer et de fientes de mouette. Un parasol nous protégeait du soleil, ses pans frissonnant sous la brise. Nous avions pris place sur des fauteuils en plastique bon marché, autour d'une table assortie. Un steward malais à la tenue immaculée vint nous servir des cafés glacés.

L'air était chaud et pesant, et la petite brise qui franchissait la barrière de verre ne parvenait pas à nous apporter beaucoup de fraîcheur. Je portais un ensemble de soie, la tenue la plus légère de ma garde-robe, mais je sentais des gouttes de transpiration dégouliner entre mes omoplates.

— Mon ami Jeb m'a dit que vous sembliez préoc-
cupée, Ms Telman, commença Mr Cholongai en sirotant
son café.

C'était un homme trapu et massif, de taille moyenne,
à la peau douce et aux cheveux en bataille. Il avait mis des
lunettes noires en sortant sur le pont. Le soleil et la réver-
bération de toute cette peinture blanche restaient
éblouissants malgré l'ombre du parasol. J'étais heureuse
de ne pas avoir oublié mes Ray-Ban.

— J'ai carrément l'impression, répondis-je, d'avancer
dans le noir.

Je lui adressai un petit sourire en sirotant une gorgée
de café. Très fort, très froid. Je frissonnai, soudain
ramenée par ce froid et cette blancheur aveuglante aux
neiges du Wyoming.

— C'est vrai. Mais on ne peut pas tout dire à tout le
monde.

« Eh bien, voilà encore une porte ouverte enfoncée,
pensai-je. »

— Bien sûr, approuvai-je.

Cholongai observa un silence, dégustant son café. Je
me retins de dire n'importe quelle banalité pour meubler
le silence.

— Votre famille, vous la voyez souvent ? finit-il par
lancer.

Je ne pus retenir un battement de cils derrière mes
verres teintés.

— En fait, j'ai deux familles, déclarai-je.

— Quelle chance vous avez ! observa Cholongai, sans
ironie apparente.

— Malheureusement, je ne vois ni l'une ni l'autre très
souvent. J'étais enfant unique, ma mère m'a élevée toute
seule et elle était elle-même fille unique. Elle est morte il
y a déjà longtemps et je n'ai rencontré mon père qu'une
seule fois. Mrs Telman a été une mère pour moi, ou

disons plutôt une tante. Je n'ai rencontré Mr Telman qu'à une seule occasion : au tribunal, le jour où elle… où ils m'ont adoptée.

Évidemment, je ne lui apprenais rien : un de ses sous-fifres avait déjà dû lui déballer mon dossier personnel sur la question.

— C'est bien triste.

— Oui, mais j'ai eu beaucoup de chance.

— Dans votre carrière ?

— Oui, bien sûr, dans ce domaine-là aussi. Mais je voulais dire que j'ai eu la chance d'être aimée.

— Je vois. Par votre mère, vous voulez dire ?

— Oui.

— Une mère doit aimer son enfant, c'est normal.

— D'accord, mais malgré tout j'ai eu de la chance. Ma mère m'a fait comprendre qu'elle m'aimait, que j'étais quelqu'un qui comptait. Et elle m'a protégée. C'est une femme qui a connu beaucoup d'hommes dans sa vie, parfois des hommes violents. Mais aucun d'entre eux ne m'a jamais frappée et elle a toujours fait de son mieux pour me cacher les problèmes qu'elle avait avec eux. Finalement, en dépit de notre pauvreté et de conditions parfois difficiles, j'ai eu un meilleur début dans la vie que bien d'autres gosses.

— Et puis vous avez rencontré Mrs Telman.

— Et puis Mrs Telman est arrivée, oui, ce qui a été la grande chance de ma vie.

— J'ai connu Mrs Telman. Une femme très bien. Dommage qu'elle n'ait pas pu avoir d'enfants.

— Vous avez des enfants, Mr Cholongai ?

— Une femme, cinq enfants, deux petits-enfants et un troisième en route, fit-il avec un grand sourire.

— Vous êtes un homme béni des dieux !

— Assurément !

Il reprit une gorgée de café. Une crispation de son

visage me donna l'impression que le café lui faisait mal aux dents. Puis il ajouta :

— Puis-je aborder un sujet personnel, Ms Telman ?

— Pourquoi pas !

Après avoir hoché la tête deux ou trois fois, il lança :

— Vous n'avez jamais eu envie d'avoir d'enfants ?

— Bien sûr que si, j'y ai pensé, Mr Cholongai.

— Et vous avez décidé d'y renoncer ?

— Pour l'instant. J'ai trente-huit ans, ce qui commence à être tard pour avoir des enfants, mais je suis solide et en bonne santé. J'imagine que je pourrai un jour changer d'avis.

En fait, je savais parfaitement que je n'étais pas stérile. J'avais subi un examen médical complet, à trente-cinq ans, par pure curiosité, et d'autres analyses très récentes m'avaient pleinement rassurée sur mes capacités de reproduction. Aucun problème avec mes ovules ni avec le reste de la machine, ce qui prouvait que l'absence de progéniture était bien le résultat d'un choix.

Cholongai hocha de nouveau la tête.

— Ah, ah… Pardonnez ma curiosité, mais, si je puis me permettre, est-ce simplement parce que vous n'avez pas encore rencontré l'homme de votre vie ?

Je fis mine de déguster mon café, soulagée de me sentir insondable derrière mes lunettes noires.

— Cela dépend de ce que vous entendez par là. Tout dépend de ce que vous entendez par l'« homme de votre vie ». En ce qui me concerne, j'ai bien trouvé l'homme de ma vie, oui. Mais il est marié. D'un point de vue égocentrique, ce n'est donc pas l'homme de ma vie.

— Je vois. Navré.

— C'est banal, dis-je en haussant les épaules. Et je ne sanglote pas toutes les nuits en mordant mon oreiller.

— Vous n'êtes peut-être pas une personne aussi égocentrique que vous l'imaginez. Vous versez de grosses sommes aux œuvres de charité, n'est-ce pas ?

Cela est un exemple de ce que l'on doit supporter dans le Business, cette bonne vieille transparence financière qui vous remet les pieds sur terre. S'ils s'intéressent, même de très loin, à votre vie privée, ils découvrent très vite quelles sont vos priorités morales et quels plans vous avez adoptés pour apaiser votre conscience.

— Au contraire, rétorquai-je, c'est mon égoïsme qui me pousse à donner aux bonnes œuvres pour pouvoir dormir en paix. Le pourcentage de mes revenus que je me sens moralement obligée de sacrifier est de l'ordre de dix pour cent, une sorte de dîme, quoi. C'est ma seule pratique religieuse.

— Il est bon d'être charitable, remarqua Cholongai en souriant. Comme vous le dites, c'est tout bénéfice !

— Certains ne sont pas de cet avis.

Je pensais à quelques cadres supérieurs de ma connaissance – généralement des Américains – qui n'ont que mépris pour ceux qui versent de l'argent à une cause quelconque, sauf à l'Association pour le droit au port d'armes.

— Ils ont sans doute leurs propres... petites faiblesses.

— Peut-être, Mr Cholongai.

— Je vous en prie, appelez-moi Tommy.

— D'accord, Tommy.

— Et j'espère que vous me permettrez de vous appeler Kathryn.

— J'en serai honorée. Mais j'aimerais savoir, Tommy, à quoi mène réellement cette conversation.

Il s'agita sur son siège et ôta brièvement ses lunettes de soleil pour se frotter le coin de l'œil de son index replié avant de répondre :

— Est-ce que nous pouvons nous parler en toute confiance, Kathryn ?

— Je croyais que c'était le cas. Mais oui, évidemment.

— Cela a un rapport avec Thulahn.

Thulahn ? Alors là, j'étais complètement perdue !

— Oui. Nous voudrions que vous changiez de bord.

Quoi ? Il avait peut-être voulu dire « virer de bord », mais cela revenait au même.

— Qu'est-ce que cela signifie ?

— Dans votre carrière.

Je sentis un froid m'envahir, comme si j'avais reçu un pot de café glacé. Des questions fusaient dans mon esprit : qu'avais-je donc fait ? Que voulait-on faire de moi ? Je me ressaisis.

— Je pensais que ma carrière se déroulait parfaitement bien, lançai-je.

— C'est vrai. Et c'est aussi pour cela qu'il nous est difficile de vous demander d'en changer.

Je ne paniquais plus, mais restais sur mes gardes. Mon cœur battait la chamade. Il m'apparut soudain qu'un corsage de soie et une veste légère n'étaient pas la tenue idéale pour cacher des battements de cœur. Je suis sûre qu'on voyait palpiter le tissu. Les femmes et les hommes un peu gras sont sans doute victimes de ce phénomène : les seins transmettent et amplifient la fréquence des vibrations. « Le vent, pensai-je. Heureusement, il y a du vent. Du calme, ma fille, on mettra ça sur le compte du vent. » Je m'éclaircis la gorge.

— Que me demandez-vous de faire, exactement, Tommy ?

— De devenir en quelque sorte notre ambassadeur à Thulahn.

— Ambassadeur ?

— En réalité, c'est plus que ça. (*Plus* que ça ?) Au début, il vous faudra aller à Thulahn effectuer une enquête. Étudier le pays pour essayer de savoir où il va, évaluer les tendances, les tendances sociales – autrement dit, faire le travail que vous faites déjà avec les technologies nouvelles. Vous voyez ?

— Je crois. Bon, mais dans quel but ?

— Parce que nous abordons une nouvelle phase. Une situation sans précédent. En adoptant Thulahn pour base, nous prendrons des risques supérieurs à tous ceux pris auparavant. Nous nous rendrons vulnérables comme cela n'est jamais arrivé depuis le XVᵉ siècle.

Il faisait référence à la Suisse, évidemment. C'est à la fin des années 1400, quand le pays était devenu indépendant, que le Business – toujours à l'affût de havres de stabilité, même de stabilité relative – avait commencé à y établir ses racines. Cholongai passait sous silence l'épisode de 1798, quand les révolutionnaires français avaient envahi le pays, mais je n'allais pas chipoter.

— Et le Business ne dispose pas de spécialistes pour ce genre de travail ? demandai-je.

J'étais certaine que nous en avions. Ou qu'on aurait pu en recruter, et des meilleurs. C'était le type de projet où, avec de l'argent, on pouvait facilement mobiliser un escadron d'universitaires et de thésards. Thulahn est le genre d'endroit dont raffolent les sociologues.

— Mais ils ne répondront pas aux critères exigés, Kathryn. Il nous faut quelqu'un de toute confiance, donc quelqu'un du Business qui nous soit absolument dévoué. Il y a sans doute des centaines de gens répondant à ce critère. Mais nous avons besoin d'une personne qui saura également voir les choses d'un point de vue extérieur au Business, qui éprouvera de la sympathie envers le peuple de Thulahn. Une personne qui sera en empathie avec ses habitants et qui saura nous conseiller la manière de combiner leurs propres intérêts avec ceux du Business.

Cholongai s'avança sur son siège et posa ses mains

185

jointes sur la table de plastique blanc. Sous nos pieds, le pont ronronnait, faisant vibrer le métal et les vitres des superstructures du navire qui poursuivait sa route, le cap sur la plage.

— Thulahn n'est pas Fenua Ua, reprit Cholongai. Il y a un million de Thulahnais. Nous ne pouvons pas tous les évacuer ni offrir à chaque famille un appartement à Miami. Je crois qu'on a affaire à un peuple docile, tout dévoué à la famille royale. Mais si nous nous engageons dans ce pays comme nous envisageons de le faire, alors nous avons besoin de connaître leurs sentiments pour mieux en tenir compte dans notre future politique.

— Par « sentiments », vous voulez sans doute dire leur envie de devenir un pays démocratique ?

— Par exemple.

— Et vous me demandez de les espionner ?

— Non, non ! s'écria Cholongai dans un grand éclat de rire. Pas plus que nous ne vous demandons d'espionner les sociétés dans lesquelles nous pensons investir. Notre action irait dans le sens des intérêts des citoyens de Thulahn autant que dans le nôtre. Peut-être même davantage.

— Et il n'y a que moi qui puisse le faire ? (J'essayais de paraître sceptique, ce qui n'était pas difficile.)

— Nous pensons que vous êtes la mieux qualifiée.

— Cela signifie… ?

— Cela signifie une relocalisation à Thulahn. Peut-être pourrez-vous, dans un premier temps, continuer à assumer vos fonctions actuelles, mais j'imagine que, très vite, il vous deviendra impossible de concilier les deux tâches de façon satisfaisante.

— Vous voulez dire que je devrai… habiter à Thulahn ?

— Exact.

Thulahn… Des souvenirs de mon dernier séjour me revenaient en désordre. Thulahn… ou plutôt Thuhn, sa capitale, parce que je n'avais pas vraiment visité autre chose : des montagnes, encore des montagnes. Et de la pluie. Des montagnes qui obligeaient – quand on avait la chance de les apercevoir à travers les nuages – à se tordre le cou pour voir leur sommet enneigé, alors qu'on se trouvait déjà à deux mille mètres d'altitude. Rien de plat. Un foutu terrain de football en guise d'aéroport. Beaucoup de fumée. L'odeur de la bouse se consumant. Des enfants, minuscules, aux yeux brillants, paraissant tout ronds dans leurs vêtements molletonnés. Des silhouettes courbées sous le poids des fagots de bois. Des vieilles femmes accroupies, éventant les foyers et cachant timidement leur visage. Des chèvres, des moutons, des yaks. Un palais royal étonnamment modeste. Quelques routes de terre et une section de macadam dont ils étaient si fiers. Des ragots sur la reine mère que je n'avais jamais rencontrée. D'énormes monastères accrochés aux flancs abrupts des montagnes comme des berniques à leur rocher. Le réveil au milieu de la nuit quand l'altitude vous oppresse. Le cliquetis des moulins à prières. L'amertume de la bière laiteuse. Sans parler de mon soupirant, le prince.

— Je ne suis pas sûre que cela me tente.

— Mais vous n'avez pas vraiment le choix, semble-t-il.

— Et… si je refuse ?

— Alors, vous pourrez sans doute garder vos fonctions actuelles, Kathryn. Et il nous faudra trouver quelqu'un d'autre, peut-être plusieurs personnes plutôt qu'un individu, pour s'occuper de Thulahn de la manière évoquée.

— J'aime la vie que je mène, Tommy. (Maintenant, je m'efforçais de paraître triste.) J'aime ce sentiment de faire partie de ce qui bouge en Californie. J'aime me retrouver à Londres et parcourir l'Europe. J'aime voyager. J'aime les villes la nuit, le room-service dans les palaces, la carte de vins de plusieurs pages et les super-marchés ouverts vingt-quatre heures sur vingt-quatre. Et là, vous me demandez d'aller vivre dans un pays qui connaît à peine l'existence de la chasse d'eau !

— Nous en sommes conscients. Si vous acceptez cette offre, vous aurez toute latitude pour déterminer vous-même la proportion de temps qu'il vous faudra passer à Thulahn. Si cela se révèle insuffisant pour mener à bien votre mission, nous comptons sur vous pour démissionner. (Il marqua un temps d'arrêt.) Par ailleurs, nous ferons tout pour vous rendre la vie confortable. Nous pouvons même vous faire construire une réplique de votre bungalow de Californie, si vous le désirez. Vous bénéficierez d'un avion de la compagnie et de tout le personnel que vous souhaiterez.

— Cela ressemble fort aux privilèges d'un cadre de niveau deux, non ?

— Votre promotion au niveau deux est assurée.

— Assurée ? (Juste ciel !)

— L'importance de notre association avec Thulahn n'échappera à aucun de vos collègues, de quelque niveau qu'ils soient, une fois l'affaire conclue, quand tout le monde sera enfin mis au courant. Je n'imagine pas une seconde qu'ils refusent de vous promouvoir au niveau que votre position et les intérêts de la maison exigent.

Effectivement, cela revenait à dire qu'on m'offrait une promotion.

— Mais cet accord avec le prince n'est pas encore conclu ? lançai-je.

— Pas tout à fait. Il y a encore quelques points de détail techniques à régler.

— Est-ce que mon accord personnel fait partie de ces points de détail ?

Cholongai se carra sur son siège, surpris, semble-t-il.

— Non, répondit-il en examinant la surface oblique des superstructures blanches de la passerelle. Nous ne savons pas si le prince marque le pas pour obtenir de meilleurs termes dans le contrat ou s'il commence réellement à se raviser. C'est assez agaçant. Il se peut qu'il soit effrayé par l'énormité de sa décision. Après tout, il se prépare à mettre fin à une tradition multiséculaire et à dépouiller sa propre famille, en quelque sorte !

— Une chance, alors, qu'il n'ait pas d'enfant ! remarquai-je, encore sous le choc de toute l'histoire. Quel est exactement le scénario prévu si nous prenons le contrôle du pays ? Comment garantirons-nous ce contrôle ?

Cholongai agita une main.

— Les détails sont complexes, mais on établirait une sorte de conseil de gouvernement dont feraient partie tous nos niveau-un. Et le prince resterait chef d'État.

— Et après lui ?

— S'il n'a pas d'enfants, l'héritier sera un de ses neveux, un gamin de dix ans, pensionnaire dans une de nos écoles en Suisse. C'est un très bon élément, ajouta Cholongai avec un sourire.

— Tant mieux pour lui. (Je pianotai sur le plastique de la table.) Et de qui vient cette idée, Tommy ?

— Que voulez-vous dire, Kathryn ?

— Qui a eu l'idée de m'impliquer dans ce projet ?

Il resta un moment silencieux.

— Je ne sais pas. En fait, je ne me souviens pas. L'idée a probablement été lancée au cours d'une réunion du Conseil, mais impossible de vous préciser exactement quand et par qui. On ne garde pas de procès-verbal détaillé de ces réunions. Ce que je vous dis là est également confidentiel, au fait... Mais quelle importance ?

189

— Simple curiosité ! Et qui est au courant ?

Cholongai hocha la tête comme s'il s'était attendu à cette question.

— Les grands pontes de niveau un. Personne d'autre, à mon avis. C'est J. E. Dessous et moi-même qui avons été chargés de l'analyse... et de la décision.

Il détourna les yeux et observa le steward qui s'approchait, portant sur un plateau d'argent un appareil semblable à un ordinateur, mais que j'identifiai comme étant un téléphone par satellite.

— Excusez-moi, me dit Cholongai en soulevant le combiné. Allô ? fit-il avant de poursuivre en chinois ou en malais, trop rapidement pour que je puisse distinguer.

Il raccrocha et congédia le garçon d'un geste.

— Vous avez une visite, m'annonça-t-il.

— Ah bon ? Ici ?

— Oui. On vous apporte quelque chose. Un cadeau.

Je le regardai un moment, heureuse de pouvoir cacher mon ahurissement derrière mes Ray-Ban.

Le bruit d'un hélicoptère invisible nous parvint.

— C'est quelqu'un que je connais ?

Mr Cholongai inclina la tête de côté.

— Peut-être. Il s'appelle Adrian Poudenhaut.

Pran et moi assistâmes à l'arrivée de l'hélicoptère, qui se posa au même endroit que le mien. Il s'agissait d'un Bell ultra-aérodynamique, avec train d'atterrissage rétractable. (Petit pincement de jalousie !) Poudenhaut en descendit, vêtu d'un costume bleu clair, portant une mallette Halliburton. Pran s'avança pour la saisir mais Poudenhaut la serra contre sa poitrine.

Nous nous écartâmes et le Bell s'envola, les roues repliées et le nez pointé vers la terre qu'on discernait maintenant à l'horizon sous la forme d'un mince trait brun.

— Bonjour, Ms Telman.

— Bonjour !

— Merci, ce sera tout, lança-t-il à l'adresse de Pran qui fit une courbette en souriant et quitta le pont.

Poudenhaut retira d'une de ses poches un téléphone mobile volumineux puis, d'une autre poche, un accessoire en forme de L. L'ensemble constituait un téléphone-satellite encore plus perfectionné que celui de Cholongai.

Après avoir pianoté sur le clavier, il porta l'écouteur à son oreille, sans me quitter des yeux. J'étudiais le reflet de mes lunettes de soleil dans les siennes.

Le téléphone grésilla.

— Je suis à bord, monsieur, déclara Poudenhaut avant de me tendre le combiné, plus lourd que je ne le pensais.

— Allô ?

— Ms Telman ? Kathryn ?

C'était, comme je l'avais deviné, la voix de Hazleton.

— Oui. Mr Hazleton, n'est-ce pas ?

— Exact. J'ai quelque chose pour vous. Adrian va vous montrer ça. Ensuite, vous pourrez garder le disque.

— Ah oui ? Parfait !

Je n'étais guère renseignée !

— Ce sera tout. Ravi de vous avoir parlé. Au revoir.

La ligne redevint silencieuse.

Avec un haussement d'épaules, je rendis le téléphone à Poudenhaut. Une petite goutte de sueur perlait au creux de sa lèvre supérieure.

— J'espère que vous savez de quoi il s'agit, parce que moi, je nage complètement, observai-je.

Poudenhaut approuva d'un hochement de tête. Il jeta un regard autour de lui puis, désignant une rangée de grandes fenêtres à l'avant du bateau, il dit :

— Allons par là.

L'endroit avait dû être autrefois un salon ou une salle de restaurant. Le sol, dépouillé de son revêtement, n'était plus qu'une plaque de métal avec quelques restes de moquette usagée et des lambeaux de thibaude. Le plafonnage avait été démantelé ainsi que toute l'installation électrique. Nous nous installâmes au fond, dans la pénombre, à une petite table fixée à une colonne métallique soutenant le toit, au milieu d'une forêt de câbles gris qui, privés de leurs lustres, se balançaient lentement, au gré de la houle.

Poudenhaut ôta ses lunettes de soleil et inspecta du regard les lieux. Des fils électriques désaffectés pendouillaient un peu partout. Face à nous, la cloison était percée d'écoutilles et de portes. Pénétrant à flots, la lumière du jour nous éclairait, tel un énorme tube de néon.

Soulevant le cache de sa serrure à combinaison avec un léger déclic, Poudenhaut fit tourner les trois petites molettes. D'un geste des pouces, il fit sauter les deux fermoirs, et ouvrit l'attaché-case dont il retira un lecteur de DVD portable.

— Génial ! m'exclamai-je.

— Mmm, fit-il.

En me tordant le cou, j'examinai l'intérieur de sa serviette : elle ne contenait rien d'autre. Poudenhaut me jeta un regard de reproche et referma la mallette d'un claquement sec. Puis il fit pivoter le lecteur de façon à me présenter l'écran et, allongeant le bras par-derrière, pressa une des touches du clavier. La machine émit un doux bourdonnement mais l'écran resta vide.

— On m'a chargé de vous présenter ce que vous allez voir, annonça-t-il. Vous devez me promettre de n'en parler à personne.

— O.K. !

Visiblement, il attendait un véritable serment, mais il se résigna à dire « D'accord ! » avant de se pencher pour presser une autre touche. L'écran scintilla.

J'étais seule à voir l'écran : Poudenhaut se tenait derrière l'appareil. Il n'y avait aucun son, seulement l'image, d'excellente qualité, meilleure que celle d'une vidéo. On voyait une femme pénétrer dans un bâtiment, dans une rue très animée. Cette femme était de race blanche, assez jeune, les cheveux sombres. Elle portait des lunettes de soleil, une robe d'été et une veste légère. Les voitures circulaient à droite et, d'après les marques, je devinai qu'on était aux États-Unis. La caméra était sans doute cachée dans une automobile. Tout en bas de l'écran, à droite, une série de chiffres situait la scène : 10/4/98, 13:05, en avril, selon le système britannique de notation de la date, ou bien en octobre, selon le code américain. Donc, exactement un mois plus tôt.

Séquence suivante : une chambre éclairée par le soleil filtrant derrière les voilages. Les doubles rideaux s'agitent doucement, semblant indiquer que la fenêtre est ouverte. La caméra doit être posée sur une armoire ou un placard, pointée vers le bas. La qualité de l'image est moins bonne. Aucune indication de date ni d'heure.

La même femme, apparemment, entraîne vers le lit un homme de haute taille, en complet veston. Long baiser. L'homme est un Blanc, avec des cheveux noirs et une barbe bien taillée. Ils se débarrassent mutuellement de leurs vestes et tombent ensemble sur le lit, où ils finissent de se déshabiller rapidement.

Je levai une seconde les yeux vers Poudenhaut, qui me rendit mon regard, impassible.

Ils ont de beaux corps tous les deux. Elle lui suce la bite (un peu trop épaisse, à mon goût, et légèrement incurvée vers la droite), puis ils se mettent en position de 69, puis dans la position du missionnaire pendant quelques minutes. Il n'a pas mis de capote et ils semblent vraiment prendre leur pied tous les deux.

Je me raclai la gorge. Décidément, il faisait chaud par ici ! Nouveau scintillement de l'écran.

Le couple baise toujours. Cette fois-ci, il la prend en levrette. Ils sont maintenant face à la caméra, mais ne s'en aperçoivent visiblement pas.

J'étudiai leurs visages : j'avais l'impression de connaître le type, mais sans parvenir à en être certaine.

Le type prend son temps à présent. La scène a un caractère authentique. Il ne s'agit pas de pornographie : ils s'envoient en l'air sans chercher à poser, sans gros plan sur les visages ou sur les fesses ; et quand le type jouit, à la fin, il éjacule dans sa partenaire et non sur sa figure ou sur ses seins comme dans les mauvais films pornos. Ensuite, on les voit étendus l'un sur l'autre, affalés sur le lit, puis glissés sous les draps. Ils se parlent, se sourient et se caressent les cheveux. Autre plan : on voit l'homme quitter le bâtiment et héler un taxi jaune. Presque certainement les États-Unis, donc. Peut-être même New York. L'écran clignote. La femme sort de l'immeuble et s'éloigne à pied. L'affichage date/heure indique qu'ils ont passé presque deux heures ensemble. Après quoi l'écran vire au noir.

Je me redressai sur mon siège, observée par Poudenhaut.

— Alors ? lui lançai-je. C'est fini ?

— Oui. Vous voulez bien ôter le disque ?

Je me penchai vers l'appareil et finis par trouver la touche *Eject*. Je retirai le disque.

— S'il vous plaît, gardez-le.

Je le glissai dans la poche de ma veste.

— Est-ce que vous avez une idée de ce que vous venez de me montrer ? lui demandai-je.

Il secoua la tête négativement en éteignant le lecteur DVD, qu'il remit ensuite dans sa mallette.

— Non, dit-il.

— Vous êtes bien sûr de m'avoir montré ce que j'étais censée visionner ?

Franchement, la situation devenait cocasse : Poudenhaut débarquant dans son hélicoptère de luxe avec sa petite mallette de gangster de Hollywood et ses gadgets dernier cri, tout ce cinéma pour me montrer quelques minutes de film porno. On dépassait les bornes du ridicule !

Il eut au moins la décence de paraître gêné.

— Euh... Quoi ?..., balbutia-t-il, puis il reprit en fronçant les sourcils : Euh... On m'avait dit que vous deviez... que vous étiez censée identifier une personne.

Je repensai à l'homme dans la chambre. Est-ce que je le connaissais ?

— Non, affirmai-je en secouant la tête.

— Vous êtes sûre ? répliqua Poudenhaut, l'air franchement inquiet.

— Je peux oublier un visage mais je n'oublie jamais une... Enfin, j'en suis certaine.

Poudenhaut leva la main.

— Vous permettez une minute ?

Il s'éloigna de dix mètres, écartant la forêt de câbles gris. Le dos tourné, il sortit son téléphone-satellite. Mais visiblement, celui-ci ne fonctionnait pas. Poudenhaut le secoua – un spectacle assez réjouissant – et essaya encore. Sans succès.

— Vous devriez vous mettre dehors, lui conseillai-je.

Il me regarda .

— Le satellite, ajoutai-je en pointant un doigt vers le ciel.

Il approuva d'un hochement de tête et sortit.

Debout sous la lumière crue du soleil, il parla quelques

instants avant de me faire signe de venir. J'abandonnai sa mallette pour le rejoindre. Il me passa le téléphone, le visage couvert de sueur.

— Kathryn ?

— Mr Hazleton ?

Celui-ci éclata de rire.

— Alors, ma petite bombe… ?

— … tourne au pétard mouillé, apparemment.

— Hum… On n'est jamais sûr de rien ! Vous n'êtes pas en train de taquiner ce pauvre Adrian, par hasard ? Vous n'avez *vraiment* reconnu personne sur ce petit film ?

— Est-ce qu'on m'a *vraiment* montré ce que je devais voir ?

— Une femme et un homme faisant l'amour dans un hôtel ? Oui.

Je souris à ce pauvre Poudenhaut qui s'épongeait le front avec son mouchoir.

— Non, je ne connais ni l'un ni l'autre.

— C'est bien embarrassant. Après tant de secret… (Une pause.) J'imagine que je pourrais vous le dire, tout simplement.

— Ce serait plus simple, effectivement !

— Mais peut-être pas tout de suite. Avec le temps, cela va peut-être vous revenir.

— J'aimerais mieux que vous me le disiez maintenant

— Hum… Je vous serais reconnaissant de garder le secret pour l'instant et de ne montrer ce disque à personne. Tout cela vous sera peut-être extrêmement utile, un jour.

— Mr H., si vous ne me révélez rien, je vous promets de diffuser ce film sur le Web pour voir si quelqu'un peut m'aider à identifier ces deux amants.

— Écoutez, Kathryn, ce serait vraiment irresponsable. Ne vous énervez pas !

— Normalement, je devrais déjà le savoir, alors pourquoi ne pas me le dire ?

Autre silence. Un coup de sirène du bateau nous fit sursauter, Poudenhaut et moi.

— Qu'est-ce que c'était ? demanda Hazleton.

— Un coup de sirène.

— Très fort.

— Oui, très fort. Alors, à présent, vous voulez bien me dire *qui* j'aurais dû normalement reconnaître ?

— Je ne voudrais pas jouer les conspirateurs, mais je ne tiens pas à ce qu'Adrian le sache.

— D'accord.

Je jetai un sourire à Poudenhaut, lui tournai le dos et m'éloignai de quelques mètres. Il pinça les lèvres et passa au salon d'où il m'observa, les bras croisés.

J'entendis Hazleton prendre une grande inspiration.

— Vous n'avez vraiment pas reconnu cette femme ?

Ainsi, il s'agissait de la femme. Je me concentrai.

— Non.

— Lorsque vous l'avez rencontrée, elle avait peut-être des cheveux blonds, très longs.

Une blonde. Je pensai au visage de la femme. C'était agaçant, mais la seule image à m'être restée gravée en mémoire était celle où elle atteignait l'orgasme, la tête renversée en arrière, la bouche ouverte, criant de plaisir. J'essayai de ne pas en tenir compte et de reconstituer son portrait avec des cheveux blonds.

Peut-être, pensai-je, peut-être l'avais-je déjà vue ou rencontrée une fois. Une mauvaise association d'idées… Quelque chose que je voulais refouler. Tiens, tiens !

— Toujours rien, Kathryn ? demanda Hazleton, qui semblait s'amuser.

— Rien de précis, répondis-je après avoir hésité. Elle me rappelle vaguement quelqu'un. Rien de bien agréable, cependant.

— Vous donnez votre langue au chat ?

— *Oui !* (En ajoutant *mon salaud* mentalement.)

— Son prénom est Emma.

Emma. Sans conteste une très mauvaise association d'idées. Oui, j'étais certaine de l'avoir rencontrée, au moins une fois. Mais qui était-ce, putain, et pourquoi cette impression négative ?

Et puis je compris, au moment même où il prononçait son nom.

Une demi-heure plus tard, je me retrouvai avec les autres passagers, coincée contre les consoles d'équipement encore alignées sous les fenêtres, les yeux fixés sur la côte fonçant vers nous à la vitesse de trente nœuds. Le *Lorenzo-Uffizi* visait l'espace situé sur la plage entre un transporteur de vrac à moitié démoli et une grande coque impossible à identifier dont il ne restait que les membrures et quelques tôles. À gauche et à droite de notre étrave, sur des kilomètres, la baie était parsemée de douzaines de bateaux de toute taille et de tout style, arrivés à divers stades des opérations de démantèlement. Certains venaient tout juste d'être échoués et paraissaient intacts. D'autres étaient réduits au squelette de leur quille et à quelques poutrelles. De petites silhouettes s'activaient sur la vaste grève maculée d'huile. Des gerbes d'étincelles minuscules jaillissaient sporadiquement des épaves, et des colonnes de fumée s'élevaient en vacillant, nourries par des centaines de foyers allumés sur des vestiges de bateaux, le long de la côte jonchée de débris et, plus loin, sur le continent même.

Une très légère secousse fit vibrer le bateau. Je vis la proue s'élever tandis que les arêtes d'une console m'écrasaient le bassin et le ventre. Le transmetteur accompagna d'une sonnerie l'ordre : « *All stop.* » Il y eut quelques acclamations. Tommy Cholongai, toujours à la barre, se contenta de sourire, le souffle coupé par la décélération qui le projetait en avant. Le bateau grogna et craqua autour de nous. Un bruit lointain s'éleva des cales, comme le fracas d'une centaine de piles de vaisselle. Avec d'énormes vibrations, la proue du *Lorenzo-Uffizi* s'éleva encore plus haut sur la plage, oblitérant la vue de la terre devant nous. Je portai mon regard vers bâbord, où les remous écumants de notre sillage étaient venus battre les flancs striés de rouille du vraquier. Tout autour de nous, ce n'étaient que craquements et grincements, le pont semblait ployer sous mes pieds et une fenêtre à l'extrémité de l'aile tribord de la passerelle gicla soudain de son cadre pour aller s'écraser sur les sables étincelants tout en bas.

Les grincements et les craquements continuèrent quelques secondes ainsi que la pression nous écrasant contre les consoles, puis, avec une dernière secousse, une dernière palpitation et un dernier choc transmis en douceur mais qui me projeta presque la tête contre la vitre et me laissa meurtrie pendant des jours, le vieux paquebot s'immobilisa enfin, reposant dans ce qui serait son dernier mouillage. Le fracas cessa et la console relâcha sa pression contre mon corps.

Nouvelles acclamations et tonnerre d'applaudissements. Tommy Cholongai remercia le commandant et le pilote, puis d'un geste théâtral mit le transmetteur sur « Couper les moteurs ».

Je tournai les yeux vers Adrian Poudenhaut, qui avait demandé à rester à bord pour l'échouage. Malgré l'absence de houle, il avait viré au vert dans le dernier quart d'heure. Sa mallette toujours serrée contre sa poitrine, il m'adressa un pâle sourire que je lui rendis.

Et, tout en lui souriant, je me disais : « Emma Buzetski. »

Car c'était le nom de la femme.

— Elle s'appelle Buzetski, m'avait déclaré Hazleton une demi-heure plus tôt, avant de raccrocher. Emma Buzetski, vous savez bien : la femme de Stephen !

7

Kate, je viens de penser à quelque chose
d'horrible.

Tu viens de faire un rêve où, quand tu te
réveillais, on t'avait enlevé toutes les dents,
la semaine dernière ? Eh bien, j'ai le regret de
te dire, Michael…

Non, je ne plaisante pas. Mais il s'agit bien
de cette histoire. Tu te rappelles que je devais
rencontrer un type, le lendemain de cet épisode
dents ?

Oui. Et alors ?

Cet homme a une fille. Très jolie, très occi-
dentalisée, très contente de me rencontrer, en
tête à tête, une fois papa absent, si tu vois ce
que je veux dire ?

Fichtre, t'es un vrai Casanova. Ou plutôt un
vrai connard ! Tu risques de ficher en l'air une
affaire super importante en batifolant avec la
propre gamine du P-DG ? C'est moi qui rêve ! Tu
crois te faire bien voir avec cette histoire,
Mike ? Tu t'imagines sans doute que je vais me
dire : « Tiens, ce petit gars-là mérite une

promotion, faut que j'en parle à tous les niveau-quatre » ? Tu débloques ? Tu as bu ? Hé, Mickey Tête-de-Nœud ?

Cool, ma poule ! Écoute, c'est arrivé, c'est tout, O.K. ? C'est elle qui m'a sauté dessus et ce n'est pas une gamine, elle a dix-neuf ans, je crois. Elle m'a pratiquement violé.

Tu parles !

Sauf qu'elle ne m'a pas permis de – comment dire ? – d'aller jusqu'au bout.

Continue.

J'ai utilisé ma bouche.

Ah, je vois. Sauf que ce qu'on t'a fait n'est pas arrivé à cette extrémité-là, mais à cette extrémité-ci… De la Terre, je veux dire. Pas de ton anatomie.

N'empêche. Tu ne crois pas qu'il y a un lien ?

Tu m'as bien dit que le P-DG en question n'a pas semblé trop gêné par ton manque de dentition ?

Lui a semblé équilatéral !

Mauvais signe. Essaie de te rappeler comment se sont passées les rencontres avec lui avant tes galipettes avec sa fifille. Il était comment, à cette époque ?

Heu… Vachement plus froid, je me rappelle l'avoir remarqué. Je sentais qu'on avait fait un pas ou deux en arrière dans les négociations. Ai pensé que c'était une tactique. Mais il a toujours été très poli avec moi. Je t'assure, TRÈS.

Crétin ! Donc, tu dis qu'avant il était glacial avec toi, puis tu perds tes dents et après il devient tout sourires. Ça ne t'est jamais arrivé d'avoir à traiter avec un mec qui t'en a fait baver mais que tu es obligé de supporter, d'être vachement froid avec lui pour commencer et puis, quand tu as pris ta petite revanche secrète, de trouver qu'il était facile, et même supersatisfaisant, de te montrer sympa avec lui ?

C'est le maître qui parle, non ? Ou plutôt la maîtresse ! Un vrai Machiavel. Machiavela plus exactement.

En tout cas, je suis furieuse. Je n'arrive pas à croire… À la réflexion, si, j'y arrive : tu es un homme. On a de la veine que tu n'aies pas essayé de baiser sa femme. Ou son golf favori. Tu t'imagines : dix-huit trous, quelles possibilités ! En fait, je ne sais pas pourquoi je plaisante. Sérieusement, tu me déçois beaucoup. C'était la dernière connerie à faire. Mais rassure-moi : l'affaire est bien conclue ? Il n'y a vraiment pas le moindre détail qui pourrait encore tout faire exploser – pardon, éjaculer – en pleine figure ?

Rien. Tout est fait, signé, emballé et livré. Du béton armé renforcé ! Mais je me suis excusé et, au moins, je t'en ai parlé immédiatement.

Je te signale que le béton armé est renforcé. Et ce n'est pas une excuse. De plus, je te répète que c'est Adrian George ton supérieur hiérarchique pendant que je suis en congé sabbatique, pas moi… À propos, je viens de relire tout ce qui précède et je remarque que tu n'as pas présenté tes excuses !

O.K. ! Je m'excuse ! Sincèrement. Écoute, pourquoi devrais-je en parler à Adrian G. ? Il ne peut pas me sacquer. Ne m'y oblige pas ! Je te revaudrai ça, promis. Au fait, tout cela reste strictement entre nous, évidemment.

T'aurais dû y penser dès le début. Tu en as des choses à apprendre ! Je me demande comment tu es arrivé à devenir un n-4. Bon, je ne dirai rien à Adrian G. Mais si quelque chose foire, tu devras

tout confesser aux autorités compétentes.
Comme l'affaire semble conclue et que le P-DG
semble satisfait, nous nous en sommes bien
sortis, avec les honneurs et tout. Mais, je
t'avertis, juste aucazoù…, c'est toi qui trin-
queras ! Ah, j'y pense, est-ce que tu as parlé à
la fille, depuis ? Est-ce que c'est elle qui a
tout confessé à son papa ? Parce que, visiblement, il est au courant.

Elle ne répond plus à mes messages. Je
commence à regretter de t'en avoir parlé… Donc,
si quelque chose foire dans quelque temps,
c'est la fin de ma carrière ? Mais tu ne m'aban-
donneras pas, Kathryn ? Je t'en prie !

Je ne te promets rien. Si tu ne perds que
quelques dents dans l'aventure, nous nous en
tirerons à bon compte.

C'est qui, ce nous ? Puis-je signaler à Sa
Majesté que c'est moi qui en ai pris plein la
gueule, jusqu'à présent ? Ça me rappelle
l'expression « aux frais de la princesse ». En
l'occurrence, la princesse c'est moi et j'ai
déjà payé ! Quant à toi, autrement dit la boîte,
vous vous en tirez bien, mes salauds !

Absolument, et prie le Ciel que ça continue !

Je croyais que tu étais athée.

C'est une façon de parler. Lâche-moi les
baskets, ou plutôt les escarpins… Au fait, où
traînes-tu tes guêtres – ou plutôt tes gros
sabots – en ce moment ?

Chez moi. Sous la pluie noire de Chelsea. Et
toi ?

À Karachi. Dans une impasse.

Je t'imaginais plutôt au Hilton.

Très drôle. Tu ferais mieux de dormir. Et
essaie à l'avenir de ne pas mettre le boxon dans
les méga-deals et de ne pas perdre d'autres

accessoires anatomiques pendant que tu es dans les bras de Morphée.

Hugh, grand sachem ! Ah, j'oubliais : Adrian G. a changé son témoignage. Finalement, et c'est sa version finale, ce n'est <u>pas</u> notre cher ami Colin Walker qu'il a vu dans ce taxi l'autre jour. J'ai tout compris de travers, dixit A. G. Je voulais te le dire.

Parfait. Enregistré. Au dodo maintenant, presto.

L'hélicoptère du yacht de Tommy Cholongai nous avait arrachés au pont du *Lorenzo-Uffizi*. J'avais imaginé un moment qu'il nous ramènerait directement sur le yacht sans faire escale sur les sables de Sonmiani Bay, mais je m'étais trompée. On nous avait cueillis sur le pont et déposés sur la plage par groupes de quatre, à l'ombre de l'énorme proue du vieux paquebot, tandis que Mr Cholongai accueillait avec effusion les patrons de l'entreprise de démolition chargée d'envoyer le bâtiment à la ferraille.

L'eau ruisselait encore en cascades sur les flancs rouillés du navire couverts d'algues et de concrétions accumulées sous la ligne de flottaison depuis le dernier carénage, et déjà des équipes de petits hommes et de gamins maigrelets s'étaient approchées, poussant de lourdes bonbonnes d'oxyacétylène. Ils se divisèrent par paires, tous les trente mètres environ, le long de la coque découverte par la marée descendante ; puis ils allumèrent leur torche, baissèrent leurs lunettes de protection et commencèrent à découper la tôle pour créer des ouvertures au niveau de la plage.

Les patrons pakistanais, tout sourires et courbettes, nous invitèrent à prendre le thé dans leurs bureaux installés plus haut sur le rivage. Mais, visiblement, ils auraient préféré se débarrasser de nous pour se consacrer au plus vite aux opérations de casse. Mr Cholongai déclina donc leur offre avec tact et nous fûmes transportés jusqu'au yacht dans un petit Hughes, à l'exception d'Adrian Poudenhaut qui repartit, le salaud, dans son bel hélicoptère au train d'atterrissage escamotable.

Un cocktail, ou plutôt une vraie réception, nous attendait sur le yacht. Mr Cholongai remit des cadeaux au commandant et au second du *Lorenzo-Uffizi* ainsi qu'au pilote local. Ils ne les déballèrent pas, mais parurent ravis. De ravissantes jeunes Malaises circulaient sur les ponts de teck et dans les salons pour offrir boissons et plateaux de fruits de mer.

— Mr Poudenhaut n'est pas resté très longtemps, fit observer Cholongai en s'accoudant au bastingage du pont bâbord, à mon côté.

La plupart des invités se trouvaient dans le salon climatisé ou de ce côté-ci, à l'ombre. Mais même à l'abri du soleil et avec la brise créée par la vitesse du bateau longeant la côte en direction de Karachi, il régnait une chaleur féroce et humide.

— Un homme chargé d'une mission, commentai-je en sirotant mon verre de margarita.

— Un cadeau, si j'ai bien compris.

Il tenait un café glacé.

— Oui, c'est ça, dis-je, consciente du poids du disque dans ma poche.

— Envoyé par Mr Hazleton, peut-on en déduire logiquement, remarqua Cholongai, songeur, en hochant la tête ; puis il reprit : mais pardonnez-moi mon indiscrétion, vous voulez bien ?

— Je vous en prie. En fait, Mr Poudenhaut m'a livré quelque chose que Mr Hazelton tenait à ce que je voie. Je présume que vous ignorez de quoi il s'agit...

— Effectivement. La visite de Mr Poudenhaut m'a surpris autant que vous. Car, pour vous, c'était bien une surprise, Kathryn ?

— Absolument.

— Je m'en doutais.

Il regarda le rivage. Nous avions laissé derrière nous depuis quelques minutes les dernières silhouettes mutilées des bateaux en démolition, et l'ourlet vert sombre des mangroves avait remplacé les dunes de sable doré.

— Naturellement, reprit-il, avec ce que je vous ai raconté aujourd'hui et maintenant que tous les niveau-un sont au courant, on peut s'attendre à… comment dire ?… à pas mal de remous.

— Je crois que je commence à m'en rendre compte, Tommy.

— Nous allons mouiller dans le port de Karachi pendant un ou deux jours. Ce soir, je dois recevoir quelques industriels très influents mais pas très swingants. Vous êtes invitée, naturellement, mais je crois que vous risquez de vous ennuyer. Cependant, je serais très honoré que vous acceptiez de vous joindre à nous demain, pour le déjeuner.

— Si j'ai le temps de faire des emplettes quand nous arriverons à terre, je serai très heureuse d'accepter ces deux invitations. Les industriels même ennuyeux ne m'ont jamais rebutée, Tommy.

Cholongai sembla trouver ma réponse satisfaisante. Il jeta un coup d'œil à sa montre.

— Pourquoi ne pas prendre l'hélicoptère ? Vous gagneriez du temps.

— Oh ! m'écriai-je. Quelle bonne idée !

Je fus accueillie à l'aéroport par Mo Meridalawah et transportée à travers cet océan de pauvreté qu'est Karachi jusqu'à l'archipel des boutiques de luxe, là où l'on peut sérieusement claquer son fric. Je fis l'acquisition d'une nouvelle robe, d'un téléphone-satellite et d'un lecteur de disques DVD.

— Allô ?

— Mr Hazleton ?

— Lui-même. Qui est à l'appareil ?

— Kathryn Telman.

— Eh bien, bonjour ! Vous avez un nouveau téléphone, Kathryn ?

— Oui, un téléphone par satellite. J'avais envie de l'essayer. C'est mon premier appel.

— Ah bon ? J'imagine que je devrais être flatté, non ?

— Vous avez raccroché plutôt brutalement hier.

— Ah oui ? J'en suis navré.

— Pourquoi teniez-vous à me montrer ce film, Mr Hazleton ?

— Quoi ? Oh, la scène de l'hôtel ? Disons que j'ai pensé que ça pourrait vous servir un jour.

— C'est un parfait élément de chantage, Mr Hazleton.

— Peut-être, enfin j'imagine. Je ne l'avais pas envisagé sous cet angle-là. Vous ne songez pas à vous en servir dans ce but-là, Kathryn ?

— Mais quelle raison aurais-je de m'en servir ?

— Oh, ça vous regarde ! J'ai seulement voulu vous livrer le matériel. Ce que vous en ferez, c'est votre affaire !

— Alors pourquoi, Mr Hazleton ? Pourquoi me l'avoir remis ?

— J'aurais imaginé que c'était assez évident, Kathryn. Pour m'attirer votre reconnaissance. Pour entrer dans vos bonnes grâces. C'est un cadeau. Je n'exige rien de précis en retour. Mais je suis au courant de l'offre que Tommy et Jebbet vous ont faite. C'est une mission capitale pour notre compagnie. Vous deviendrez une personnalité très importante. En un sens, c'est déjà fait, quelle que soit votre réponse. D'ailleurs, à ce propos, vous avez déjà pris une décision ?

— Toujours pas. Je dois encore réfléchir.

— Bravo, très sage ! C'est une nouvelle étape, un grand pas que, comme beaucoup d'autres, j'aimerais vous voir franchir. Mais vous avez raison de ne pas vous décider sans avoir bien réfléchi. Je suis désolé de vous avoir donné matière à réflexion supplémentaire.

— C'est vous qui avez organisé tout cela, Mr Hazleton ? Je veux dire, le film ?

— Pas personnellement. Disons que le matériel est tombé par hasard entre mes mains.

— Et qu'est-ce qui vous a fait penser que je pourrais m'y intéresser ?

— Kathryn, bien que ce ne soit pas exactement de notoriété publique, je crois connaître vos sentiments envers Stephen Buzetski.

— Ah oui ? Vraiment ?

— Oui. J'aime Stephen, moi aussi. J'admire son intégrité, ses principes. Mais ce serait dommage que ces principes reposent, si l'on peut dire, sur une réalité sans fondement, non ? J'ai estimé que ce petit document, puisqu'il existe, pourrait vous être précieux. Une vérité, même si elle blesse, est préférable au mensonge, vous ne croyez pas ?

— Mr Hazleton, est-ce que vous possédez des « témoignages » de cet ordre en ce qui me concerne ?

— Seigneur Dieu, non, Kathryn ! Ces méthodes ne

sont pas dans mes habitudes et je ne souhaite pas les encourager ! Comme je vous l'ai dit, le film est tombé par hasard entre mes mains.

— Au fait, qu'est-ce qui vous pousse à croire que j'éprouve certains sentiments à l'égard de Stephen Buzetski, précisément ?

— Je ne suis pas aveugle, Kathryn. Et je suis humain. Et cela s'applique aussi aux gens qui travaillent pour moi… Ils comprennent les émotions et savent comment les individus réagissent. De plus, c'est leur travail de connaître l'opinion de nos employés vis-à-vis de leurs collègues, pour qu'on ne commette pas l'erreur de mettre en poste deux individus qui se détestent. C'est une manière de gérer positivement les ressources humaines qui va dans l'intérêt de chacun. Vous vous doutez bien, j'imagine, qu'on ne cherche pas obligatoirement à savoir qui a le béguin pour qui. Ce sont des choses qu'on découvre par hasard, en passant. Voilà tout.

— Je n'en doute pas.

— Parfait. Donc, maintenant, vous avez ce film ou cette vidéo ou je ne sais trop quoi – à la vérité, cette technologie me dépasse un peu. L'emploi que vous en ferez, c'est votre affaire. Mais je comprendrais tout à fait que vous ne souhaitiez pas en faire usage directement. Vous pouvez très bien juger préférable que Stephen Buzetski découvre ce qui se passe sans vous en mêler personnellement, et je suis certain qu'il est possible d'y parvenir. Si vous ne souhaitez pas être impliquée, vous n'avez qu'à me le faire savoir.

— À vous entendre, tout paraît tellement simple, Mr Hazleton.

— Tant mieux, j'en suis ravi.

Stephen, aide-moi !

Comment ?

Je suis dans une impasse. Au fait, où es-tu ?

À la maison. Et toi ?

Karachi. Pakistan. Tout va bien chez toi ?

Très bien. Dis donc, tu deviens la vraie globe-trotteuse ! Quel est votre problème, ma petite dame ?

On m'offre un nouvel emploi.

Un nouvel emploi ? Merde… et quoi donc ?

D'abord, c'est confidentiel.

Je serai une tombe.

Et puis, c'est à Thulahn.

Tu charries ? Non, on te charrie. C'est bien ce bled situé quelque part dans l'Himalaya, hein ?

Exact.

Explique-moi. Je brûle d'impatience. Tu n'es pas rétrogradée ? Tu n'as pas fait de bêtises, au moins ?

Non, mon grade ne risque rien. Et des bêtises, j'en ai fait quelques-unes récemment, mais laissons là ma vie sexuelle. On voudrait que je… difficile à expliquer, disons que je fasse un travail de prospection sur place. Je ne peux pas te donner les détails, mais on veut que je m'y installe pour y vivre, connaître les gens, essayer d'évaluer leurs réactions aux changements, anticiper leur humeur collective, j'imagine.

Mais il n'y a rien dans ce coin-là, non ?

Il y a des montagnes. Des tas et des tas de montagnes. Et neuf cent mille habitants.

Et qu'est-ce qu'il y a encore de si secret ? Je te promets que ça n'ira pas plus loin.

Zut pour la discrétion ! Eh bien, c'est un gros truc, qui serait excellent pour ma carrière. Mais aussi un changement radical. Cela signifierait abandonner ma façon de vivre, abandonner un boulot où je me débrouille bien, renoncer à voir mes amis aussi souvent que je le fais en ce moment – autrement dit, déjà pas très souvent. Quant à mon boulot actuel, je ne sais pas si je pourrais le retrouver après. Ma partie est tellement technique et tout bouge si vite ! Au bout d'un an, de dix-huit mois maxi, tout ce que je sais maintenant sera devenu obsolète. Et ce qu'on me propose en échange est tellement, disons, « important » que la mission risque facilement de durer plus d'un an et demi. En résumé c'est une décision du genre : <u>Attention Erreur irréversible</u> !

Mamma mia. Ne sais pas quoi te dire. Tu es la seule à posséder tous les éléments de décision.

Si seulement on pouvait dire la même chose de mes facultés.

On peut. Au niveau des tripes, qu'est-ce que tu ressens ?

J'ai dû me transformer en ruminant, parce que j'ai au moins deux sortes de tripes. Les unes me disent : « Allez, merde, tu fonces ! » et les autres se ratatinent dans un coin en criant : « Non, pitié, non ! » Mais où est la vraie Kathryn là-dedans ?

Je sais laquelle je choisirais.

Ah, Stephen, si seulement…

Emma est à côté de moi justement, je vais lui poser la question… Non, je plaisante. Quand dois-tu leur donner ta réponse ?

Rien de précis. Ils voudraient en avoir au moins une idée dans quelques semaines. Mais je pourrais les faire lanterner jusqu'en 1999 si je le désirais.

Tu es à Karachi, pas loin de Thulahn. Pourquoi ne vas-tu pas y faire un tour quelques jours ?

C'est à deux mille kilomètres, juste à côté ! Mais tu as raison, c'est ce que je vais faire. Le seul problème reste le prince.

Ah oui, un de tes grands admirateurs, je crois ?

Il a envie de me sauter, oui.

C'est bien toi, Kate ! Tu ramènes toute marque d'affection au rang de la luxure. Mais un de tes soupirants est peut-être sincèrement amoureux de toi. Peut-être le sont-ils tous. C'est curieux, cette manière subtile que tu as de te dévaloriser.

Tiens ! Soudain, je me retrouve en ligne avec le Dr Frazier Crane ? Bonjour, docteur, vous êtes à l'écoute ?

Toujours sur la défensive, Kate.

Peut-être que, pour reprendre les mots de l'immortelle Whitney Houston, « je réserve mon amour pour un autre ».

De toute manière, Kate, je suis sûr que tu es de taille à manipuler le prince, si j'ose dire.

Moi aussi. Non, sérieusement, c'est à envisager.

Accorde-toi ces petites vacances ou comme tu souhaiteras les appeler. Tu es bien en congé sabbatique ?

Oui, contrairement aux apparences.

Alors, vas-y.

Bonne idée. Au fait, on me permettra de choisir mon équipe. Tu n'aurais pas envie d'emménager à Thulahn, par hasard ? Pas immédiatement, mais si tout se concrétisait ? (Je plaisante, bien sûr.)

J'ai des engagements par ici. La scolarité des gamins. Et Emma qui a le vertige sur toute pente à plus de deux pour cent ; la phobie des hauts talons, ou un truc de ce genre.

Ouais, des engagements, je vois. Mais, comme je disais : je plaisantais. Enfin, tu pourrai toujours me rendre visite tout seul, non ? Ha, ha !

Certainement.

Ne m'appelle pas… Si, appelle-moi, appelle-moi comme tu veux et quand tu veux. Zut, je crois que la fatigue se fait sentir. Mon lit me demande. Les draps m'invitent. Je pense à toi. Passe une bonne journée. Et maintenant bonne nuit.

Tu es une coquine. Fais de beaux rêves.

De beaux rêves, tu parles ! Je déposai un baiser sur la pointe de mon index et l'appliquai sur l'écran, à l'endroit même où apparaissaient ces mots. Puis, en riant de ma sentimentalité de midinette, je refermai mon portable. Avec un petit bip de protestation, l'écran s'éteignit au moment précis où il touchait le clavier. La pièce n'était plus éclairée que par le téléviseur, branché sur la chaîne Bloomberg, le son coupé. Je laissai mon regard dériver vers les lumières de la ville puis vers la corniche de ma chambre, entre le mur et le plafond. Tout était encastré : nul endroit où cacher un caméscope. Pour espionner Mrs Buzetski et son amant, on avait certainement utilisé quelque chose de plus sophistiqué : de nos jours, on peut dissimuler un objectif de caméra dans une paire de lunettes ou un détecteur de fumée et tout le reste de l'équipement dans n'importe quel endroit où la taille n'a pas d'importance.

Je soulevai à nouveau le couvercle du portable. L'écran se ralluma. Je relus les dernières phrases de notre conversation. Des *engagements*…

— Oh, Stephen, murmurai-je, que dois-je faire ?

Le lecteur de DVD n'était toujours pas déballé : je n'avais eu ni le temps ni l'envie de le brancher sur mon portable. Le disque que Poudenhaut m'avait confié était toujours dans la poche de cette veste accrochée sur un cintre et empestant la fumée (les industriels invités par Cholongai étaient tous de gros fumeurs). Mais nul besoin de disque ou de lecteur pour revoir très clairement, merci, les lèvres d'Emma Buzetski lançant des râles de plaisir silencieux.

Je n'enregistrai pas ma conversation avec Stephen sur le disque dur de mon portable. Je me contentai d'éteindre l'appareil puis, après m'être douchée, je coupai le contact moi aussi.

Petite gâterie intéressante offerte par ce charmant Mr Cholongai : j'eus droit au jet Lear de sa propre compagnie. Un bon modèle, qui plus est, avec toutes les commodités à bord. La première fois où j'étais montée dans un jet privé, on m'avait conseillé, à mon grand effarement, de passer aux toilettes de l'aéroport avant le décollage, l'appareil en étant dépourvu. Découvrir que le symbole du standing d'un P-DG est moins bien équipé que la moyenne des autocars modernes enlève beaucoup au prestige de l'aventure !

Sans doute par enfantillage, je ne pus résister à l'envie d'utiliser mon téléphone-satellite. La ligne passait. J'essayai d'abord mon amie Luce, en Californie. Répondeur. J'appelai une autre copine de la Vallée. Elle pédalait sur son vélo d'appartement et, bien qu'impressionnée d'apprendre où je me trouvais, elle était beaucoup trop essoufflée pour me répondre. Toujours d'humeur téléphonique, je persistai et, après diverses vaines tentatives – correspondant absent, messagerie et enregistreur –, je réussis à joindre oncle Freddy.

— Devinez où je suis, oncle Frederick !

— Pas la moindre idée, ma chérie.

— Dans un jet Lear, pour moi toute seule, survolant l'Inde.

— Seigneur Dieu, tu sais piloter maintenant ?

— Allons donc, oncle Freddy !

— Ah, tu veux dire comme passagère ?

— L'unique passagère. L'équipage est deux fois plus nombreux !

— Bravo, ma fille ! Il y a des moments où il est bon d'être en minorité.

— Ah oui ? Autre exemple ?

— Euh… une partouze à trois !

Si l'on pense que, quelques mois plus tôt, l'Inde et le Pakistan se défiaient à coups d'essais nucléaires souterrains, on peut mesurer l'excellence de nos relations avec ces deux nations : le jet reçut immédiatement l'autorisation d'emprunter leurs deux espaces aériens pour rallier Siliguri, un petit aéroport situé dans ce mince tissu conjonctif qui relie le grand continent indien à son appendice de l'Assam, entre la frontière nord du Bangladesh et les limites sud du Népal, de Thulahn et du Bouthan. Les pics de l'Himalaya, étincelants de blancheur, qui avaient ourlé le nord de l'horizon pendant toute la durée du vol avaient progressivement disparu derrière une couche de brume. J'avais mis le CD *Jagged Little Pill*, mais cela ne collait pas du tout. D'ailleurs, Alanis Morissette et ses petits soupirs en fin de phrase commençaient à me fatiguer. Et puis, je ne lui ai jamais pardonné d'avoir confirmé ce préjugé bien britannique : les Américains ne connaissent pas l'humour au second degré.

Ne trouvant rien dans ma collection de CD en harmonie avec le panorama, je décidai de brancher mon lecteur DVD. Je revis donc le film de Mrs B. et son amant, sonorisé cette fois-ci (Emma était elle aussi du genre maîtresse bruyante et, sur le bateau, Poudenhaut avait volontairement coupé le son), puis une série d'autres documents. Déprimant. Mais déjà nous étions en train d'amorcer la descente vers ce paysage indéfinissable, mi-plaine, mi-montagne, qui entoure Siliguri.

Il me fallut changer d'avion : mon Lear ne pouvait atterrir à Thuhn car il exigeait une piste trois fois plus grande et refusait tout autre revêtement qu'un tarmac bien lisse. Or, la piste de Thuhn est recouverte d'une sorte de tout-venant cailouteux qui convient très mal à un terrain de foot, et encore moins à une piste d'atterrissage. Le jeune copilote norvégien du Lear, fort aimable, dut donc opérer le transfert de mes bagages à bord d'un Twin Otter, un engin minable que je reconnus pour l'avoir emprunté lors de ma précédente visite.

Cette baraque de chantier équipée de deux moteurs était la joie et la fierté d'Air Thulahn dont elle constituait, en fait, la totalité de la flotte aérienne. On avait prévu une étroite cavité, juste au-dessus de la portière du pilote, pour glisser le petit drapeau aux couleurs royales thulahnaises, opération qui permettait de convertir instantanément l'appareil de ligne en avion royal. Celui-ci avait été baptisé, avec beaucoup d'humour, *Otto*. Au début, je ne l'avais pas trouvé trop primitif – mis à part, naturellement, les hélices démodées, le train d'atterrissage non escamotable et le fuselage cabossé. Et puis l'équipe au sol avait ouvert le nez de la carlingue et fourré mes bagages dans cet espace vide que j'avais cru destiné aux radars, radiogoniomètres et autres instruments essentiels pour vol sans visibilité.

La première fois que j'étais monté à bord d'*Otto*,

c'était à l'aéroport de Dacca, après un vol en DC10 de la PIA (affreux, mais atterrissage impeccable), et j'avais dû partager la cabine avec un groupe de fonctionnaires thulahnais (ils étaient six, et j'ai découvert plus tard qu'ils représentaient environ la moitié de toute la fonction publique du pays), deux moines en robe couleur safran, avec de drôles de chapeaux et des sacs *duty free* bourrés de cartouches de cigarettes, deux paysannes qu'il fallut dissuader d'allumer leur réchaud à pétrole pour se faire un bol de thé pendant le voyage, un bouc de petite taille mais remarquablement odorant, et un couple de porcelets signalant leur détresse par des cris stridents et une incontinence explosive. Ah, et il y avait aussi une cage pleine de poules, exprimant toutes, clairement, une profonde réticence à confier leur vie à un engin volant aussi peu fiable.

À l'époque, j'avais trouvé ça très pittoresque !

Cette fois-ci, j'étais la seule passagère, avec des sacs de courrier jetés à l'avant et quelques caisses sanglées derrière les rangées de sièges branlants. Le pilote et le copilote étaient les mêmes Thulahnais souriants qui m'avaient transportée précédemment, et ils me saluèrent comme une vieille connaissance. La démonstration des consignes de sécurité, brève et succincte, se résuma à m'expliquer que la carte plastifiée portant ces consignes de sécurité avait disparu, sans doute avalée par une chèvre ou un enfant, « mais, au cas où je la retrouverais, serais-je assez aimable pour la restituer ? Merci d'avance », car on attendait une inspection des services de l'aviation civile, et c'est dingue ce que ces sacrés fonctionnaires pouvaient être tatillons.

Je leur promis qu'au cas, hautement improbable, où j'ouvrirais les yeux pendant le vol, je ne manquerais pas de leur signaler tout document plastifié, ou à défaut sa photocopie, flottant dans la carlingue ou se collant au plafond lors d'un looping.

Mes pilotes trouvèrent ma réponse très amusante. Puis, tandis que mon nouvel équipage tapotait les cadrans en se grattant la tête et en sifflotant nerveusement, j'approchai mon nez de la vitre du hublot maculée de traces suspectes pour suivre le décollage de mon Lear. Sa pointe fuselée et bourrée d'électronique décrivit un arc de cercle, ses réacteurs poussèrent un rugissement, et il roula lentement vers l'extrémité de la piste. J'imagine que mon visage, à ce moment-là, devait exprimer autant de regret que celui d'une femme ayant échangé, dans un moment d'aberration, une caisse de Krug millésimé contre une bouteille d'asti spumante.

— Vous vouloir porte ouverte ? me demanda le co-pilote penché vers moi, ce qui me permit d'apprécier son haleine chargée d'ail.

— Pour quelle raison ?

— Pour vous mieux voir, dit-il.

J'imaginais déjà le minuscule pare-brise, à un mètre et demi de moi, m'offrant le spectacle de parois et de rochers fonçant à notre rencontre, et répondis simplement :

— Non, merci !

— O.K. !

Et il tira sur la porte de la cabine de pilotage, qui se referma avec des vibrations et un couinement inquiétants. Un pare-soleil de voiture aurait donné une plus grande impression de solidité.

— Oncle Freddy ?

— Kathryn ? Où es-tu maintenant ?

— À bord d'un coucou volant qui fonce tout droit sur les plus hautes montagnes du globe.

— Je me disais bien que c'était bruyant. Tu es dans le Tarka ?

— Le Tarka ?

— Ah non, attends, c'était l'appareil qu'ils avaient avant le nouveau !

— Parce que ce fossile, c'est le *nouveau* ?

— Oui, le Tarka s'est écrasé il y a des années. Pas de survivants.

— Eh bien, vous me remontez le moral ! J'espère que je ne vous dérange pas, oncle Freddy ?

— Pas du tout, ma belle. Désolé de t'avoir inquiétée.

— Pas grave. Mais je ne vous cache pas que j'ai besoin de me changer les idées pendant le vol.

— Je comprends.

— Au fait, je voulais aussi vous poser une question. Vous vous souvenez de cette affaire en Écosse dont nous discutions pendant la partie de pêche ?

— La partie de pêche ? Ah oui ! Qui aurait imaginé qu'on puisse encore attraper une truite à cette époque de l'année ?

— Effectivement. Mais est-ce que vous vous rappelez le sujet… *Aïe !*… de notre conversation ?

— Parfaitement. Qu'est-ce qui se passe ?

— Un trou d'air. Attendez, un sac de courrier vient de me tomber sur les genoux. Je vais l'arrimer sur le siège à côté de moi… Ça y est. Avez-vous pris contact avec Bruxelles ?

— Oh oui. Notre homme est en route pour… hum, là où vous étiez.

— Bien. *Doux Jésus !*

— Tout va bien, Kate ?

— Ces montagnes… On a vraiment l'impression de pouvoir les toucher.

— Eh oui. Assez spectaculaire, non ?

— Façon de parler.

— Tu vas retrouver ton copain Suvinder ?

— Je ne crois pas. On m'a dit qu'il était toujours à Paris. Il ne rentrera que dans quelques jours et je serai peut-être déjà repartie.

— N'oublie pas d'admirer les drapeaux à prières !

— Quoi ?

— Les drapeaux à prières. Tout autour de l'aéroport. Très colorés. Ils en plantent partout, là où ils pensent qu'on pourrait avoir besoin d'une aide spirituelle.

— Vraiment ?

— Remarque, d'après les statistiques, tu risques davantage ta vie en voiture qu'en avion.

— Pas dans *cet* avion, oncle Freddy.

— Évidemment, si tu vois les choses comme ça…

— Bon. Et comment ça va dans le Yorkshire ?

— Il pleut. Il faut remplacer la bielle de la GTO.

— Ah oui ? Alors, c'est parfait.

— Tu m'as l'air un peu tendue, ma fille.

— Ah oui ? Vous croyez ?

— Essaie de faire un petit somme.

— Un petit somme ?

— Ça marche du tonnerre. Ou bien saoule-toi ! Mais il vaut mieux t'y prendre longtemps avant le décollage.

— Expliquez-moi.

— Il faut te flanquer une gueule de bois tellement carabinée que mourir au milieu de la carcasse fumante d'un avion te semblera une délivrance.

— Je crois que je vais raccrocher, oncle Freddy.

— Bonne idée. Maintenant, ferme les yeux. Dodo !

La dernière descente à pic sur Thuhn, avec effet de montagnes russes, fut encore plus terrifiante que dans mon souvenir. D'abord, aujourd'hui la visibilité était parfaite, alors que la fois précédente nous étions restés dans les nuages jusqu'à trois cents mètres du sol, ce qui m'avait permis de mettre les secousses frénétiques sur le compte d'une aggravation des turbulences. La même approche, l'après-midi et par temps clair, révélait que ces piqués à vous décrocher l'estomac et ces virages sur l'aile étaient tout simplement la seule manière de faire perdre suffisamment d'altitude au Twin Otter tout en évitant une série de falaises d'obsidienne affûtées comme des rasoirs et un alignement de crêtes noires en dents de requin.

Ce vol me semblait irréel, ce qui valait mieux en l'occurrence. Je me sentais cotonneuse, avec un début de migraine, sans doute à cause de l'altitude et de la raréfaction de l'air. Il est recommandé de prendre son temps pour atteindre une région aussi élevée que Thuhn, de s'y rendre graduellement par la route, ou à dos d'âne ou même en marchant, pour permettre au corps de s'accoutumer à la différence de pression atmosphérique. S'y rendre par avion, en partant du niveau de la mer, est précisément à éviter. Enfin, maintenant au moins, on redescendait. J'avais des frissons. J'avais mis un jean et un chemisier de coton, et prévu sagement quelques vêtements chauds dans mon bagage à main. Je les avais tous revêtus l'un après l'autre – surchemise écossaise, pull, gants – et pourtant, j'avais toujours aussi froid.

À trois cents mètres du sol, l'avion se mit en position d'approche par paliers, si par paliers on peut entendre un piqué à quarante-cinq degrés. Je remarquai au passage un édicule, un stoupa [1], perché sur un éperon rocheux qui passa comme un éclair au niveau de l'avion. Je regardai vers le bas. Si nous étions à quarante-cinq degrés, la pente n'en était pas loin non plus. Pas besoin d'être géomètre

---

1. Monument commémoratif religieux. *(N.d.T.)*

pour établir que nous nous approchions à une vitesse inquiétante de la surface brune et caillouteuse du sol.

L'ombre de l'appareil – dangereusement proche et nette – dansait au passage sur les rochers, sur les rangées de drapeaux de prières et sur les murettes tortueuses en gros galets ronds. Les mâts de bambou qui portaient les drapeaux de prières dépassaient parfois l'altitude du Twin Otter. Je repensai aux paroles d'oncle Freddy. Quelle ironie de mourir dans un crash provoqué par de bonnes âmes pieuses bien intentionnées, coupables d'avoir planté autour de l'aéroport les obstacles responsables du désastre !

Soudain des bâtiments apparurent, au-dessous, au-dessus et face à nous. J'entrevis même un vieil homme qui nous observait de sa fenêtre et je suis certaine qu'avec un peu d'attention j'aurais pu distinguer la couleur de ses yeux. Mon corps se fit très lourd, puis tout léger ; il y eut un choc sourd, un grondement et de furieuses vibrations : nous avions atterri. J'ouvris les yeux tandis que l'avion roulait sur la piste dans un bruit de ferraille brinquebalante, au milieu d'un grand nuage de poussière.

À trois mètres de nous, un précipice plongeait sur une vallée large et profonde où serpentait une rivière écumante, parmi des terrasses grises, caillouteuses et parsemées d'arbres rares. En arrière-plan, des montagnes sombres se dressaient, massives et festonnées de crêtes immaculées, ressemblant à un immense drap blanc qu'on aurait accroché çà et là, et hissé d'un seul coup vers le ciel.

L'avion vira brusquement, les moteurs rugirent, puis ce fut le silence – sauf dans mes oreilles, où le rugissement persista. Le copilote se leva, visiblement très fier de lui. Par le hublot de l'appareil, tout près de nous, j'aperçus les deux poteaux d'un terrain de foot.

Le copilote ouvrit la porte d'un coup de pied, le

battant s'abaissa avec fracas, tirant sur sa chaîne comme un pendu sur sa corde.

— Et voilà ! dit-il.

Je détachai ma ceinture, me relevai et mis pied en chancelant sur la poussière brune du sol. Je me retrouvai instantanément entourée d'une marmaille composée de gamins m'arrivant au genou ou à la taille, tous affublés d'oripeaux qui les faisaient ressembler à des petits coussins, tandis que les adultes, vêtus de sortes d'édredons multicolores, se précipitaient pour féliciter l'équipage d'avoir une fois encore réussi l'atterrissage. Comme terminal, c'était toujours la même carlingue de DC3 (un avion de l'US Air Force posé à Thuhn en catastrophe au cours de la Seconde Guerre mondiale). Mais, pour l'heure, il était fermé. Un vent glacial, coupant comme un rasoir, soufflait sur le terrain en entraînant des tourbillons de poussière. J'étais glacée. Je caressai quelques petites têtes à la chevelure collante et douteuse, tout en contemplant la ville, un assemblage de bâtiments désordonnés avec, en toile de fond, ces pentes hérissées d'un chaos de rochers que nous avions survolées au cours de notre approche. Des drapeaux de prières partout, comme des guirlandes de Noël. Sous mes pieds, les marques de la surface de réparation du terrain de foot. Un des hommes en veste matelassée se détacha du groupe, joignit ses mains comme pour une prière et, avec une courbette, me lança ces mots :

— Ms Telman, bienvenue à l'aéroport international de Thuhn !

Je réprimai difficilement un fou rire nerveux.

— Dites, vous savez que vous pourriez compter jusqu'à mille simplement sur vos dix doigts ?

— Ah oui ? Vraiment ?

— Oui. Vous ne devinez pas ? Je parie que vous ne le saviez pas.

— On pourrait... utiliser une base différente, j'imagine. Pas décimale. Ah, j'y suis : une base binaire. Oui, c'est ça... On arriverait à mille vingt-quatre.

— À mille vingt-trois, exactement. De zéro à mille vingt-trois. Eh bien, bravo ! Vous êtes très rapide. Mais je vous ai peut-être déjà ennuyée avec tout cela.

— Non, jamais, Mr Hazleton.

— Alors là, vous m'impressionnez ! En plus, vous vous rappelez mon nom alors que j'ai oublié le vôtre. Quel rustre je suis ! Pourtant, nous avons été présentés...

— Kathryn Telman.

— Kathryn, comment allez-vous ? Je crois qu'on m'a parlé de vous.

Nous avions échangé une poignée de main. La scène se passait à Berlin, en novembre 1989, la semaine de la chute du Mur. J'avais réussi de justesse à m'imposer sur un vol Lufthansa (fauteuil strapontin, hôtesse pimbêche) le jour même qui devait faire date dans l'Histoire avec cet événement encore inimaginable quelques années auparavant. Les plus grosses huiles du Business semblaient avoir eu la même idée (j'imaginais le nombre de jets d'affaires rangés en double file sur les aéroports de Tempelhof et de Tegel !) et, en conséquence, il avait fallu organiser une réception impromptue pour tous les niveau-deux et niveau-un présents ce jour-là. J'avais décidé de tenter ma chance et d'entrer sans invitation. Là encore, j'avais réussi.

On allait passer à table dans un des salons particuliers du Kempinski, après une soirée mouvementée. Une noria de limousines et de taxis nous avait conduits sur les divers sites où les Berlinois s'étaient rassemblés en masse pour attaquer le Mur, le démolir à coups de pioche, en embarquer des pans entiers dans des brouettes ou en glisser quelques morceaux dans leur poche. Tout le monde était un peu ivre, grisé sans doute par cette ambiance de révolution – ou plutôt de contre-révolution – qui régnait alors.

J'avais effectivement été présentée à Hazleton, au début de la réception. Il n'était alors qu'un niveau-deux, mais visiblement promis à de plus hautes destinées. Il m'avait gratifiée d'un regard impersonnel, sans vraiment me voir. J'avais vingt-neuf ans à l'époque et mon heureuse intuition dans le domaine des ordinateurs et d'Internet m'avait déjà valu une promotion au niveau quatre. J'étais jolie, plus jolie qu'à dix-neuf ans. Hazleton avait peut-être oublié mon nom mais certainement pas ma silhouette, car il s'était précipité tout droit sur la chaise libre à côté de moi. Enfin, peut-être pas tout droit, et en renversant quelques chaises dorées au passage.

Il m'avait adressé un petit salut avant de s'asseoir, puis m'avait snobée pendant le premier service, sans doute pour bien établir qu'il avait choisi cette place au hasard ou faute de mieux. Ensuite, il avait entamé cette conversation farfelue sur le calcul digital. Les Anglais snobs m'avaient habituée à ce genre de comportement.

— *Et si l'on utilise ses orteils en plus de ses doigts, reprit-il, l'on pourrait dépasser un million. (Monsieur cultive les liaisons !)*

— *Mais ce ne serait pas très pratique, remarquai-je.*

— *Oui, il faudrait que vous enleviez vos bas ou votre collant.*

— *Je pensais plutôt à la difficulté de replier ses doigts de pied.*

— *Qu'est-ce que vous voulez dire ?*

— *Eh bien, il est facile d'utiliser les doigts de la main parce qu'on peut les plier pour indiquer s'il s'agit des chiffres zéro ou un, mais peu de gens parviennent à en faire autant avec leurs orteils.*

Il réfléchit un instant.

— *Moi, je peux mettre mon petit doigt de pied au-dessus du suivant.*

— *Vraiment ? Et avec les deux pieds ?*

— *Absolument. Champion, non ?*

— *En admettant que vous puissiez faire de même avec vos orteils, vous ne pourriez pas dépasser plus de… combien ? Seize mille ?*

— *Je suppose. (Il piqua le nez dans son assiette un instant.) Mais je sais faire bouger mes oreilles.*

— *Non ?*

— *Si, regardez !*

— *Bon sang !*

Nous nous amusâmes à ces jeux de gamins pendant un moment, avant de passer aux devinettes.

— *J'en connais une, dis-je. Quelle est la suite logique de cette séquence : S, T, N, D, R, D ?*

Il se carra sur sa chaise. Il me fallut lui répéter les lettres. Il réfléchit, puis lança :

— *S, D.*

— *Non.*

— *Mais si. C'est « standardised », sans les voyelles.*

— *Pas du tout.*

— *Pourquoi pas ? fit-il, un peu vexé. C'est une très bonne réponse.*

— *La vraie réponse est encore meilleure.*

Il émit un bruit qui ressemblait très fort à un borborygme et se redressa sur sa chaise, les bras croisés.

— *Je vous écoute, jeune fille.*

— *Vous voulez un indice ?*

— *Si vous y tenez.*

— *Premier indice, je vous l'écris.*

Je pris une serviette en papier, inscrivis ST ND RD – –.
Il se pencha, puis me regarda d'un air sceptique.
— *C'est un indice ?*
— *Les espacements. C'est ça, l'indice.*
Peu convaincu, il sortit de sa poche des lunettes demi-lune qu'il posa sur son nez. Ensuite, il examina de nouveau la serviette en papier.
— *Vous voulez un autre indice ? proposai-je.*
— *Une minute ! s'écria-t-il en agitant la main, avant d'ajouter : C'est bon, allez-y.*
— *Deuxième indice : c'est une séquence très simple.*
— *Hum ?*
— *La plus simple. Et c'est votre troisième indice. En fait, le quatrième. Et là, je vous ai donné la réponse.*
Il abandonna enfin.
— *Je parie que la bonne réponse est SD et que vous me taquinez, déclara-t-il en repliant ses lunettes.*
— *Non, la réponse est TH.*
— *Alors, je ne vois pas…*
— *Regardez !*
J'inscrivis le chiffre 1 devant le ST.
— *C'était 1st, 2nd, 3rd et 4th* [1].
— *Ah, ah ! dit-il en hochant la tête. Très astucieux. Connaissais pas.*
— *Ça ne m'étonne pas ; je l'ai inventé.*
— *Vraiment ? Vous êtes une vraie petite maligne, vous alors !*
Je lui lançai un sourire glacial.

Je me réveillai dans le noir, haletante. J'essayai de reprendre mon souffle, suffoquant dans une sorte de

---

1. Premier, deuxième, troisième et quatrième en anglais. *(N.d.T.)*

vide, comme écrasée sous un poids énorme et effrayant. L'obscurité. Une obscurité profonde et totale qui augmentait cette impression d'asphyxie. Où étais-je ? À Berlin ? Non, c'était un rêve ou plutôt un souvenir. À Blysecrag ? Assez frais pour être dans une des tourelles. Je cherchai ma montre. Le lit était petit, froid et inconnu. Le Nebraska ? Non, bien trop froid, et pas la bonne odeur. Une odeur bizarre, qui me piquait la gorge. Trop de couvertures, aussi. Où étais-je donc ?

En étendant le bras gauche, je pouvais palper la surface glacée d'un mur de pierre, puis, en levant la main, toucher du bois. J'aperçus un petit cercle phosphorescent sur ma droite et, en me penchant pour l'atteindre, je me rendis compte que j'avais dormi tout habillée. Mes doigts saisirent ma Breitling qui me parut glacée, elle aussi. Elle indiquait quatre heures et quart. Mais impossible de me souvenir si je l'avais mise à l'heure locale. En tâtonnant sur la surface sonore et inégale d'une table en bois, je rencontrai la forme familière et trapue de mon petit singe porte-bonheur puis le boîtier de ma lampe-torche. Je l'allumai d'un déclic.

Ma respiration faisait des nuages de buée. Je me trouvais dans une sorte d'alcôve au plafond jaune bilieux et vert livide, ornée d'une rangée de figures démoniaques bariolées qui me fixaient d'un air sévère. Leurs sourcils étaient arqués, leurs oreilles pointues et leurs yeux démesurés. Des moustaches en croc, figées dans la cire noire, entouraient des lèvres carminées découvrant une rangée de dents féroces, sous des joues rondes et vertes comme des avocats.

Je ne pouvais détacher mon regard de ces diables. Le petit spot rond de ma lampe halogène tremblait. Je devais rêver ! Il fallait que je me rendorme pour de bon. Au réveil, tout irait mieux.

Et puis je me souvins. Thulahn ! J'étais à Thulahn, plus

exactement dans sa capitale, dans le palais aux Mille-Chambres, qui n'en comptait en fait que soixante-quatre. Ces étranges têtes de démon étaient simplement des statues de bois destinées à écarter les démons pendant le sommeil de l'Honorable Invité. Je n'y voyais rien parce que a) c'était la nuit, b) c'était la nouvelle lune, c) les fenêtres étaient obscurcies par des tentures et des volets, d) le groupe électrogène du palais s'arrêtait à minuit lorsque le prince était en résidence et au coucher du soleil dans les autres cas, comme aujourd'hui. Il faisait froid parce que je me trouvais dans un pays où « chauffage central » signifiait se coucher le ventre plein. J'étais oppressée parce que j'étais passée directement du niveau de la mer, au petit déjeuner, à trois mille mètres d'altitude, à l'heure du thé. D'ailleurs, il y avait une bonbonne et un masque à oxygène au pied du lit, en cas d'urgence. Mais pas de téléviseur, naturellement.

Je me rappelais le terrain d'atterrissage, le petit homme emmitouflé dans son duvet, un Thulahnais courtois, sans âge, du nom de Langton quelque chose, qui m'avait guidée à travers la ville délabrée, suivie par une procession de curieux et d'enfants jacassants, jusqu'aux grandes portes en bois peint du palais. Là, on m'avait fait visiter les impressionnantes salles de réception avant de m'inviter à passer à table, une longue table où j'avais pris place en compagnie de moines vêtus de robes colorées, dont aucun ne parlait anglais. On m'avait servi une variété de plats de consistances différentes, dans une gamme de beiges, arrosés d'eau et de bière au lait fermenté. Après quoi la nuit était tombée d'un seul coup, donnant le signal du coucher. Je me sentais bien éveillée, un peu abasourdie, certes, avec la tête qui tournait et un sentiment d'irréalité, mais tout à fait réveillée. Pourtant, lorsqu'on me conduisit jusqu'à mon lit, je m'y affalai comme une masse.

J'éteignis ma lampe de poche. En étendant les jambes, je rencontrai une bouillotte de porcelaine, fermée par un bouchon de liège, encore chaude. Je la plaçai d'un pied contre mes reins, puis je me blottis sous les draps et fermai les yeux.

Qu'est-ce qui m'avait pris de rêver de Berlin et de Hazleton ?

Sans doute était-ce parce que j'avais parlé à Hazleton hier. Parce que c'était à cette réception à Berlin que je lui avais adressé la parole pour la première fois. Évident. Mais pas tant que ça. Une partie de mon cerveau refusait cette évidence et réclamait une autre explication. Je l'attribuai au manque d'oxygène.

Hazleton m'avait fait du genou sous la table, ce même soir, et proposé de me raccompagner à ma chambre un peu plus tard. Je m'étais enfuie.

Que ne pouvais-je plutôt rêver à Stephen !

Stephen marié à Emma. Emma qui poussait des petits Oh ! oh ! oh ! silencieux en faisant l'amour. Emma qui avait une liaison avec Frank Erickson, un avocat de la Hergiere Corporation vivant à Alexandria, en Virginie, avec sa femme Rochelle et leurs trois enfants, Blake, Tia et Robyn. Emma et Frank s'étaient rencontrés à diverses reprises dans des hôtels de la région de Washington, généralement à l'heure du déjeuner, et avaient même passé ensemble deux week-ends complets – une fois à La Nouvelle-Orléans, où il assistait à un congrès et où elle avait prétendu rendre visite à une vieille copine de classe, et une autre fois à Fearington House, une élégante auberge de campagne nichée dans les bois près de Pittsboro, en Caroline du Nord.

Je connaissais le code postal et le numéro de téléphone de l'auberge. Je savais même ce qu'ils avaient mangé au cours de leurs repas ainsi que les vins qu'ils avaient choisis. J'aurais pu appeler la réception, et leur demander de me réserver la même chambre et de mettre le même champagne à rafraîchir.

On n'avait pas filmé leurs ébats amoureux, cette fois-là, mais j'avais vu une copie de l'addition. Le disque DVD que Poudenhaut m'avait remis en contenait une photocopie passée au scanner ainsi que différentes notes de restaurants – étayées par des photos ou de courts extraits vidéo du couple adultère dans les restaurants en question –, des reçus pour des envois de fleurs adressées au bureau de Mrs Buzetski, dans la société de conception graphique où elle travaillait, la facture pour un déshabillé de cinq cents dollars établi au nom de Mr Erickson mais que, selon moi, Mrs Erickson n'avait jamais dû porter, plus toute une gamme de documents et d'extraits de films qui retraçaient leur liaison dans ses moindres détails les plus pénibles.

La scène de baise dans un hôtel (l'hôtel Hampton de Bethesda, chambre 204, pour être précise) constituait la cerise sur le gâteau. Il avait fallu que quelqu'un se donne beaucoup de mal et pendant une période de temps considérable pour amasser toutes ces preuves ! Et plus j'y pensais, moins je trouvais vraisemblable qu'elles soient tombées par hasard entre les mains de Hazleton.

Est-ce que c'était pratique courante ? Est-ce que c'était une pratique seulement de Hazleton ou bien de tous les autres ? Est-ce qu'ils possédaient des témoignages semblables sur ma vie privée ? À la différence de Stephen, je n'avais prononcé aucun vœu, jamais fait de promesses légales ou autres, mais quid des hommes avec lesquels j'avais couché ? Je passai en revue la liste de mes partenaires : qui pouvait être compromis ? Victime de chantage ?

Selon moi, je ne risquais rien car j'ai toujours évité, par principe, les hommes mariés, et les rares occasions où je me suis retrouvée au lit avec l'un d'eux, c'était parce que le salaud m'avait menti (je reconnais qu'une fois ou deux j'aurais pu m'en douter, mais passons). En fait, Stephen aurait même dû se sentir honoré et flatté de savoir que j'étais prête à faire une exception pour lui.

Mais j'imagine que tout cela n'avait été monté qu'à ma seule intention. Mr Hazleton n'en faisait peut-être pas une règle habituelle et il avait conçu l'opération sachant les sentiments que j'éprouvais pour Stephen, et aussi ce que Stephen pensait de l'adultère, de façon à m'offrir mon bien-aimé et à se gagner ma gratitude.

J'avais trop chaud. Il régnait toujours un froid sibérien dans la chambre mais, sous la montagne de couvertures, je transpirais tout à coup. Je retirai mon pull et mes chaussettes, en les gardant toutefois dans le lit, à portée de main.

Merde, qu'est-ce que je devais faire ?

Parler à Stephen de sa femme ? Après tout, ce n'était pas seulement une question d'honnêteté ou d'avantages à en tirer : il s'agissait de sécurité. Car Emma et Frank avaient baisé sans protection, d'après ce que j'avais pu voir.

Je pouvais appeler Stephen à l'instant même pour lui apprendre la vérité, lui dire que j'avais les preuves, fournies par Hazleton. La démarche aurait été honnête, parfaitement justifiable, légale même. Oui, mais… peut-être m'en voudrait-il ? Peut-être se rangerait-il du côté de sa femme, persuadé que j'essayais seulement de briser son ménage ? Résultat : aucun avantage.

Ou alors je pouvais appeler Hazleton et lui donner le feu vert. C'était tout simple, une seule phrase suffisait, sans états d'âme ni traumatisme. Je pouvais lui dire : « O.K., allez-y ! » puis, inch' Allah ! laisser Stephen découvrir la vérité et attendre ses réactions. Attendre qu'il se jette dans mes bras, avec un peu de chance. M'arranger pour être proche lorsqu'il apprendrait la nouvelle. Être l'épaule secourable sur laquelle il viendrait s'épancher. Augmenter ainsi mes chances sans prendre de risques.

Ou bien je pouvais ne rien faire du tout. Stephen découvrirait l'affaire d'une façon ou d'une autre. Mrs Buzetski finirait par se trahir. Ou Mrs Erickson s'en apercevrait et mettrait Stephen au courant. Ou Mrs B., fatiguée de cette vie de mensonges, confesserait qu'elle en aimait un autre et demanderait le divorce – après tout elle connaissait un bon avocat. Ne rien faire était la meilleure solution, la seule pour gagner à tous les coups. Avec un relevé très modeste sur le compteur de culpabilité. Mais comment rester inactive alors que j'étais au courant ? Difficile, bien sûr.

Je me retournai dans le lit. Malgré la température, je cuisais. Je quittai mon pantalon de training que je roulai en boule. Je portais mon pyjama en dessous.

Le palais aux Mille-Chambres. Qui n'en possédait que soixante-quatre. Peuh ! Blysecrag en comptait davantage dans une seule de ses ailes !

Mais c'était peut-être là le lien avec ce souvenir de ma première rencontre avec Hazleton et de notre discussion : le palais aux Mille-Chambres portait ce nom parce que ses concepteurs avaient compté en base quatre et non en base décimale. Ce qui signifiait que, pour eux, le nombre seize correspondait à notre nombre cent, et leur nombre soixante-quatre à notre nombre mille. Le palais avait donc été construit avec soixante-quatre chambres (dont trois avaient disparu dans un tremblement de terre dans les années 50 sans être reconstruites). Les bases étaient différentes. Voilà sans doute l'explication. Une association d'idées avec ce dîner de Berlin, la semaine de la chute du Mur.

Mais ça ne collait toujours pas. Pourquoi, sur mes milliards de neurones et de liaisons synaptiques, fallait-il que quelques trublions viennent me distraire des priorités qui auraient dû occuper toutes mes pensées : révéler ou non à l'homme de ma vie qu'il était cocu ? Abandonner ou non ma brillante carrière pour accepter ce poste à Thulahn ? (Thulahn ? Je devais être folle !)

Il fallait envisager le problème différemment : ne pas appeler Stephen. Appeler sa femme. Appeler Emma et lui dire : « Mrs Buzetski, je sais tout ! »

Ou plutôt l'appeler, ou la faire appeler par quelqu'un d'autre, de manière anonyme. Précipiter la crise. L'amener à tout confesser. Oui, mais ensuite, je vois le scénario : Stephen – mon gros benêt sentimental – pardonnerait tout, et je te fiche mon billet que leurs relations en sortiraient renforcées. Merde alors !

Ou bien c'est elle qui le quitterait. Possible aussi. Elle le quitterait en embarquant les enfants. Elle le plaquerait, ce pauvre chéri sans défense, ce bel idiot abandonné, tout seul… Seul ? Non, attendez, qui se profile à l'horizon ? Oui, c'est elle ! Cette séduisante blonde de trente-huit ans – mais qui ne les paraît vraiment pas – avec ce curieux accent américano-écossais.

Merde, on peut rêver ! Mais ces élucubrations ne me menaient nulle part. Et je n'avais plus sommeil, maintenant. Une grosse fatigue, oui, mais pas envie de dormir.

Je repris à tâtons ma lampe-torche, l'allumai, et promenai son faisceau de lumière tout autour de la pièce pour bien m'imprégner des détails. Puis j'éteignis. Je plongeai sous les couvertures pour remettre mes chaussettes, mon pull et mon pantalon. Là-dessous, l'air était moite et chaud, agréablement imprégné de mon parfum et de l'odeur de mon corps. J'inspirai profondément une ou deux fois, puis sautai à bas du lit en prenant soin de remettre les couvertures.

Je me dirigeai à l'aveuglette vers la fenêtre. Je tirai les grosses tentures molletonnées, repliai les volets en bois et ouvris les deux battants de la fenêtre aux vitres en cul-de-bouteille.

Pas de lune. Pas de nuages non plus. Les toits des maisons, la vallée et sa rivière, les collines caillouteuses et la masse des montagnes étaient éclairés par les étoiles d'un éclat plus intense. Normal, puisque je m'étais rapprochée d'elles de deux mille mètres. Je ne distinguai aucune autre lumière. Dans le lointain, un chien aboyait faiblement.

La brise pénétra dans la pièce comme un jet d'eau froide. Je coinçai mes mains sous mes aisselles et me penchai pour mieux découvrir le panorama. La beauté du spectacle, cette immensité de rocs et de neige se détachant dans le clair-obscur des étoiles, me coupa le peu de souffle que l'altitude m'avait laissé.

Je restai immobile jusqu'à ce que le froid me fît grelotter, puis refermai de mes doigts gourds fenêtres, volets et rideaux avant de regagner la chaleur de mon lit où je m'enfouis sous les couvertures.

Je frissonnai. Quelle obscurité ! Une capitale sans une seule lumière artificielle !

Tommy Cholongai m'avait remis un CD-Rom confidentiel, avec tous les détails de ce projet du Business à Thulhan. On construirait une nouvelle route reliant toute l'année le pays à l'Inde. On bâtirait une université et un hôpital moderne à Thuhn, des écoles et des dispensaires dans les villes principales. Un barrage en amont de Thuhn fournirait de l'énergie hydro-électrique pour produire de l'électricité tout en régularisant le cours du fleuve. La vaste vallée caillouteuse ne serait plus inondée et, sur ces terres récupérées, on pourrait construire un grand aéroport, avec une vraie piste d'atterrissage pour les avions. De très gros avions.

Pendant l'été, la centrale hydro-électrique fournirait plus d'électricité que Thuhn n'en demanderait. On utiliserait donc l'excédent pour actionner des pompes géantes qui injecteraient de l'eau artificiellement salée dans un immense réservoir souterrain creusé en amont du barrage. Ainsi, cette solution saline ne gèlerait pas en hiver et, lorsque le barrage serait paralysé par les glaces, cette eau alimenterait un autre réseau de turbines, garantissant l'approvisionnement de Thuhn en électricité, toute l'année. Dans la mesure du possible, les lignes à haute tension seraient enterrées, avec un nombre minimum de câbles ou de poteaux défigurant le paysage.

En prime, on offrirait aussi un réseau de routes goudronnées reliant la capitale aux villes principales, l'éclairage urbain, une usine de traitement des eaux, un réseau d'égouts avec station d'épuration uniquement pour Thuhn, au début, mais très vite étendu au reste du pays.

On prévoyait de renoncer aux systèmes conventionnels de téléphone par lignes classiques ou par ondes courtes et de passer directement aux téléphones-satellite dont on équiperait chaque village et chaque personne importante. Les paramètres des différents satellites contrôlés par le Business seraient programmés de façon à couvrir Thulahn, et fourniraient à qui le souhaiterait l'accès au Web et aux chaînes de télévision d'information et de loisirs.

Et puis, il y avait tout ce que le Business comptait installer pour ses propres besoins. On prévoyait tout un réseau de tunnels et de grottes dans le mont Juppala (7 334 mètres), à quelques kilomètres au nord-est de Thuhn, dans la vallée voisine. C'est sans doute là qu'on construirait le PWR. Le PWR ? Nulle part dans le CD-Rom ce sigle n'était traduit en toutes lettres. Même dans un CD aussi confidentiel – dont il n'existait pas plus de douze copies au monde et dont la diffusion était limitée à des personnalités rigoureusement

237

sélectionnées –, il ne semblait pas prudent de mentionner le « Pressurized Water Reactor », cette centrale nucléaire Westinghouse que nous avions rachetée aux Pakistanais et mise dans nos cartons.

Bien sûr, cela impliquerait de sérieuses opérations de génie civil qui transformeraient le mont Juppala en une sorte de gigantesque gruyère. Une équipe triée sur le volet, composée de nos propres ingénieurs et géomètres, munie d'un équipement allant de la simple pioche aux appareils de mesure magnétiques et gravimétriques les plus performants, avait déjà sondé, foré, prélevé, analysé, fouillé, cartographié et mesuré la montagne depuis le sommet jusqu'au dernier millimètre de sa formation. Nous étions ainsi les seuls à savoir que le mont Juppala mesurait trois mètres et demi de plus que ne l'annonçaient guides touristiques et atlas.

Le CD contenait plusieurs séries de plans impressionnants établis par des compagnies de génie civil parmi les plus réputées du monde. Chacune avait élaboré des études de faisabilité sur la manière de convertir ce gros bout de rocher en une sorte de cité autonome. Mais, bien sûr, aucune ne savait où se situait vraiment cette montagne. L'entreprise serait titanesque. On allait acquérir deux avions Antonov spécialement reconvertis dans le transport de gros engins de terrassement et d'équipement lourd. Notre expérience des infrastructures dans les régions de froid extrême (grâce à notre base dans l'Antarctique, notamment) allait se révéler fort utile. Pourtant, le projet mont Juppala risquait fort de s'étaler sur deux décennies. Une chance que le Business vise le long terme !

Est-ce que je tenais réellement à m'associer à tout ce plan ? Et, pour commencer, est-ce que nous avions raison de nous y lancer ? Est-ce que toute cette aventure à Thulahn n'était pas plutôt un acte d'orgueil démesuré de la part de milliardaires un peu siphonnés, obsédés par cette marotte d'avoir leur propre siège à l'ONU ? Avions-nous le moindre droit de nous imposer et d'accaparer ce pays ?

En théorie, nous pourrions installer notre nouveau QG presque sans toucher Thulahn : il existait un second plan prévoyant de construire le nouvel aéroport dans la vallée du mont Juppala. Cela exigerait de niveler toute une petite montagne, mais le nouvel aéroport de Hong Kong avait exigé d'autres prouesses. Et, financièrement, nous pouvions nous le permettre !

Tous ces aménagements, toutes ces améliorations que nous allions apporter ne manqueraient pas de changer radicalement le pays, en particulier Thuhn, et à jamais. Perspective terrible si l'on songeait à ce qu'était Thulahn aujourd'hui, un endroit d'une beauté intacte où les gens semblaient vivre heureux. Mais il y avait aussi les chiffres : le taux de mortalité infantile, l'espérance de vie, l'émigration. Offrir ces améliorations – et non les imposer –, où était le mal, finalement ?

Je ne connaissais pas les réponses à ces questions. En tout cas, avant de décider quoi que ce soit, il me fallait passer quelque temps ici pour me faire une idée générale du pays. Je commencerais le lendemain matin même, avec une visite à la reine mère, un personnage d'une excentricité redoutable, qui vivait dans son propre palais, un peu plus haut dans la vallée. La rumeur prétendait que la vieille dame n'avait pas quitté son lit depuis trente-six ans.

Je me pelotonnai sous les lourdes couvertures en essayant de réchauffer de mon haleine mes mains froides, mises en boule. Franchement, je ne trouvais plus aussi « excentrique » cette idée de passer le restant de ses jours au lit, dans un coin comme Thulahn.

8

On se lève avec le soleil, à Thulahn. Comme, j'imagine, dans tous les pays où la lumière électrique est encore une nouveauté. À mon réveil, je trouvai une petite dame ronde, en veste matelassée, qui s'affairait dans la chambre, faisant claquer les volets pour laisser pénétrer des flots de lumière éblouissante, jacassant toute seule ou peut-être à mon intention. Elle m'indiqua d'un geste la table de toilette sur laquelle fumait gentiment une grande cruche d'eau, près de la cuvette intégrée. Éblouie, je me frottai les yeux tout en cherchant une formule suffisamment impolie pour résumer mes sentiments, du genre : « On n'a pas encore inventé les serrures dans ce pays ? » ou bien : « Ce n'est pas interdit de frapper » ; mais, toujours affairée, elle quitta la pièce, me laissant seule avec ma mauvaise humeur.

Je fis ma toilette à l'eau tiède dans la petite cuvette. Il y avait bien une salle de bains au bout du couloir, avec une grande cheminée dans un coin et une baignoire assez imposante posée sur une estrade au milieu de la pièce. Mais son remplissage nécessitait un nombre impressionnant de cruches d'eau et, à l'évidence, les domestiques avaient besoin d'un long préavis pour organiser l'allumage du feu et le transport de l'eau.

En principe, ma chambre possédait des toilettes *en suite*, si un cagibi de la taille d'une cabine téléphonique avec un bout de tuyau émergeant entre deux plaques de faïence en forme de pieds mérite d'être qualifié de « toilettes ». Il y avait du papier hygiénique, mais de l'espèce miniature et vernissée, d'un emploi peu commode. J'utilisai l'eau de ma cuvette comme chasse d'eau.

Le petit déjeuner me fut servi dans la chambre par ma petite dame ronde qui arriva en bavardant, continua de bavarder tout en disposant sans ménagement plats et bols sur la table, et poursuivit son bavardage en prenant congé d'une courbette. Je l'entendis jacasser jusqu'au bout du couloir. C'était peut-être une pratique religieuse, me dis-je. Le contraire d'un vœu de silence.

Des crêpes rissolées et rigides accompagnées d'un bol de porridge clairet composaient le petit déjeuner. Je goûtai un peu des deux, repensai à la variété de nourriture beige et insipide qui m'avait été servie la veille, et me rappelai la facilité remarquable avec laquelle j'avais pu suivre un régime – et même perdre quelques kilos – la première fois que j'étais venue à Thulahn.

— Son Altesse royale se réjouit de vous rencontrer.

— Ah oui ? Très aimable, dis-je en me cramponnant fermement à une poignée.

On raconte que Thulahn a connu les voitures avant d'avoir des routes, ce qui n'est pas vraiment surprenant. Enfin, le pluriel est de trop : le pays a d'abord possédé une voiture, une Rolls Royce 1919 Silver Wraith, achetée en Inde par l'arrière-grand-père du prince, le roi de l'époque. Elle avait été démontée, portée à dos d'homme à travers les montagnes par une équipe de sherpas, et réassemblée à Thulahn l'été suivant. C'est alors qu'on s'était aperçu que le pays ne disposait d'aucune route, un point de détail qui avait certainement échappé au roi au moment de l'achat. En ce temps-là, la route principale de Thulahn n'était qu'un chemin parsemé de blocs de pierre qui serpentait à flanc de pente, avec quelques rares tronçons plus larges pour permettre à deux portefaix ou yaks lourdement chargés de se croiser sans se précipiter mutuellement et obligatoirement dans le ravin. La rue principale de Thuhn n'était qu'un V peu profond, entre des maisons de tailles et de dispositions diverses, dans lequel coulait un ruisseau-tout-à-l'égout et d'où partait un réseau de petits sentiers annexes.

En conséquence, la Rolls fut condamnée à rester pendant cinq ans dans la cour du palais royal, là où il était tout juste possible de lui faire décrire un parcours en huit – à condition de braquer à fond et d'opérer rapidement le virage droite-gauche ou vice versa –, pour le plus grand bonheur des enfants royaux. Entre-temps, on avait fini par construire une sorte de route qui desservait les fermes du fond de la vallée, traversait Thuhn et montait jusqu'aux contreforts du glacier où le vieux palais et les principaux monastères s'accrochaient aux pentes abruptes, telles des berniques particulièrement obstinées.

C'est précisément dans cette voiture que je me trouvais, et sur cette même route. Mon chauffeur était ce même Langtuhn Hemblu qui m'avait accueillie à l'aéroport, et abandonnée en compagnie des moines après la visite guidée de la ville et du palais.

— Il ne faut pas vous faire de souci, me cria Langtuhn.

— À quel propos ?

— Eh bien, pour votre rencontre avec Son Altesse royale.

— Ah bon, parfait alors.

À vrai dire, je ne m'en étais pas fait, jusque-là. Lang-tuhn saisit mon regard dans le rétroviseur et m'adressa un sourire qui se voulait sans doute encourageant.

D'après ce que j'avais compris, il portait le titre de « chambellan sérénissime ». Je le soupçonnais fort de n'avoir jamais passé de permis de conduire. Pourtant, aujourd'hui, le pays connaissait la circulation motorisée. Rien qu'à Thuhn, on comptait pas moins de dix-sept voitures, bus, camionnettes et camions avec lesquels il était possible d'entrer en collision. La plupart de ces véhicules avaient été achetés au cours de cette folle période de la motorisation de Thulahn, un âge d'or qui se situait entre l'été 1989, où une liaison routière réputée permanente avait été réalisée pour relier Thuhn au monde extérieur, et le printemps 1991, où glissements de terrain et inondations l'avaient emportée.

Actuellement, le royaume possédait quelques routes supplémentaires et, sauf au plus fort de l'hiver (quand elles étaient bloquées par la neige) ou au moment de la mousson (où elles avaient tendance à disparaître de la carte), on pouvait partir de Thuhn, descendre la vallée jusqu'aux localités en contrebas, puis, en suivant le cours de la vallée de la rivière Kamalahn, gagner le Sikkim où, selon la saison, on avait le choix entre tourner à gauche, pour Darjeeling et l'Inde, et tourner à droite, pour Lhassa et le Tibet. Il existait également la ressource d'une piste qui partait directement de Thuhn pour traverser les montagnes en formant un grand cercle autour de la capitale. Cette piste permettait aux conducteurs de 4 × 4 les plus téméraires de venir de l'Inde, et de gagner Thuhn après avoir franchi une série de cols et emprunté le pont suspendu à une haussière de fil d'acier, au-dessus de la rivière Khunde.

La Rolls faisait des bonds et des embardées. Je m'accrochais de mon mieux, déconcertée de me retrouver dans un véhicule dépourvu de ceintures de sécurité. Les poignées et les courroies ne réussissaient pas à me rassurer.

Bien qu'ayant revêtu toutes les couches de vêtements de ma garde-robe, j'appréciais la chaleur dispensée par le petit fourneau à bois placé dans un compartiment à l'arrière de la voiture. Visiblement, ce gadget était une option locale – et je doute fort que les ingénieurs de Rolls R l'eussent approuvé – mais, au moins, il empêchait ma respiration de se transformer en givre sur les vitres. Je me promis d'acheter des vêtements plus chauds dès l'après-midi, si toutefois je survivais jusque-là.

La route serpentant à travers la capitale n'était en fait qu'une mosaïque de pierres plates pavant le V de la chaussée-égout-ruisseau. Langtuhn m'avait expliqué que, la ville ne disposant que d'une rue principale, cette artère devait desservir le plus grand nombre possible d'édifices officiels, ce qui expliquait son tracé tortueux, les brusques crochets, l'obligation de repiquer en direction de la vallée pour tenir compte des bâtiments administratifs tels que le ministère des Affaires étrangères, les consulats des pays importants – se résumant à l'Inde et au Pakistan – et les autres hauts lieux de la cité, comme un temple particulièrement fréquenté ou une maison de thé en vogue.

Les habitations de Thuhn étaient des constructions d'un ou deux étages, en gros blocs de pierre sombre. Les murs semblaient ignorer la verticale : la silhouette des bâtiments avait tendance à s'élargir vers la base, comme s'ils avaient commencé à fondre à une autre ère géologique.

Les maisons semblaient vétustes mais entretenues. Beaucoup avaient été fraîchement repeintes en deux couleurs, quelques-unes arboraient encore des traces de réparations. Sur d'autres, des frises de plâtre gaiement colorées offraient la version thulahnaise du monde spirituel de l'hindouisme, un monde qui, à en juger par les scènes joyeuses d'individus empalés sur des piquets géants, dévorés par des démons, déchiquetés par des oiseaux monstrueux, sodomisés par des yaks-minotaures prodigieusement montés, écorchés vifs par des dragons grimaçants, semblait le genre d'univers où le marquis de Sade aurait aimé vivre !

Les étages supérieurs, en bois, étaient percés de petites fenêtres aux couleurs vives où les longs rubans des drapeaux de prières virevoltaient au gré du vent.

Un virage nous fit patiner, et le moteur de la Rolls peina pour négocier la pente raide. Les gens s'écartaient ou se jetaient de côté, selon la vitesse à laquelle ils nous entendaient arriver sur les pavés inégaux.

— J'ai retrouvé votre livre, me lança Langtuhn.

— Mon livre ? dis-je, étonnée, en me penchant pour saisir le bouquin écorné qu'il me tendait par la vitre de séparation.

— Le livre que vous aviez laissé la dernière fois.

— Ah oui !

J'avais acheté ce *Guide de Thulahn*, comme disait la couverture, à l'aéroport de Dacca, lors de ma précédente visite. Je me rappelais vaguement l'avoir laissé dans ma chambre au « Grand hôtel et tea-room impérial », une sorte d'auberge de jeunesse de classe inférieure qui m'avait alors servi de base. Je me souvenais d'avoir été particulièrement impressionnée par le nombre prodigieux d'informations erronées, de fautes d'orthographe et d'erreurs d'impression que l'ouvrage contenait. Avec toute l'agilité que me permettaient mes doigts gantés, je me mis à le feuilleter rapidement pour trouver ce chapitre d'une fiabilité douteuse intitulé « Petits conseils

245

importants et phrases utiles », et cherchai le mot « merci » en thulahnais.

— *Khumtal !* articulai-je finalement.

— *Gumpo !* répliqua Langtuhn avec un grand sourire.

Ce qui n'était pas, comme je l'avais cru un moment, le prénom d'un sixième Marx Brother, mais l'équivalent de « Je vous en prie ».

Nous étions sortis de la ville. La route qui serpentait jusque-là au hasard se mit à le faire de façon régulière, en une série d'amples zigzags gravissant la pente raide à travers des champs de gros rochers. À intervalles réguliers, entre les maisons, se dressaient d'autres mâts élevés, des drapeaux de prières, des stoupas trapus en forme de cloche construits en pierres plates, des petits moulins à prières en bois flexible dont les ailes portaient en lignes serrées des extraits de textes sacrés. Les maisons au toit couvert de plaques d'herbe se faisaient plus rares et ressemblaient, vues de loin, à des pierriers. Des gens descendaient, croulant sous des ballots de petite taille visiblement très lourds, ou remontaient courbés sous leur charge de fagots ou leurs sacs de bouse sèche. Tous s'arrêtaient pour nous faire signe de la main. Je les saluais joyeusement en retour.

— Est-ce que vous savez combien de temps vous allez rester, Ms Telman ? me cria Langtuhn par-dessus son épaule.

— Je ne sais pas encore. Peut-être quelques jours.

— Seulement quelques jours ?

— Oui.

— Oh ! là ! là ! Mais vous ne verrez pas le prince, dans ce cas ?

— Vraiment ? Quel dommage ! Pourquoi ? Quand rentre-t-il ?

— Pas avant une semaine ou dans ces eaux-là, d'après ce qu'on m'a dit.

— Eh bien, tant pis, alors !

— Il va être horriblement déçu, j'en suis sûr.

— Vous croyez ?

— Vous ne pouvez vraiment pas rester plus longtemps ?

— Malheureusement, non.

— C'est dommage. J'ai bien peur qu'il ne puisse pas revenir plus tôt. Il est parti pour affaires, pour s'occuper de nos intérêts.

— Ah oui ?

— Oui, il paraît que nous allons bientôt bénéficier de gros investissements étrangers. Une bonne chose, non ?

— J'imagine.

— Mais, en ce moment, il est à Paris, ou quelque part en France. Espérons qu'il ne perdra pas tout au jeu !

— Le prince est joueur ? demandai-je.

Je l'avais observé à la table de jeu de Blysecrag et il ne m'avait pas semblé particulièrement doué.

— Oh non ! répliqua Langtuhn en ôtant ses mains du volant pour mieux les agiter. C'était une plaisanterie. Notre prince aime s'amuser, mais c'est un homme responsable.

— Bon. Parfait.

Je me calai au fond de mon siège. Pas un despote, donc. C'était déjà ça.

Sans doute pour se reposer de sa série de lacets, la route prit de l'ambition et se lança dans une encoche taillée dans une falaise à pic. Cent mètres plus bas, la rivière gelée était figée au fond du ravin, telle une stalactite géante qui se serait fracassée sur la pointe aiguë des pierres noires.

Langtuhn ne semblait pas avoir compris que nous étions passés d'une route-raide-mais-banale à une

247

simple-entaille-dans-la-paroi. Il ne cessait d'essayer de saisir mon regard dans le rétroviseur.

— On espère qu'un jour le prince nous reviendra de Paris avec une future épouse.

— Mais toujours rien ?

Je détournai la tête, espérant l'encourager ainsi à concentrer son attention sur la route étroite. La vue du précipice n'était pas un spectacle rassurant.

— Toujours rien. À part cette princesse du Bhoutan à qui il faisait les yeux doux, il y a quelques années. Mais elle a épousé un conseiller financier de Los Angeles, aux États-Unis.

— Une jeune fille avisée !

— Oh non, je ne crois pas. Elle aurait pu devenir reine.

— Hum, dis-je en me frottant le nez de ma main gantée et en me plongeant dans mon guide, à la recherche du mot « engelures » en thulahnais.

Le vieux palais, un ensemble de bâtiments désordonnés, se dressait au-dessus d'une gorge étroite, étranglée par les glaces, à environ deux kilomètres du pied du glacier. Les façades blanc cassé, percées de fenêtres sombres, étaient étayées par une demi-douzaine de madriers noirs, énormes, de la taille d'un séquoia géant. L'ensemble reposait sur un seul éperon de rochers acérés, en contrebas, si bien que tout cet édifice déglingué ressemblait à un tas de dés en ivoire retenus par une gigantesque main d'ébène.

Là vivait la reine douairière, la mère du prince. Encore plus haut, au bout du sentier, après une série de lacets vertigineux, les longs bâtiments des monastères accrochés au flanc de la montagne barraient les pentes escarpées de leurs façades bariolées. Notre voiture dépassa un groupe de moines en robe safran cheminant sur la route. Ils s'arrêtèrent pour nous regarder. Certains s'inclinèrent. Je leur rendis leur salut.

Langtuhn rangea la voiture dans une cour poussiéreuse. Deux petites dames d'honneur thulahnaises en robes d'un carmin criard nous attendaient au pied des portes. Elles nous firent pénétrer dans l'obscurité du palais et nous escortèrent à travers des nuages d'encens jusqu'à la vieille salle du trône.

— Vous n'oublierez pas qu'on s'adresse à la reine en disant « Madame » ou « Votre Altesse royale », n'est-ce pas ? me murmura Langtuhn.

— N'ayez crainte.

Les portes de la salle étaient gardées par un Chinois rond et massif, vêtu d'un treillis militaire noir-gris-blanc et d'une veste fourrée, probablement en peau de yak. À notre arrivée, il était assis sur une chaise, occupé à lire un manga. En nous voyant approcher, il se leva lentement, retira avec soin ses minuscules lunettes et posa sur sa chaise l'illustré ouvert.

— C'est Mihu, me chuchota Langtuhn, le valet de chambre de la reine. Un Chinois. Très dévoué.

Mihu se campa devant la porte à deux battants pour barrer l'accès à la chambre de la reine. Après l'avoir salué d'une courbette, les deux dames d'honneur se mirent à lui parler en thulahnais, lentement, avec de grands gestes en ma direction. Le Chinois approuva d'un mouvement de la tête et ouvrit les portes.

Langtuhn resta dans l'antichambre en compagnie des deux dames tandis que Mihu m'accompagnait dans la pièce où il se planta le dos à la porte. Je jetai un regard autour de moi.

Je n'avais pas vraiment cru cette rumeur selon laquelle la reine douairière n'avait pas quitté son lit depuis un quart de siècle, depuis la mort de son mari, mais il faut dire que jusque-là je n'avais pas vu le lit.

Le plafond de la chambre royale reproduisait la voûte céleste. Les deux murs les plus longs étaient bordés de statues aux proportions effarantes, d'énormes guerriers grimaçants hauts de deux étages. Ces sculptures étaient couvertes de feuilles d'or qui commençaient à s'écailler, révélant le bois noirci, telle une mince armure dorée dévoilant une peau tannée. Aussi légères que du papier de soie, les feuilles étincelantes partaient en lambeaux qui flottaient dans les légers courants d'air de la vaste pièce, avec un étrange bruissement à peine audible, comme des milliers de souris invisibles occupées à déplier de minus-cules papiers de bonbons. La lumière du jour, blanche et crue, pénétrait par un mur de fenêtres qui surplom-baient une terrasse donnant sur la vallée. Son éclat se réfléchissait sur les morceaux de feuilles dorées, créant l'illusion de milliers de petites flammes froides dansant sur les murs.

Le lit qui trônait au milieu de la salle était un véritable chalet en bois peint, auquel le terme de lit à baldaquin semblait mal correspondre. J'avais déjà vu beaucoup de maisons plus petites ! Il fallait gravir trois hautes marches rien que pour parvenir à sa base. De là, une nouvelle volée de marches permettait d'accéder à la surface du lit, à travers les tentures de velours épais et les lourds rideaux de brocart. Du ciel de lit pendait tout un entrelacs de cordelettes teintes et de rubans de soie colorée rappelant les lianes de la jungle.

À grand lit, grand couvre-lit évidemment. Celui-ci était une immense couverture brodée de pourpre qui s'élevait des quatre angles et des bords du lit pour monter, tel un Fuji-Yama violet, jusqu'à la tête de la reine mère, laquelle en émergeait, pâle et auréolée des boucles blanches de sa chevelure, pareille à un sommet couvert de neige. D'après l'angle de son cou, il était difficile de savoir si la reine était couchée, assise ou debout. Les trois positions semblaient parfaitement possibles.

Selon Langtuhn, la reine mère n'était pas confinée dans ses appartements. Si elle le désirait, elle pouvait sortir. La structure du lit était montée sur roulettes et glissait sur des rails conduisant à travers deux grandes portes jusqu'à la terrasse ouest avec vue sur la vallée. J'imagine que la tâche de pousser cet énorme chariot revenait à Mihu. Ainsi, le lit sorti et les tentures relevées, la vieille dame pouvait-elle prendre l'air et bénéficier du soleil quand elle le souhaitait.

Il n'y avait pas de siège et je restai debout au pied du lit.

En son centre, la petite boule de neige, qui me dominait d'à peine un mètre, s'anima et prit la parole.

— Miss Telman ?

La voix était fluette mais encore énergique. Elle s'exprimait dans un excellent anglais. Rien d'étonnant, puisque la reine mère était anglaise : l'honorable lady Audrey Illsey était devenue reine de Thulahn en épousant le défunt roi, en 1949.

— *Ms* Telman, Madame.

— Pardon ?

— Je préfère le terme de Ms à celui de Miss, Votre Altesse.

— Vous êtes mariée ?

— Non, Votre Alt...

— Alors, on doit vous dire Miss, d'après moi.

— Eh bien, expliquai-je en me maudissant d'avoir amorcé ce débat, la façon dont on s'adresse aux gens a beaucoup évolué, Votre Altesse. Les femmes de ma génération choisissent souvent de se faire appeler Ms, ce qui est l'équivalent direct de Mr pour...

— Épargnez-moi vos leçons d'histoire, jeune dame.

Je ne suis ni idiote ni sénile. Le féminisme, je connais, vous savez !

— Ah oui ? Je pensais que peut-être...

Il y eut comme un miniséisme sur les pentes de la montagne violette, à peu près au niveau de l'épaule de la reine mère, comme si une éruption volcanique se préparait. Puis, après quelques froissements et frémissements, une petite main apparut, émergeant d'une fente brodée percée dans le couvre-lit et tenant un magazine enroulé. Le petit bras maigre, gainé de dentelles blanches, agita le magazine dans ma direction.

— Je sais lire, Miss Telman ! reprit la reine. La poste n'est pas rapide mais les abonnements finissent par arriver, avec rarement plus d'un mois de retard.

Un autre bras fluet émergea des couvertures. Il ouvrit le magazine.

— Tenez : voici le numéro de *Country Life* du mois dernier. Mais je ne pense pas que vous connaissiez. Vous avez plutôt l'accent américain.

— Je connais un ou deux citoyens américains qui y sont abonnés, Madame, mais je n'en fais pas partie.

— Donc, vous êtes américaine ?

— De naissance, je suis britannique, écossaise plus précisément, mais je possède la double nationalité : britannique et américaine.

— Je vois ! Ou plutôt non, je ne vois pas du tout. Je ne vois pas comment on peut posséder deux nationalités, sauf sur le plan purement légal. (Bras et mains disparurent sous les couvertures.) Ce que je voulais dire, c'est : où va votre loyauté ?

— Ma loyauté, Votre Altesse ?

— Votre loyauté va-t-elle à la reine ou au... drapeau américain ? Ou bien faites-vous partie de cet absurde mouvement nationaliste écossais ?

— Je me définirais plutôt comme « internationaliste », Madame.

— Ce qui signifie ?

— Que mes loyautés sont conditionnelles, Votre Altesse.

— *Conditionnelles* ? (Elle battit rapidement des paupières, l'air perplexe.) Comment ça ?

— Elles dépendent des conditions, du contexte, Madame. Croire que sa patrie a toujours raison est, en général, peu judicieux. En tout cas, c'est ce que je pense.

— Ah vraiment ? Vous m'avez l'air d'être une petite personne aux idées bien arrêtées, jeune dame.

— Merci, Votre Altesse.

Je vis ses yeux se plisser. Un bras réapparut, avec une paire de lunettes qu'elle posa sur son nez pour m'observer.

— Approchez, dit-elle ; puis elle ajouta : S'il vous plaît.

Je gravis les marches et me tins au pied du lit géant. Une forte odeur d'encens et d'antimite flottait dans l'air. Les feuilles d'or qui s'agitaient sur les murs créaient une lueur chatoyante qui agaçait les yeux.

La reine extirpa un mouchoir blanc dont elle frotta ses lunettes.

— Vous connaissez mon fils ?

— Oui, Madame.

— Que pensez-vous de lui ?

— Je pense qu'il vous fait honneur, Votre Altesse. C'est un homme charmant et… responsable.

— Responsable ?… Ah ! Ou vous n'y connaissez rien ou vous êtes une de ces bonnes à rien. Une de ces menteuses. Une de celles qui parlent pour me faire plaisir.

— Peut-être confondez-vous mensonge et politesse, Votre Altesse.

— Quoi ?

— En fait, je ne connais pas très bien votre fils, Madame. D'après ce que j'ai pu constater, je dirai que c'est un gentleman. Bien élevé, poli… et aussi un excellent danseur, souple et léger, qui possède beaucoup d'allure. (La reine fronça les sourcils, aussi je jugeai bon d'abandonner le sujet.) Ah, et il semble triste parfois et il aime flirter, mais sans rien d'agressif ni de vulgaire, non. (Je me rappelai ce qu'avait dit Langtuhn dans la voiture.) Il ne semble pas dépenser son argent à tort et à travers, ce qui est appréciable chez les princes, à mon avis, surtout lorsqu'ils sont souvent absents de leur pays. Et puis, repris-je en espérant, vainement, terminer sur un point plus positif, j'imagine que les responsabilités de son héritage pèsent lourdement sur ses épaules.

La vieille dame secoua la tête comme pour rejeter en bloc tous mes propos.

— Quand va-t-il se marier ? Voilà ce que je veux savoir.

— Alors, j'ai bien peur de ne pouvoir vous aider, Madame.

— Personne ne peut, jeune dame. Est-ce que vous avez une idée du petit nombre de princesses dans le monde ? Ou même de duchesses ? Ou tout simplement de vraies ladies ?

— Pas la moindre idée, Madame.

— Naturellement ! Vous n'êtes qu'une roturière, n'est-ce pas ?

— Je dois reconnaître que je dois ma position, si modeste soit-elle, à mon seul mérite et à un travail acharné, si c'est ce que vous voulez dire, Votre Altesse.

— Épargnez-moi ce snobisme à l'envers, ma petite dame.

— Ce n'est pas mon genre, Votre Altesse. Ça doit être un effet de l'altitude.

— Oh, épargnez-moi votre impertinence, par-dessus le marché !

— Je ne sais pas ce qui m'a pris, Votre Altesse.

— Vous êtes une petite impolie, irrespectueuse. Une impertinente !

— Je ne voulais pas vous manquer de respect, Madame.

— Est-ce vraiment si terrible qu'une mère s'inquiète pour son fils ?

— Pas le moins du monde, Votre Altesse.

— C'est le contraire qui serait affreux.

— Absolument.

— Hmm. Vous pensez qu'il est de l'espèce qui se marie ?

— Mais bien sûr, Votre Altesse. Je suis persuadée que votre fils pourra rendre n'importe quelle princesse, ou lady, très heureuse.

— Platitudes, Miss Telman. C'est exactement le langage que me tiennent mes courtisans.

Je me demandai si Mihu et les deux dames d'honneur faisaient partie de ses « courtisans ». Le palais semblait être désert, mis à part ces trois personnages. Je m'éclaircis la gorge avant de reprendre :

— Le prince est votre fils, Votre Altesse, et même si je pensais vraiment qu'il ferait un mari épouvantable, je ne pourrais pas vous le déclarer sans y mettre quelques formes.

La reine mère parut exaspérée.

— Allons ! Dites-moi franchement ce que vous pensez !

— Il fera probablement un bon mari, Madame. À condition d'épouser la femme qui lui convient. Mais on peut en dire autant de n'importe qui…

— Mais justement, mon fils n'est pas n'importe qui !

— C'est ce que pensent toutes les mères, Votre Altesse !

— Oui, mais par pure sentimentalité ; par instinct maternel ou ce que vous voulez. Mais Suvinder est l'*héritier* du trône !

— Votre Altesse, je ne suis pas sûre de vous être d'un grand secours, en l'occurrence. Je ne suis pas mariée et n'ai pas non plus l'intention de l'être. Il m'est donc difficile d'apporter mon opinion. De plus, je ne connais pas suffisamment votre fils ni les circuits matrimoniaux internationaux pour faire un commentaire valable.

— Hmmm. (La reine rangea ses lunettes.) Pourquoi êtes-vous ici, Miss Telman ?

— Je pensais que vous aviez demandé à me voir, Votre Altesse.

— Je veux dire ici, à Thulahn, petite bécasse.

Puis elle soupira, plissa les yeux qu'elle ferma un moment, et reprit :

— Je vous demande pardon, Miss Telman, je n'aurais pas dû vous traiter de bécasse. Excusez-moi.

— Naturellement, Madame. Je me trouve à Thulahn parce que je voudrais savoir si je dois accepter un poste qui m'obligerait à y vivre.

— Ah oui, vous faites partie de ces mystérieux hommes d'affaires dont mon fils me rebat les oreilles ! Mais qui êtes-vous réellement ? Des gens de la Mafia ?

Je souris.

— Non, Madame, nous sommes une société commerciale, pas un gang de criminels.

— Mon fils me dit que vous êtes prêts à investir dans notre pays des sommes que je trouve personnellement ridicules. Qu'est-ce que vous en espérez ?

— Nous aimerions utiliser Thulahn comme une base, Votre Altesse, déclarai-je en choisissant mes mots avec précaution. Nous osons espérer être accueillis favorablement par votre peuple et pouvoir devenir, tout du moins certains d'entre nous, citoyens de Thulahn. Ce qui permettrait d'accroître commerce et échanges avec les autres pays, grâce aux progrès et investissements que nous proposons d'apporter. Ainsi nous espérons, et pensons, qu'il serait juste que certains d'entre nous se voient octroyer des postes diplomatiques afin de représenter Thulahn à l'étranger.

— Vous n'êtes pas manipulés par ces sacrés Chinetoques, au moins ?

Je me demandai si Mihu, debout devant la porte, comprenait l'anglais.

— Non, Madame, nous ne sommes manipulés par personne.

« En fait, me dis-je, c'est plutôt nous qui manipulons les autres, en général. »

— Hmm. En tout cas, voilà qui me paraît fichtrement louche !

— Nous nous proposons simplement d'aider Thulahn, Votre Altesse. Toutes les améliorations d'infrastructures seraient suggérées et non imposées.

— Famille, Foi, Fermes et Fidélité, martela la reine en agitant son doigt en ma direction.

— Je vous demande pardon, Votre Altesse ?

— Vous m'avez entendue. Voilà ce qui compte pour ces gens. Ces quatre choses. Rien de plus. Tout le reste n'est que billevesées.

— Pourtant, j'imagine que l'eau courante, quelques écoles primaires supplémentaires, de meilleurs soins médicaux pour les enfants...

— Ils ont de l'eau. Personne ne meurt de soif. Ils reçoivent toute l'éducation qu'il leur faut. On n'a pas besoin d'une licence pour marcher derrière une charrue. Quant à la santé, il sera toujours dur de vivre dans ce pays. Ce n'est pas un endroit pour les faibles. On mourra tous un jour, petite dame. Mieux vaut travailler dur, accepter le soutien de la foi et partir rapidement. Tous ces gens qui n'en finissent pas de mourir, c'est d'un vulgaire ! Les gens en veulent toujours plus, de nos jours. Acceptons notre sort et n'essayons pas de prolonger les souffrances de ceux qui seraient mieux au cimetière. Voilà ! Voilà ce que je crois ! N'essayez pas de cacher vos sentiments : je sais ce que vous pensez. Eh bien, pour votre gouverne, apprenez que je n'ai pas vu un seul docteur depuis que j'ai décidé de rester au lit et que je n'ai aucune intention de le faire à l'avenir, quoi qu'il puisse arriver. Cela fait un quart de siècle que j'attends la mort, Miss Telman. Je crois que le Bon Dieu me garde en vie parce qu'il a de bonnes raisons de le faire et je n'ai pas l'intention de précipiter ma mort, ni de la retarder non plus, le jour où elle s'annoncera.

J'approuvai d'un hochement de tête.

— C'est très stoïque de votre part, Votre Altesse. J'espère qu'on respectera votre décision. Seulement…

— Oui, dit-elle d'un ton soupçonneux. Seulement ?

— Seulement, je trouve qu'il serait juste qu'on laisse aux Thulahnais la possibilité de choisir *eux aussi*.

— De choisir quoi ? La télévision ? Les McDonald's ? Des voitures ? Des emplois dans les supermarchés ou dans les usines ? Un salaire comme bureaucrate ? Il est évident qu'ils choisiront tout cela, si on leur pose la question. Et avant peu, on se retrouvera, comme partout ailleurs, avec des homosexuels, le sida, des socialistes, des trafiquants de drogue, des prostituées et des petits voyous. Vous parlez d'un progrès ! Vous ne croyez pas, Miss Telman ?

Je commençais à comprendre l'inutilité d'une telle discussion.

— Je suis désolée que ce soit votre point de vue, Votre Altesse.

— Vraiment ? Vous êtes vraiment désolée ? Dites-moi la vérité.

— Je le suis, en toute sincérité.

La reine m'examina intensément un moment. Puis elle hocha la tête et se pencha vers moi de façon imperceptible.

— C'est une chose affreuse que de vieillir, Miss Telman. Le processus n'a rien d'agréable et vous le connaîtrez un jour. Je suis persuadée que vous me prenez pour une horrible réactionnaire ; mais moi, au moins, j'ai cette consolation que vous n'aurez sans doute pas : je serai ravie de quitter ce monde stupide, méchant et vil. (Elle se redressa.) Je vous remercie d'être venue me voir. Je suis fatiguée. Au revoir. Mihu, s'il vous plaît !

En me retournant, je vis le gros Chinois m'ouvrir les portes en silence. Je voulus prendre congé de la reine mais, déjà, elle avait fermé les yeux et s'était affaissée, telle une marionnette dans une baraque de foire. La séance était terminée, mon crédit était épuisé.

Je contemplai une dernière fois l'immense pièce où scintillaient et bruissaient les murs aux copeaux d'or découvrant cette chair de bois noir, puis je me retirai.

Je regagnai la voiture à grands pas, si vite même que Langtuhn Hemblu fut presque obligé de courir pour ne pas être distancé.

— Vous en avez passé du temps avec la reine mère !

— Vraiment ?

— Vraiment. Vous êtes très privilégiée. N'est-ce pas que c'est un trésor ?

— Un trésor ? Oh oui, absolument ! dis-je

« Mais quel dommage qu'on ne l'ait pas enterré », pensai-je.

Lorsque je regagnai ma chambre au palais de Thuhn, toutes mes affaires avaient disparu. Figée sur le seuil, j'examinai la pièce : le petit lit-armoire avait été refait, le placard où j'avais suspendu mon porte-habits et mes vêtements était ouvert et vide. Le téléphone-satellite, mon ordinateur, mes affaires de toilette : tout s'était volatilisé. Même la table de nuit avait été dégagée : mon petit singe porte-bonheur n'était plus là, lui non plus.

Une sorte de vertige s'empara de moi. Plus de téléphone, plus de contact. Seulement ce que je portais sur moi. Dans mes poches, je trouvai un porte-billets et deux disquettes brillantes.

S'agissait-il d'un vol ? Je m'étais imaginé que le palais était le genre d'endroit où il n'était pas nécessaire de fermer sa porte à clé – d'ailleurs, elle n'avait pas de serrure ! Oui, mais combien valaient un téléphone et un ordinateur portable, par rapport aux salaires de la moyenne des gens ? La tentation avait été trop forte et ma négligence trop grande.

Ou peut-être avais-je fait si mauvaise impression à la reine mère que c'était là sa vengeance pour avoir osé lui tenir tête ? Je m'apprêtais à rebrousser chemin pour chercher de l'aide lorsque j'entendis une voix au loin qui s'approchait. C'était ma petite bavarde rondouillarde qui arrivait du bout du couloir. Elle vint jusqu'à moi, me prit la main et, toujours babillant, m'entraîna vers une autre aile du palais.

La porte avait une serrure. Le sol était recouvert de moquette. Mon porte-habits pendait dans une garde-robe digne d'un Holiday Inn. Au-dessous de la fenêtre, en triple vitrage, il y avait un radiateur dont la tuyauterie disparaissait discrètement sous la moquette. Le lit était un lit double, classique, avec des oreillers ordinaires. Sur la table de nuit, on avait disposé mon petit singe et ma lampe-torche. Mon ordinateur et le téléphone-satellite étaient installés sur un secrétaire surmonté d'un miroir. Une porte ouverte me révéla une vraie salle de bains avec douche et, merveille ! un bidet. Mais toujours pas de télé-viseur, naturellement.

Ma petite dame en veste matelassée me fit une cour-bette et se retira, sans cesser de parler.

On avait placé une carte de visite sur le secrétaire près de mon téléphone. Joshua Levitsen, consul honoraire des États-Unis, souhaitait me rencontrer. Il me proposait de prendre le petit déjeuner demain matin à huit heures, à la maison de thé du Bonheur-Céleste.

Je m'approchai de la fenêtre. Même panorama, vu d'un étage plus haut. Il faisait bon dans la chambre. Un léger courant ascendant montait du radiateur. Je coupai le chauffage et j'ouvris la lourde fenêtre.

Dans ma boîte de réception de mails, je trouvai un message de Dwight Litton pleurnichant que j'avais raté la « première » de sa pièce à Broadway. Je ne me fatiguai même pas à lui répondre.

Quoi de n'œuf, ma Poule ?
Cet humour marche avec toutes les filles ?
C'est ce qu'on dit. Comment le saurais-je ?
Non, évidemment, Stephen.
Comment ça se passe à Shangri-La ?
Cool.
Tu penses que tu aimerais y rester ?
Trop tôt pour le dire. Ai vu la reine aujourd'hui. Un sacré personnage. T'en parlerai plus tard. Incroyable… J'ai démé-nagé : suis passée d'une chambre plutôt spar-tiate mais pittoresque à une autre chambre du

palais qui semble avoir été piquée au Novotel le plus proche. Comment ça se passe pour toi ?

Bien. Bosse sur une grosse restructuration de deux complexes biochimiques. Participe aussi (par mails surtout) aux discussions sur les retombées du MAI[1]. Côté domestique, m'occupe des bambinos pendant qu'Emma rend visite à une de ses vieilles copines à Boston... Hé ?... Kate ? Tu es toujours là ?

Désolée. Désolée d'avoir coupé : un genre de bug. Ai dû me reconnecter.

Le matin je me réveillai, encore à bout de souffle. Où étais-je ? Où étais-je allée me fourrer ?

Impossible de me souvenir du problème qui avait tout déclenché, de la remarque vexante, insulte ou petite blessure qui avait provoqué l'incident. Je me rappelle seulement que j'avais cherché un réconfort dans les bras de Mrs Telman et qu'elle m'avait reçu d'une drôle de façon. Elle me tenait dans ses bras tandis que je sanglotais sur sa poitrine, sur son luxueux chemisier que je trempais de larmes. Heureusement, j'étais trop jeune pour porter du mascara et, en séchant, les marques de mon désespoir ne laisseraient pas de traces. Nous étions dans cet hôtel de Vevey où séjournait Mrs Telman chaque fois qu'elle venait me rendre visite dans mon école internationale. On distinguait la masse sombre du lac Léman, éclairé par la lune malgré les averses hivernales qui s'abattaient des montagnes pour fouetter ses eaux écumantes. J'avais quinze ou seize ans – assez jeune pour avoir besoin d'être

---

1. Multilateral Agreement of Investment (AMI en français). *[N.d.T.]*

cajolée, trop âgée pour ne pas en éprouver un sentiment de gêne, voire de honte. Mrs Telman sentait ce même parfum exotique que je lui avais connu six ans plus tôt, dans sa voiture.

— Mais ce n'est pas juste !

— La vie ne l'est pas, Kathryn.

— Vous dites toujours ça !

— Parce que c'est vrai.

— Mais elle devrait être juste !

— Évidemment.

— Alors, pourquoi ne l'est-elle pas ?

— Pourquoi ne pouvons-nous pas tous vivre dans des palais, sans avoir à travailler ? Pourquoi ne pouvons-nous pas tous être heureux, sans jamais verser de larmes ?

— Je ne sais pas, lançai-je, boudeuse. (Je commençais à avoir l'habitude de ses contre-attaques rhétoriques.) Pourquoi pas, en effet ?

Mrs Telman me sourit et me tendit son mouchoir.

— Il y a deux écoles de pensée.

Je levai les yeux au ciel de façon théâtrale. Elle fit mine de ne rien voir et poursuivit :

— Certains te diront que la justice ou l'équité ou le bonheur ou la liberté de ne rien faire ne sont pas de ce monde. Les misérables pécheurs que nous sommes ne méritent pas mieux, de toute façon. Cependant, si nous faisons ce qu'on nous dit de faire, nous atteindrons le bonheur éternel, après notre trépas. C'est un point de vue. Un autre point de vue consiste à dire que nous pouvons trouver une partie de cet idéal sur Terre à condition de nous y employer, même si la réalisation finale de tous nos vœux ne se fait que dans l'au-delà. Personnellement, je préfère la seconde hypothèse, même si je me trompe. Mais en attendant, Kathryn, tu dois comprendre que le monde n'est pas juste ; que rien ne t'est dû, pas même des excuses ; que tu n'es pas en droit d'exiger le bonheur et que, bien trop souvent, tu auras l'impression de vivre dans un monde fou et dangereux.

Lorsque les gens se comporteront rationnellement, avec humanité, générosité et amour envers toi ou ceux que tu aimes, il te faudra être reconnaissante, l'apprécier et bien profiter du moment, car ce n'est pas forcément ainsi que se passent les choses, d'habitude. La raison, l'humanité, la générosité et l'amour sont des denrées extrêmement rares. Alors, sache en jouir quand elles te sont offertes.

— Mais je ne comprends pas comment les gens peuvent être aussi méchants, parfois.

— Tu es une sainte, Kathryn ?

— Comment ?

— Franchement, tu n'as jamais été horrible envers autrui ? Jamais taquiné d'autres filles ? Jamais été méchante ? Tu ne t'es jamais secrètement réjouie du malheur de quelqu'un que tu n'aimes pas ? Ou peut-être vas-tu me dire que tu aimes tout le monde ?

— Mais ce sont les autres qui ont commencé à être horribles envers moi !

— Et ils pensaient peut-être avoir des raisons. Tu es très intelligente. Les gens détestent souvent les personnes intelligentes. Ils pensent que ce sont des frimeurs.

— Qu'est-ce qu'on peut reprocher au fait que je sois intelligente ? m'écriai-je, indignée.

— Beaucoup de choses. Surtout si la personne en face de toi n'est pas très intelligente, si elle trouve que tu fais étalage de ton intelligence pour faire ressortir sa propre bêtise. C'est comme voir un gros costaud frimer devant un faible.

— Mais ça m'est égal que les gens soient forts ! Et ils peuvent frimer autant qu'ils le veulent ! Je m'en fiche !

— D'accord, mais c'est parce que tu es intelligente.

— Alors, ce n'est pas…

Je retins le mot « juste », roulai en boule le mouchoir qu'elle m'avait donné et me pelotonnai contre sa poitrine.

— Ce n'est pas *bien*, na, repris-je d'une voix misérable.

— Les gens estiment que si, répliqua Mrs Telman en me serrant contre elle avec une petite tape dans le dos. Et c'est tout ce qui compte. En général, les gens se trouvent toujours des excuses.

Je cherchai de la main ma table de nuit. J'étais à Thuhn, dans le palais royal. Mes doigts rencontrèrent mon petit singe et je le caressai.

Dans mon rêve, la reine était devenue un croisement entre les démons-guerriers qui gardaient sa chambre et le petit singe netsuké qui gardait mon chevet. Il devait s'agir d'une vague réminiscence empruntée au *Magicien d'Oz* par mon subconscient, mais la trame de l'histoire s'effilochait, s'estompait et perdait tout rapport avec le réel. Dans mon cauchemar, j'avais été capturée et enfermée dans un palais sombre et froid, creusé dans la montagne. L'endroit était rempli de fumée et j'étais partie à la recherche de la reine en tâtonnant et en trébuchant. Mais je sentais une ombre qui me poursuivait dans ces couloirs enfumés, ou plutôt… une armée d'ombres. Des ombres qui chuchotaient sans que je puisse comprendre ce qu'elles disaient car quelqu'un leur avait arraché la moitié des dents. Elles gardaient ces dents dans de petites bourses attachées à leur ceinture, et les dents s'entrechoquaient, cliquetaient et accompagnaient d'un tintement saccadé le chuchotis de leurs voix zézayantes.

Je ne pouvais les identifier. En revanche, je savais que,

si elles me touchaient, quelque chose, dans leur contact et dans leur sueur, me brûlerait, enfoncerait son poison jusqu'à la moelle de mes os, me contaminerait pour me rendre pareille à elles, une forme sombre, torturée, condamnée à errer pour l'éternité dans ce palais-caverne.

Elles étaient plus rapides que moi, mais par une sorte d'étrange règle du jeu – ou de don que je possédais – mon regard leur était insupportable. Alors, je devais traverser portes, couloirs, corridors ou chambres en courant à reculons de façon à les garder toujours à bonne distance. Et c'était long, pénible et dangereux parce que je craignais d'en découvrir d'autres dans mon dos. Il me fallait donc courir à reculons tout en jetant un coup d'œil par-dessus mon épaule, ce qui augmentait les risques d'être rattrapée. Et tout ce temps-là, je m'entendais hurler : « Ce n'est pas juste ! Ce n'est pas juste ! Ce n'est pas juste ! », tandis que le bruit de mes pas résonnait dans les grandes salles silencieuses.

Le rêve s'était terminé avant la fin, avant que ces formes aient pu s'emparer de moi ou que j'aie réussi à m'évader vers le monde extérieur. À mon réveil, je m'étais rappelé ma rencontre avec la reine et les paroles de Mrs Telman, et j'avais éprouvé le besoin de toucher ce petit singe qui était mon gardien, simplement pour retrouver sa réalité. Pour retrouver ce qu'il était : un objet inanimé, stable, dépourvu de malice, incapable d'aimer, mais, en tout cas, toujours à mes côtés et toujours loyal. Un objet qui me rassurait par sa familiarité même, et qui avait acquis les vertus d'un talisman grâce à cette fidélité illusoire qu'engendre une longue présence.

9

J'avais passé tout l'après-midi à faire des courses, traînant dans mon sillage une ribambelle de gamins emmitouflés, apparemment déterminés à ne pas me lâcher d'une semelle dès que je m'aventurais hors du palais. Mon précédent voyage m'avait appris qu'il valait mieux oublier l'existence des cartes de crédit : à Thulahn, tout se payait cash. Je me félicitais de m'en être souvenue et d'avoir sagement pris la précaution de me munir d'épaisses liasses de dollars à l'escale de Karachi. Je fus donc ébahie de découvrir que certains commerçants, les plus modernes de Thuhn, acceptaient désormais les transactions par carte plastifiée. La grande boutique chic de vêtements pour étrangers de passage à Thulahn, le Wildness Emporium, une sorte de grange empestant le kérosène, regorgeait de tout l'attirail le plus coûteux que puisse offrir l'Occident en matière d'habillement et d'équipement. Ses propriétaires, deux sikhs enturbannés, semblaient fatigués d'avoir à rappeler que, non, il ne s'agissait pas d'un lapsus pour « Wilderness Emporium[1] ».

J'y avais déniché un anorak jaune et noir très épais, équipé d'un millier de poches, avec une salopette isolante assortie et un pantalon en Thermolactyl molletonné rouge vif. J'y avais également fait diverses acquisitions : une paire de bonnes chaussures de marche, genre vieux modèle Timberland sans le laçage compliqué ; un bonnet multicolore au design sophistiqué (oreillettes escamotables, mentonnière en Velcro et visière réglable) ; une paire de solides gants de ski noirs dont les manchettes réglables pouvaient s'étirer jusqu'au coude ; une polaire vert d'eau ; deux paires de chaussettes épaisses ainsi qu'un assortiment de maillots de corps et de caleçons. Les deux sikhs – des frères, comme ils me l'avaient confié dans le courant de la conversation – s'étaient fait un plaisir de me soulager de quelques liasses de billets encombrantes et m'avaient chaleureusement invitée à revenir quand je voulais.

Chancelant sous le poids de cet équipement, que j'avais revêtu en partie sans plus attendre, je m'étais retrouvée dans la rue, entourée de ma nuée de gamins qui avaient bruyamment insisté pour m'aider à porter mes paquets. En retournant au palais par un itinéraire différent, j'étais tombée sur une boutique vendant d'authentiques articles thulahnais. Nouvelle halte, donc, qui m'avait permis d'acquérir un magnifique chapeau de fourrure noire (sans trop de scrupules, tant il était superbe), un manchon assorti, une paire de bottes de cuir – fourrées avec des semelles de cinq centimètres en authentiques pneus recyclés (horribles décrites de cette façon-là, mais idéales en fait), une petite veste en satin

---

1. Jeu sur les mots *wildness* (nature sauvage) et *wilderness* (désert). [N.d.T.]

avec motifs mandala, plus un long anorak rouge mate-
lassé avec pantalon assorti.

Et tout cela pour trois fois rien ! En fait, l'addition
m'avait paru si modique que j'avais essayé de laisser un
pourboire, au grand effarement des boutiquiers, un
couple de petits vieux Thulahnais. Je m'étais sentie si mal
à l'aise que j'avais fait un second tour du magasin. J'étais
revenue à la caisse avec l'article le plus coûteux de la
boutique – et, croyez-moi, je suis très douée pour
repérer ce genre d'article –, une longue veste redingote en
satin et soie, noire comme du jais, avec incrustations de
dragons rouges et noirs, brodée de fils d'or étincelants et
délicatement ouatinée.

Devant le luxe de ce choix, mes petits vieux avaient
donné tous les symptômes d'une crise cardiaque
synchronisée. Avec force gonflements de joues et hochements de tête, ils s'étaient empressés de fouiller les
rayons à la recherche de vestes presque aussi belles et
infiniment moins chères ; mais j'avais serré l'objet de mes
désirs contre mon cœur et refusé de l'abandonner,
malgré les multiples prières et remontrances des
vendeurs. Finalement, avec toutes les mimiques et gesticulations du désespoir, on s'était résigné à m'autoriser
l'acquisition de cette merveille pour une somme… eh
bien, une somme toujours aussi incroyablement
dérisoire.

J'avais seulement oublié d'acheter un grand cabas ou
même un sac à dos, ce que je fais généralement en cas de
shopping sérieux, pour tout transporter. Par chance, les
enfants étaient là. Sans leur aide, il m'aurait fallu
emprunter une brouette pour rapporter ma nouvelle
garde-robe au palais. J'avais pensé leur offrir de l'argent
en échange de leur gentillesse, mais à peine arrivés aux
portes du palais ils s'éparpillèrent, après m'avoir adressé

sourires et courbettes, avec des gloussements et de légers fous rires contenus.

J'avoue avoir imaginé un moment qu'un de mes achats pourrait bien avoir disparu dans le transport. Aussi, arrivée dans ma chambre, lorsque je fis le recensement de toutes mes emplettes, j'eus vraiment mauvaise conscience de mes soupçons. Car non seulement il ne manquait rien, mais de plus des petites mains anonymes avaient déposé des offrandes dans mes sacs – des friandises maison soigneusement emballées dans des papillotes enrubannées et des petites fleurs en soie montées sur fil de fer.

Tôt le lendemain matin, il faisait un temps exécrable : une tempête de neige fouettait de rafales tourbillonnantes mes fenêtres à triple vitrage. Je l'entendais mugir derrière les vitres, derrière les murs de pierre. Mes sentiments face à ce mauvais temps étaient divers : d'un côté, tout déplacement allait devenir problématique ; mais de l'autre, gros avantage, cela retarderait peut-être l'arrivée du prince d'un jour ou deux. Fort heureusement, la tempête n'avait pas arrêté le fonctionnement du générateur électrique du palais, ce qui signifiait eau chaude et sèche-cheveux. Je m'offris ma deuxième douche en douze heures et me laissai bercer par le ronronnement du sèche-cheveux. Au moment de m'habiller, j'eus un moment d'hésitation : style occidental ou ethnique ?

J'optai pour une tenue occidentale, la salopette, l'anorak multipoches, les faux Timberland, et posai la casquette compliquée sur ma tête. Au moment de partir, je me ravisai et accrochai une des petites fleurs en soie au Velcro d'une de mes poches.

La tempête s'était calmée lorsque je traversai la cour d'honneur en faisant crisser le tapis de neige sous mes pas. Le vent était tombé, et seuls quelques flocons voltigeaient encore autour de moi. Mais, au-dessus de la vallée, le ciel était bas et couvert de nuages sombres, chargés de neige.

Les enfants m'attendaient à la porte, arrivant de toutes les directions. Je réalisai, avec honte, qu'il m'était impossible de déterminer si c'étaient les mêmes que la veille. Franchement, il était temps que je cesse de les considérer comme une seule masse ! Je m'accroupis au milieu d'eux, leur souris et entamai les présentations.

— Moi Kathryn, dis-je en pointant l'index sur ma poitrine. KAT-RIN.

Il y eut des gloussements, des fous rires réprimés, des contorsions gênées, mais je finis par saisir quelques noms, ou ce qui y ressemblait en tout cas. Je leur fis aussi comprendre que je désirais me rendre au Bonheur-Céleste et, après avoir redressé quelques bonnets pointus et mouché quelques nez morveux, je me relevai, saisis deux petites mains potelées qu'on me tendait et notre troupe partit dans les rues enneigées.

— Ms Telman ? Salut ! Josh Levitsen.

— Vous allez bien ?

Nous échangeâmes une poignée de main. Mr Levitsen ne ressemblait pas à l'idée que je m'en faisais. C'était un homme jeune – malgré les rides creusant son visage bronzé –, blond et barbu. Il portait une parka beige un peu crasseuse, à la capuche doublée d'une fourrure feutrée, et une paire de lunettes de glacier entourée de cuir.

— Très bien ! Vous prenez un petit déjeuner ? J'ai commandé du thé pour deux.

Le Bonheur-Céleste était très proche, en fait à une distance de penalty de la cage de but du terrain de foot et d'aviation qu'il dominait, ainsi que de la vallée couverte de neige en contrebas. L'endroit était chaud, humide et bourré de monde, des Thulahnais pour la plupart. Tout était recouvert de bois verni, et le plancher craquait comme un marécage plein de grenouilles en folie.

— Qu'est-ce que vous me recommandez ?

— *Rikur saraut*, *champe* et *thuuk*.

— Qu'est-ce que c'est ?

— Des crêpes de maïs – ils ont une bouteille de sirop d'érable derrière le comptoir, réservée pour moi et mes invités –, du porridge et une soupe épaisse aux nouilles, *kampa* – relevée – si vous le désirez.

— Un échantillon des trois, alors. Je n'ai pas très faim.

Il approuva, agita un bras et cria la commande. Il nous versa du thé dans deux tasses sans anse, mais munies d'un petit couvercle en céramique. Après avoir échangé quelques banalités d'usage, nous décidâmes d'un commun accord d'utiliser désormais nos prénoms. Puis Josh se pencha vers moi et déclara, en baissant la voix :

— À propos, Kate, je voulais te dire : j'ai travaillé pour la Compagnie.

— La CIA ? demandai-je calmement.

Il me sourit.

— Oui, mais maintenant je travaille pour le Business.

Et il baissa ses lunettes pour m'adresser un clin d'œil.

— Je vois.

Naturellement, l'information m'avait déjà été donnée dans le CD que Tommy Cholongai m'avait remis. Mr Levitsen n'était pas vraiment un de nos employés mais nous lui versions pas mal d'argent, et il savait vaguement que notre intérêt pour Thulahn ne se limitait pas à l'octroi de quelques passeports diplomatiques.

— N'hésite pas à me dire si je peux t'aider. (Il écarta les bras d'un geste théâtral.) Je suis à ton entière disposition, Kate. J'ai des tas de contacts. Une clope ?

D'une des poches de sa parka crasseuse, il tira une petite boîte peinte dont il extirpa une cigarette roulée à la main.

— Non merci.

— Ça ne te dérange pas ?

Je jetai un coup d'œil vers le comptoir.

— Si je comprends bien, le service n'est pas des plus rapides ?

— De dix à quinze minutes, les jours fastes.

Il alluma la cigarette avec un Zippo. Une volute de fumée traversa la table. Pas une cigarette, donc, mais un joint. Il avait dû me voir renifler.

— Tu es sûre ? reprit-il avec un sourire encourageant.

— Un peu trop tôt pour moi.

Il acquiesça.

— On m'a dit que tu avais vu la vieille dame, hier.

— La reine mère ? Oui.

— Foutrement bizarre son installation, non ?

— Bizarre est le mot.

— Elle t'a parlé du prince ?

— Elle m'a demandé ce que je pensais de ses perspectives de mariage.

— Ouais, ça l'obsède en ce moment.

— Tu as souvent l'occasion de lui rendre visite ?

— Non. Je ne l'ai vue qu'une fois, au moment où j'ai pris mon poste, il y a trois ans. Mais comme je te l'ai dit, j'ai des contacts partout. (Au-dessus des lunettes polarisées, ses sourcils décolorés par le soleil se froncèrent.) Dis-moi, qu'est-ce que le Business vient foutre ici ? On n'arrête pas de me dire qu'un gros ponte va y être largué, ou, à défaut d'un gros ponte, un gros pactole, tu vois ? (Il baissa de nouveau ses lunettes de glacier et me lança un regard se voulant charmeur.) Tu en fais partie ? Je parie que tu ne peux rien me dire, de toute façon. Mais te voilà ici, un niveau-trois, la plus bandante des niveau-trois que je connaisse. Oh, pardon, j'espère que tu ne m'en veux pas !

— Non, je suis flattée.

— Allez, dis-moi, qu'est-ce qui se passe ? (Il rapprocha son visage.) C'était quoi tout ce micmac sur le mont Juppala, l'année dernière ? Et au fond de la vallée, et plus haut en amont ? Tous ces relevés au laser et ces forages et ce bordel de géomètres, ça rimait à quoi ?

— Amélioration des infrastructures.

— Sur le *mont Juppala* ? Kathryn, tu charries ?

Je bus une gorgée de thé.

— Oui.

Il se mit à rire.

— Tu es bien décidée à ne pas lâcher le morceau, hein ?

— Absolument !

— Alors, pourquoi as-tu été envoyée ?

— Je n'ai pas été « envoyée ». Je suis en congé sabbatique. Je vais où il me plaît.

— Drôle d'endroit pour des vacances.

— Un congé sabbatique ne signifie pas être en vacances.

— Dans ce cas, pourquoi es-tu là ?

— Pour voir à quoi ressemble le pays à ce moment de l'année.

— Mais pourquoi ?

— Pourquoi pas ?

Il se cala au fond de son siège en secouant la tête, puis fixa un petit embout au mégot de son joint et se mit à tirer de grandes goulées, les sourcils froncés par l'intensité de ses réflexions ou par l'âcreté de la fumée brûlante.

— Peu importe ! lâcha-t-il.

Après une dernière longue aspiration, tout en retenant la fumée dans sa bouche, il écrasa l'embout cartonné dans sa soucoupe et ajouta :

— Bon, dis-moi, où veux-tu aller ?

— Quand ?

— Quand tu veux. J'ai une jeep : je peux te conduire dans des endroits où la Rolls de Langtuhn ne passe pas. Si tu as envie de te balader, n'hésite pas.

— Très gentil de ta part. J'en profiterai certainement. Tu es libre cet après-midi ?

— Bien sûr. Où aimerais-tu aller ?

— C'est toi qui connais le coin. Je te laisse choisir.

— Eh bien, on pourrait… Ah, tiens ! Voilà notre petit déjeuner ! Ils ont fait vite !

— Oncle Freddy ?

— Kate, ma chérie ! Bien arrivée à Thulahn, alors ?

— Oui, on a réussi à éviter les drapeaux de prières. Je me suis un peu baladée : j'ai fait le palais et une partie de la ville, je suis allée voir la reine mère, et j'ai eu droit à une visite de la vallée et d'une petite ville voisine cet après-midi. Il fait un temps épouvantable aujourd'hui. On a failli ne pas pouvoir rentrer.

— Le prince est là ?

— Non. On attend son retour de Paris dans quelques jours.

— Il n'est pas à Paris, ma chérie. Il est en Suisse. À CDO.

(CDO est l'abréviation de Château-d'Œx, pour les gens du Business.)

— Ah bon ? En tout cas, on ne l'attend pas avant la semaine prochaine.

— Parfait. Tu as transmis mes respects à la reine mère ?

— Non. Je ne savais pas que vous la connaissiez.

— Audrey ? Bon sang, si je la connais ! Cela fait des

années ! Je voulais te le dire. J'ai cru l'avoir fait. La sénilité, probablement. Bref, elle ne t'a pas parlé de moi ?

— Non, désolée.

— Peu importe. On m'a dit qu'elle était devenue un peu maboule récemment, pour ne pas dire complètement gaga. Comment tu l'as trouvée ?

— Excentrique, à la manière un peu agressive des vieilles dames anglaises, parfois.

— Sans doute un effet de l'altitude.

— Sans doute.

— Qui t'a servi de guide puisque le prince n'est pas là ?

— Le consul honoraire des États-Unis. Un type assez jeune. Hippie seconde génération. Il m'a payé un petit déjeuner tout à fait mangeable. Et il m'a emmenée jusqu'à Joitem dans sa jeep. L'endroit ressemble à Thuhn, en moins haut, plus plat et entouré de forêts de rhododendrons. On a visité un monastère abandonné, vu quelques fermes, des moulins à prières, et on a failli se payer le ravin une ou deux fois, rien de spécial, quoi.

— Ça m'a l'air terriblement excitant !

— Et vous, que faites-vous ? J'ai essayé de vous joindre plusieurs fois, sans succès.

— Oh, je glandouille comme d'habitude. Je me balade en voiture.

— Vous devriez acheter un mobile, oncle Fred !

— Quoi ? Un de ces trucs qu'on suspend au-dessus des berceaux ?

— Non, Freddy. Un téléphone !

— Bah ! Pour qu'une sonnerie de téléphone vienne me gâcher le plaisir de conduire ? Jamais ! Je deviendrais marteau !

Le lendemain, le ciel était complètement dégagé. Pourtant, curieusement (en tout cas j'ai trouvé le phénomène bizarre, mais je devais être la seule à Thulahn), sous ce ciel d'une parfaite limpidité, la neige continuait de tourbillonner. Pendant des heures, un vent descendu des montagnes, cinglant et glacial, balaya la ville et le palais, effilochant le manteau de neige en grands lambeaux blancs qui voltigeaient jusqu'aux rives encaissées de la rivière pour s'y amasser en énormes congères.

La veille, Josh Levitsen m'avait annoncé cette chute de la température, provoquée par l'arrivée du vent. Ayant tout de même l'habitude des pays froids, j'avais pris soin de nouer un foulard couvrant ma bouche et mon nez avant de m'aventurer dehors, équipée de mes vêtements occidentaux. En dépit de cette précaution, je fus effarée de découvrir la férocité du vent.

Les enfants avaient disparu. La ville semblait déserte. Le souffle glacial de la bise me faisait pleurer et les larmes gelaient presque instantanément sur mes joues. Je devais sans cesse me retourner pour me pencher, essuyer ces gouttes d'eau salée afin de rendre un peu de vie à mes joues devenues insensibles. Je remontai l'écharpe aussi haut que possible et finis par trouver mon chemin jusqu'au Wildness Emporium, où les deux frères sikhs me dorlotèrent et me versèrent un bol de *paurke* chaud – du thé sucré à la farine d'orge grillé, bien meilleur que ce que je redoutais. Là, je fis l'acquisition d'une paire de lunettes de ski polarisées et d'une sorte de masque en Néoprène à fixer sur le bas du visage qui me faisait ressembler à Hannibal Lecter, le tueur du *Silence des agneaux*. Mais c'était bien plus efficace que mon écharpe.

Ainsi parée, sans un seul centimètre carré de peau exposé aux éléments, je quittai les deux frères ravis, occupés à compter la liasse de dollars dont ils venaient encore de me délester, et je sortis affronter la bise.

La population semblait être restée calfeutrée à l'intérieur des maisons. C'était donc le meilleur moment pour une visite de la ville. Thuhn se présentait comme un assemblage de bâtiments séparés par de grands espaces vides. Je la parcourus dans tous les sens jusqu'à ce que la faim et un heureux hasard me conduisent devant le Bonheur-Céleste à peu près à l'heure du déjeuner. Je m'y installai, avec des picotements au bout des extrémités, et je m'y empiffrai de *dhal butt* (riz gluant baignant dans une soupe de lentilles) et de *jakpak kampa* (ragoût très épicé avec morceaux de viande non identifiée), arrosés de *dhai*, un yaourt très liquide ressemblant fort à du lassi nature, qui m'aida à faire glisser le tout.

Les autres convives – pour la plupart de sexe masculin, engoncés dans leurs vestes molletonnées, certains encore coiffés d'un bonnet pointu – m'adressaient rires et sourires, et me parlaient en thulahnais à une vitesse de mitrailleuse. Je leur rendais leurs sourires, riais bêtement quand ils riaient, faisais des grimaces et éventais ma bouche d'une façon qui leur semblait irrésistiblement drôle chaque fois que je mordais dans un piment. Et pendant quarante minutes je fis le zouave, hochant la tête, haussant les épaules, grimaçant, sifflotant, bref, me comportant comme une parfaite crétine. En quittant le restaurant, je souriais encore sous mon masque de tueur, rassasiée, réchauffée et parfaitement satisfaite, flottant sur un petit nuage de complète béatitude, avec le sentiment que ce repas avait été une réussite sur le plan de la communication et une expérience humaine tout à fait positive.

— Kathryn ?
— Mr Hazleton ?
— Vous allez bien, j'espère ?

— Très bien.

— Alors, votre séjour à Thulahn se passe bien ?

— Parfaitement.

— Je n'y suis jamais allé. Vous me recommandez la visite ?

— Cela dépend de vos goûts, Mr Hazleton. Il faut aimer les montagnes et la neige.

— Vous n'avez pas l'air très enthousiasmée par le coin, Kathryn.

— J'adore les montagnes et la neige.

— Je vois. Je me demandais… J'espérais un peu que vous auriez tranché… pris une décision… Je me disais que peut-être…

— Oui ?

— Vous n'êtes pas très bavarde, Kathryn.

— Vous trouvez ?

— Il y a une autre personne dans la pièce avec vous ?

— Non.

— Vous n'êtes pas fâchée contre moi ?

— Fâchée, Mr Hazleton ?

— Kathryn, j'espère que vous me croyez quand je vous dis que je n'ai rien à voir avec le contenu de ce disque. Il m'est tombé entre les mains et j'avoue avoir pensé en tirer avantage, mais que pouvais-je faire d'autre ?… Kathryn, si je perds mon temps avec ce coup de téléphone, dites-le-moi et je raccrocherai. Nous pourrons reprendre cette conversation un peu plus tard.

— Pourquoi m'avez-vous appelée, Mr Hazleton ?

— Je voulais savoir si vous aviez pris une décision quant à l'utilisation du disque que je vous ai fait livrer. Avez-vous décidé de ne rien faire ou bien tout cela s'agite-t-il encore dans votre petite tête ?

— Oh, ça s'agite. Ça s'agite furieusement, même.

— C'est vrai, Kathryn ?

— Est-ce que je vous mentirais, Mr Hazleton ?

279

— Je vous en crois capable, si vous jugez que c'est la chose à faire.

— Pour l'instant, je continue à réfléchir.

— Le problème reste entier, malheureusement. En ce moment, à l'heure où nous parlons, Mrs Buzetski est...

— ... à Boston, où elle est loin de rendre visite à une de ses vieilles copines de classe, je sais.

— Ah, vous savez. Vous avez dû parler à Stephen alors. Comment va-t-il ? Vous pensez qu'il soupçonne quelque chose ?

— Je n'en ai pas la moindre idée, Mr Hazleton.

— Il faut que j'y aille, Kathryn. Transmettez mes hommages au prince quand vous le verrez.

En fin d'après-midi, Langtuhn vint m'annoncer qu'il devait me conduire au ministère des Affaires étrangères pour certaines formalités. J'aurais besoin de mon passeport. Je lui demandai quelques instants pour aller me changer. Style ethnique, cette fois-ci. Un très court trajet dans la Rolls nous fit traverser la ville qui grouillait de monde maintenant, jusqu'au ministère, une bâtisse trapue aux murs peints de couleur uniforme.

On me fit entrer dans une vaste salle où un gros poêle cylindrique recouvert de faïences dispensait sa chaleur. Quatre jeunes employés en robe safran écrivaient, perchés sur de grands tabourets, derrière de hautes tables. Les quatre hommes m'observèrent avec curiosité, puis se replongèrent studieusement dans leurs registres au moment où un homme chauve de haute taille en robe orange apparut dans le chambranle de la porte, à côté du poêle. L'homme se présenta comme étant Shlahm Thivelu, chef des services d'immigration, et m'invita à le suivre dans son bureau.

Nous étions assis de part et d'autre d'un énorme secrétaire surmonté d'une étagère arrondie, avec des rangées de compartiments bourrés de rouleaux de documents. Shlahm Thivelu posa sur son nez une paire de ravissantes lunettes et s'absorba dans l'inspection de mes deux passeports comme s'il n'avait jamais vu, de sa vie, documents aussi étranges.

Lors de ma précédente visite, j'avais passé les contrôles d'immigration et de douane dans le hall d'arrivée de l'aéroport. C'est-à-dire que j'avais simplement dû pénétrer, en baissant la tête, dans la carlingue du Dakota accidenté et donner mon nom à un adolescent assis derrière un petit bureau branlant. Et là-dessus, nous avions échangé une chaleureuse poignée de main. Apparemment, depuis ce temps-là, les choses avaient gagné en formalités.

Mr Thivelu approuva d'un hochement de tête, fouilla un moment la surface de son bureau, marmonna quelque chose au sujet d'un foutu tampon, puis haussa les épaules et nota quelque chose sur une page de mon passeport britannique avant de me rendre mes deux documents.

En sortant du ministère, je regardai ce qu'il avait écrit. Il avait mis la date et inscrit : *Bienvenue à Thulahn.*

Langtuhn m'ouvrit la porte de la Rolls en arborant un sourire radieux.

— Vous avez l'air tout heureux, lui dis-je alors que nous démarrions.

— Oh oui, Ms Telman ! répondit-il.

Le rétroviseur me renvoyait mon visage positivement illuminé de bonheur.

— Son Altesse le prince va rentrer demain.

— Eh oui, malheureusement… *Quoi ?* m'exclamai-je en faisant un bond sur mon siège. *Demain ?*

Moi qui croyais avoir encore trois jours de tranquillité avant de m'inquiéter de l'arrivée de Suvinder !

— Oui ! N'est-ce pas une nouvelle fantastique ? Finalement, vous aurez le plaisir de le rencontrer. Et lui aussi sera heureux de vous voir, j'en suis sûr.

— Oh oui, je n'en doute pas.

Je vis passer le long de la portière la façade du Wildness Emporium. Un des sikhs m'aperçut et agita la main avec enthousiasme. Je lui rendis son salut d'un geste sans conviction.

Je ne pouvais même pas espérer prendre l'avion : il était reparti depuis mon arrivée et on ne l'attendait pas avant demain, avec le prince. Une autre possibilité restait de trouver un quelconque engin motorisé et d'emprunter la longue route du nord, de tourner à l'ouest et de piquer vers le sud en direction de l'Inde. Cela impliquait des jours de voyage terrifiants et des nuits dans des auberges douteuses, d'après ce qu'on m'avait dit. Ou alors je pouvais partir à pied, si les cols étaient ouverts, ce qui était peu vraisemblable à cette époque de l'année. J'avais fait du trekking au Népal quand j'avais vingt ans. Je n'étais donc pas tout à fait novice mais, outre mon manque d'entraînement, je n'étais plus aussi jeune. Et puis, j'imagine que le prince l'aurait pris comme un affront.

— Qu'est-ce qui nous ramène le prince aussi tôt ?

— On ne sait pas, admit Langtuhn en contrôlant un dérapage de la vieille Rolls devant la boucherie, sans doute sur des entrailles de poulet.

Il se mit à rire.

— Peut-être qu'il a perdu tout son argent au casino !

— Ha ! Ha !

Je me calai au fond du siège. Suvinder. Oh, tant pis…

La présence du prince ne serait peut-être pas trop pénible à supporter. Il n'était pas d'une compagnie désagréable. Il ferait tout, j'imagine, pour faciliter mes déplacements et me permettre d'accéder… eh bien, d'accéder là où je voulais accéder.

Allons, ce n'était pas une si mauvaise nouvelle, après tout.

« Toujours regarder le côté positif des choses », me répétai-je.

Le prince arriva le lendemain matin. La quasi-totalité de Thuhn s'était déplacée, semble-t-il, pour assister à l'atterrissage. C'était une autre belle journée ensoleillée, mais d'un froid mordant même si le vent s'était calmé pour n'être plus qu'une brise. Langtuhn Hemblu, vêtu d'une livrée de chauffeur légèrement défraîchie, d'une ou deux tailles trop grande pour lui, comprenant bottes, guêtres et casquette grise, me conduisit à l'aéroport dans la Rolls Royce, mais m'expliqua d'un ton navré qu'il me faudrait rentrer par mes propres moyens car le prince et sa suite auraient besoin de toute la place dans la voiture. Je lui dis de ne pas s'en faire pour moi et je partis me joindre à la foule massée sur des talus dominant le terrain de foot et d'aviation. Je remarquai qu'on avait tout de même ôté les poteaux de but.

Je vis réapparaître certains de mes petits amis en doudoune, Dulsung, Graumo et Pokhum, si j'avais bien compris leur nom, qui se plantèrent à côté de moi, derrière une masse d'adultes. Dulsung était la plus petite, aussi je la pris sur mes épaules. Ravie et souriante, elle me plaqua une paire de mains collantes sur le front, sous mon bonnet de fourrure. Les deux garçonnets la regardèrent avec envie, unirent leurs bonnets pointus en conciliabule pour conférer puis tiraillèrent sur les pantalons molletonnés les plus proches en montrant Dulsung avec insistance. En conséquence, après quelques petites taquineries, ils se retrouvèrent perchés, eux aussi, sur des épaules voisines.

Tout le monde vit l'avion avant moi. Les gens commencèrent à pointer le doigt vers le ciel et des acclamations fusèrent. Je distinguai enfin un petit bout de métal qui se détachait sur les rochers gris anthracite des montagnes, projetant latéralement une ombre noire vacillante sur les crêtes et les gorges. Puis, après un virage sur l'aile, l'avion piqua vers nous. Il paraissait à peine plus gros qu'un oiseau de proie. Le bruit des moteurs se perdait encore dans la vaste étendue montagneuse.

Je levai les yeux vers Dulsung et dis :

— Avion.

— *A-yon*, fit-elle.

L'avion prit de la vitesse, et fonça vers la terre dans une trajectoire qui ne nous visait plus directement mais partait en diagonale dans le ciel, au-dessus du ravin étranglé de glace. Il entama un arc de cercle en direction de la ville, prit un virage serré au-dessus des rives caillouteuses de la rivière en aval et revint droit sur nous. Le jour où j'avais atterri, le vent soufflait sans doute dans la direction opposée. Maintenant, l'appareil à la silhouette de caisse à savon cabossée semblait presque immobile dans les airs, mais on percevait nettement le bruit de ses moteurs.

L'avion vibra, bondissant au gré du vent, secouant ses ailes frémissantes comme s'il haussait les épaules. On crut une seconde qu'il allait dépasser la piste et repartir pour un autre tour, mais il s'abattit tout à coup avec un grondement à l'autre extrémité du champ. Ses roues frappèrent lourdement le sol, faisant jaillir des gerbes de terre et de gravier, à peu près à l'endroit où se trouve habituellement la cage du gardien de but. Le choc sembla donner à la foule le signal des bravos, et même Dulsung décolla ses mains de mon front pour applaudir. Comme pour couvrir le vacarme, le bruit des moteurs s'amplifia et l'appareil sembla esquisser une sorte de révérence, piquant du nez et écrasant sa roue avant dans la course qui le faisait rouler vers nous, suivi par des tourbillons de poussière brune.

L'avion était si près que je pouvais distinguer le visage des pilotes, et je m'apprêtais à m'enfuir en courant. Les moteurs rugirent, la carlingue frémit et l'avion ralentit sa course, pivota en inclinant légèrement l'aile et s'arrêta dans une glissade, pas très loin de la surface de réparation, à une cinquantaine de mètres de notre talus.

Je joignais avec enthousiasme mes applaudissements à ceux de la foule lorsque le cockpit s'ouvrit et une main planta un drapeau thulahnais au-dessus du hublot. Un petit comité de réception officiel s'était organisé sur le gravier de la piste et Langtuhn Hemblu fit avancer la Rolls jusqu'à la ligne de touche, près de deux 4 × 4 déjà en position. Puis il descendit du véhicule et se tint raide et immobile, la casquette sous le bras, près de la portière arrière.

Le prince fut le premier à sortir de l'avion et salua la foule depuis la porte de la carlingue. Il portait un costume bleu sombre qui paraissait être la version très classe des vêtements molletonnés traditionnels. La foule lui rendit son salut. Mais certains spectateurs commençaient déjà à s'éloigner, sans doute les curieux, venus seulement pour voir l'avion, ou les républicains purs et durs, déçus d'avoir vu l'avion royal atterrir une fois encore sans accident. Derrière le prince, d'autres passagers débarquèrent.

Je levai les yeux vers Dulsung. Ses petites bottes laissaient des traces de boue sur mon anorak rouge. Je lui montrai l'avion.

— Le prince, articulai-je.

— *Leup Rince*, dit-elle.

285

Suvinder progressa le long de la ligne des officiels qui s'inclinaient sur son passage. Il jetait des regards autour de lui, apparemment préoccupé. Il fit signe à Langtuhn de s'approcher pendant que les autres passagers s'affairaient à récupérer leurs bagages. Les deux hommes échangèrent quelques phrases puis Langtuhn indiqua notre position dans la foule. Mains en visière, les deux hommes regardèrent dans notre direction. Était-ce moi qu'ils cherchaient ?

Enfin Langtuhn m'aperçut, agita une main et cria mon nom. Il toucha la manche du prince et fit un signe de mon côté. Devant moi, les têtes se retournèrent. Le prince saisit mon regard, fit un grand sourire et se mit lui aussi à agiter la main en criant quelque chose.

— Merde, soufflai-je.

— *Merde*, reprit une petite voix très claire, au-dessus de moi.

— Je suis si heureux de vous revoir, déclara le prince avec enthousiasme, en battant des mains comme un écolier ravi.

Je remarquai qu'il ne portait pas de bagues. Nous étions sept, entassés à l'arrière de la Rolls qui remontait en cahotant vers le palais. Ma cuisse pressait celle de Suvinder, assez confortablement installé au milieu de la banquette arrière, flanqué de B. K. Bousande, son secrétaire particulier. Hisa Gidhaur, ministre des Finances et des Affaires étrangères, était assis en face de moi. Hokla Niniphe, ministre de l'Intérieur, transpirait à côté du petit réchaud de l'habitacle, tandis que Jungeatai Rhumde, le Premier ministre, et Srikkuhm Pih, le chef de la milice, les derniers à monter en voiture, avaient dû se résigner à s'accroupir devant les portières. À mon avis, ils auraient été bien mieux assis dans un des 4 × 4 qui nous suivaient, mais visiblement le protocole régissant les déplacements du prince exigeait leur présence.

Avant de monter en voiture, on m'avait présentée aux personnalités et dignitaires que je ne connaissais pas encore. Ils avaient été très polis et fort courtois, du moins avant cet entassement à l'arrière de la voiture. J'espérais sincèrement ne pas avoir froissé autant de susceptibilités que j'avais involontairement piétiné de pieds.

En tout cas, mes compagons de route, qu'ils soient assis ou accroupis, semblaient d'excellente humeur. Engoncés dans leurs vêtements épais, un grand sourire illuminant leur bonne bouille ronde et glabre, ils m'adressaient de légers hochements de tête ou quelques amabilités. J'attribuai cette euphorie évidente au soulagement bien compréhensible de savoir leurs petits culs gras de Thulahnais à cinquante centimètres du sol, dans un véhicule allant à peine plus vite qu'un piéton mais qui, en cas de panne, risquait seulement de stopper dans un gracieux panache de fumée sur le bas-côté de la route au lieu de plonger à la verticale sur les arêtes rocheuses et glacées de la montagne.

— Vous avez vu ma mère, demanda Suvinder. Elle va bien ?

— Oui, je crois.

— La rencontre s'est bien passée ?

Je réfléchis et dis prudemment :

— Nous avons eu une discusion franche et cordiale.

— Oh, parfait, répliqua Suvinder qui sembla enchanté.

Je regardai les autres passagers. La crème de la hiérarchie thulahnaise semblait également ravie et manifesta son approbation par d'énergiques hochements de tête.

La suite du prince se trouvait dans le même corps de bâtiment rénové que ma chambre, un étage au-dessus. Le palais royal tout entier s'était soudain animé. Une foule de gens affairés circulait en tous sens, claquant les portes, agitant des bouts de papier, portant des caisses et ouvrant bruyamment les volets. Debout, en compagnie de B. K. Bousande, dans le grand salon des appartements particuliers du prince, j'observais le va-et-vient de domestiques jamais vus auparavant, occupés à répartir les bagages en redressant au passage le cadre des tableaux.

Le salon était assez sobre, presque modeste : des murs ornés d'aquarelles aux teintes douces ; un parquet recouvert de tapis aux motifs tarabiscotés ; deux divans crème et quelques meubles visiblement très anciens, en bois finement sculpté, avec une grande table basse au milieu de la pièce.

Un domestique apparut, portant un bouquet de fleurs fraîches qu'il installa dans un vase sur une console. Je redressai la petite fleur en soie qui ornait la poche de mon anorak rouge. Les bottes de Dulsung avaient laissé des traces de boue grise que je brossai tant bien que mal du revers de la main.

— Je veux savoir tout ce que vous avez fait depuis votre arrivée, cria le prince du fond de sa chambre.

D'après l'écho, il devait être dans la salle de bains.

— Oh, je me suis un peu baladée, c'est tout.

— Vous n'êtes pas pressée de partir, j'espère. J'aimerais tellement vous faire découvrir Thulahn.

— Je pense que je peux rester encore quelques jours. Mais je ne veux pas vous déranger dans vos fonctions, Altesse.

Il y eut un silence, puis le prince passa la tête par la porte de la chambre, les sourcils froncés.

— Il ne faut pas m'appeler Altesse, Kathryn. Pour vous, je suis Suvinder.

Il secoua la tête une ou deux fois et disparut.

— B. K., transmettez mon invitation, s'il vous plaît !

B. K. Bousande s'inclina devant moi et dit :

— Nous avons une petite réception ce soir pour célébrer le retour de Son Altesse. Accepteriez-vous d'être son invitée ?

— Certainement. Ce sera un grand honneur.

— Parfait ! cria le prince.

Les hautes vallées n'étaient que des rubans de verdure déchiquetée, luttant contre les puissantes montagnes lancées en désordre à l'assaut du ciel. Ces vallées formaient tout un univers d'altitude qui s'était adapté à force de ténacité : des arbustes, des arbres, des oiseaux et des animaux qui avaient réussi à se développer et à se multiplier au milieu de ces étendues de roches nues et de pierrailles désolées, balayées par le vent et érodées par les glaces.

La réception se tenait dans la grande salle du palais, une pièce relativement peu impressionnante, guère plus vaste que la salle du trône du vieux palais, et moins excentrique dans sa décoration. Le plafond s'ornait de sculptures de bois qui pendaient comme de petites stalactites, et les murs étaient couverts de pans de tissu, d'une texture située entre tapis afghan et tapisserie.

J'avais consulté Langtuhn sur la décence de mon petit ensemble Versace bleu-noir. Il avait été jugé trop court, et j'avais reporté mon choix sur une robe longue sans manches, en soie verte, avec col chinois. C'est le genre de tenue moulante qui ne pardonne pas et qui demande un examen impitoyable devant la glace. J'avais passé avec succès le test sans indulgence de mon programme autocritique d'évaluation de la silhouette. Cette inspection positive m'avait été confirmée plus tard par les compliments adressés pendant la soirée, sur un ton qui paraissait vraiment sincère, et qui ne concernaient pas seulement la coupe de ma robe.

La réception comptait près de deux cents invités, thulahnais en majorité. Mais il y avait aussi deux douzaines d'Indiens et de Pakistanais, une poignée de Chinois, Malais et autres Orientaux indéfinissables, plus quelques Japonais. Des Occidentaux semblaient avoir également émergé de leur tanière. Je n'aurais jamais imaginé en trouver autant à Thulahn, et à Thuhn en particulier.

On me présenta le haut-commissaire indien, les ambassadeurs pakistanais et chinois, ainsi qu'une brochette de consuls honoraires, dont Josh Levitsen, mal à l'aise dans un costume trois pièces qui devait remonter à sa première année de fac. Sa gêne expliquait peut-être qu'il soit déjà passablement ivre au moment où il vint me serrer la main.

Le prince me pilota parmi ses ministres, conseillers et parents, y compris un frère assez falot et son épouse, le père et la mère de ce gamin pensionnaire en Suisse dans une de nos propres écoles, l'héritier du trône si Suvinder disparaissait sans enfants. Je rencontrai aussi d'autres représentants de familles nobles locales – il n'en existait qu'une douzaine au total –, un groupe de lamas vêtus de robes safran, deux prêtres hindous aux vêtements criards frôlant le mauvais goût, et les fonctionnaires de l'administration thulahnaise, du moins ceux que je n'avais pas encore rencontrés dans le Twin Otter quatre ans plus tôt ou au ministère des Affaires étrangères la veille.

Je mis un point d'honneur à rendre à chacun ses courbettes et j'affichai un sourire permanent. Je bénis ce don que j'ai de mémoriser tous les noms, ce qui me permit de saluer Shlahm Thivelu le chef des services d'immigration, Hokla Niniphe le ministre de l'Intérieur et Jungeatai Rhumde le Premier ministre sans l'aide d'un souffleur. Tous ces gens semblaient ravis. Je remarquai une femme dont la tête ne m'était pas inconnue, et il me revint qu'il s'agissait d'une des dames d'honneur de la vieille reine.

Le reste des étrangers comprenait un groupe de coopérants britanniques et d'Américains du Peace Corps – tous, comme il se doit, jeunes, enthousiastes, naïfs et débordant d'énergie –, une poignée d'enseignants – en majorité anglais et français –, un couple de médecins australiens, un chirurgien indien, quelques ingénieurs et techniciens canadiens genre brut de décoffrage, responsables d'un chantier assez modeste, un petit échantillonnage d'hommes d'affaires européens, en sueur, espérant tous dénicher des contrats avec les différents ministères thulahnais, et un professeur de géologie de Milan, de l'espèce Casanova, insupportablement sûr de lui, au milieu de son harem d'étudiantes.

C'est seulement au moment où l'on se mettait à bien observer, lorsqu'on s'était bien rassasié de la contemplation des pics étincelants de neige, lorsqu'on obligeait son regard à se poser sur ce qui était tout proche, que l'on remarquait la variété des formes offertes à la vue.

— Au travail, ils ne valent rien.
— Vraiment ?
— Bons à rien. Tout à fait nuls. Incapables de respecter un horaire. Parfois, je me demande même s'ils savent lire l'heure !

L'homme qui me parlait était un homme d'affaires

autrichien, corpulent, fermement accroché à son verre d'apéritif.

— Vraiment ?

— Oui. Nous avons une usine – une toute petite entreprise, en fait, rien de gigantesque – à Sangamanu. On y fabrique des verres de lunettes et quelques bijoux ethniques. Nous avons reçu des subventions de la Banque mondiale et de diverses ONG, le but étant de fournir du travail à ces gens. On pourrait faire des bénéfices s'ils étaient moins nuls. Il y a des jours où ils oublient de venir travailler. Ou bien ils partent avant l'heure. Ils semblent incapables de comprendre qu'ils doivent être présents cinq ou six jours sur sept. Ils partent labourer leurs champs ou couper du bois. C'est insupportable, mais qu'y faire ? Cette usine ne représente rien pour ma société. Ou disons pas grand-chose. Mais à Sangamanu, nous sommes le plus gros employeur. Ces gens devraient nous en être reconnaissants et se défoncer pour nous, au lieu de quoi ils se tournent les pouces. Ils sont pitoyables. Ce sont des enfants, comme je le dis toujours. Complètement immatures ! De vrais gosses.

— Vraiment ? répétai-je en hochant la tête comme si je trouvais toutes ces remarques fascinantes.

J'inventai très vite une excuse pour abandonner mon interlocuteur et le plantai là en compagnie d'un géomètre allemand qui lui confirma gravement que oui, ces gens-là étaient impossibles. Je me mis à la recherche de spécimens humains moins conformes à leur caricature nationale.

Je repérai Srikkuhm Pih, le chef de la milice, qui se tenait tout raide dans son costume de cérémonie assez imposant, sans doute à la mode dans l'armée britannique au moment de la conquête des Indes.

— Mr Pih, fis-je avec une brève courbette.

Srikkuhm Pih était un homme âgé, un peu voûté, légèrement plus petit que moi, arborant la chevelure la plus grise parmi tous les Thulahnais que j'avais rencontrés.

— J'adore votre costume. Vous paraissez terriblement imposant. L'épée est magnifique !

Mr Pih aimait la flatterie. Au titre de chef de la milice, il ajoutait ceux de ministre de la Guerre, secrétaire de la Défense et chef d'état-major des forces armées. Il se fit un plaisir de me faire admirer cette épée étincelante et ornée de ciselures remarquables – le cadeau d'un maharaja indien à l'un de ses prédécesseurs au début du siècle –, puis il se lança dans un exposé sur la nature spécialement délicate de ses fonctions en général et sur la nature peu belliqueuse du mâle thulahnais moyen en particulier.

— Nous très mauvais soldats, me confia-t-il avec un haussement d'épaules résigné.

— Remarquez, si vous n'avez pas besoin de vous battre…

— Très mauvais soldats. Moines meilleurs.

— Les moines ?

Il approuva.

— Moines font concours. Comme ça.

Et il mima un archer.

— Des compétitions de tir à l'arc ?

— Exact. Quatre fois par an. Chaque…

— Trimestre, soufflai-je.

— Exact. Quatre fois par an, moines compétitionnent. Tout *sampalal*, toutes maisons de moines contre les autres. Tir à l'arc. Mais toujours saouls d'abord.

— Ils se saoulent d'abord ?

— Boivent *khotse*.

C'était la bière locale, une bière à base de lait fermenté. Même le plus grand fan devait admettre que c'était le genre de boisson requérant une certaine accoutumance…

— Boivent d'abord et tirent flèches, poursuivit Mr Pih. Certains bons : toucher la cible et pan, plein dans le mille. Mais bien commencer et puis trop boire. Alors, pas finir bien. Rigolent trop. Dégringolent. Bien triste état de choses.

— Pourquoi ne pas utiliser les moines comme soldats, dans ce cas ?

Il arbora une mimique d'horreur effrayée.

— Rimpoche, tsunke, chef lama et chef prêtre, eux pas d'accord. Personne d'accord. Sont très…

Il exhala un gros soupir de ses joues gonflées et secoua la tête.

— Mais vous aviez bien une caste de guerriers, autrefois, un genre de samouraïs. Je l'ai lu quelque part. Comment les appelait-on ? Les Treih ?

— Eux pas bons non plus. Pire. Tous ramollis. Gens très ramollis maintenant. Trop rester dans maison. Pas bon matériel pour officiers. (Il secoua la tête d'un air malheureux en contemplant le fond de son verre.) Triste état de choses !

— Et le reste ? Où recrutez-vous vos soldats ?

— Pas avoir de soldats, répondit-il en haussant les épaules. Pas un seul. Pas un poil.

— Pas du tout ?

— Nous avons milice. Moi commandant. Hommes ont fusils à la maison. Encore beaucoup de fusils à donner, ici au palais et dans maisons gouverneurs dans autres villes. Mais pas casernes, pas armée, pas soldats professionnels, pas territoriaux. (Il se frappa la poitrine.) Seul uniforme du pays.

— Mince alors !…

Mr Pih désigna Suvinder, en grande conversation avec deux de ses ministres. Le prince nous fit un signe. Je lui rendis son salut.

— Ai demandé au prince argent pour uniformes de soldats. M'a dit : « Pas tout de suite, mon vieux Srikkuhm. Faut attendre. L'an prochain, peut-être. » Moi très patient : fusils plus importants qu'uniformes. Sûr !

— Mais si, par hasard, les Chinois vous envahissaient, combien d'hommes pourriez-vous mobiliser ? Au maximum ?

— Secret militaire du gouvernement, dit-il en secouant lentement la tête. Très top secret. Environ vingt-trois mille.

— Eh bien, c'est tout à fait respectable comme armée. Ou comme milice.

Il me regarda, perplexe.

— Ça, c'est total nombre de fusils. Hommes pas supposés les vendre ou utiliser pour autre chose, comme faire plomberie dans maison ; mais, poursuivit-il d'un ton désolé, hommes le font.

— Triste état de choses, commentai-je.

— Triste état de choses, répéta-t-il avant de s'illuminer soudain. Mais le prince toujours dire être très heureux savoir moi l'homme le plus inemployé de Thulahn.

Il se pencha vers moi et reprit en confidence :

— Je reçois prime pour bonne performance chaque année quand pas de guerre.

— Vraiment ? m'écriai-je en éclatant de rire. C'est super ! Bravo !

Le chef de la milice m'offrit de remplir mon verre, ce qui n'était pas nécessaire, puis se dirigea en direction du bar, visiblement très satisfait de lui-même et des avantages financiers personnels de la paix.

Je me remis à circuler et entamai une conversation avec

une des enseignantes, une jeune Galloise nommée Cerys Williams.

— Oh, Cerys comme la fille du groupe Catatonia ?

— Exact. Même orthographe.

— Je suis sûre qu'on vous le demande souvent, mais que pensez-vous de votre poste, ici ?

Cerys trouvait les enfants thulahnais formidables. Certes, l'équipement des classes était sommaire et les parents avaient tendance à ne pas envoyer leurs enfants à l'école s'ils avaient besoin d'eux à la ferme, mais à part ça les enfants étaient vifs d'esprit et très désireux d'apprendre.

— Ils font combien d'année d'école ?

— Seulement les classes primaires, dans l'ensemble. Il y a bien un enseignement secondaire, payant. Pas très cher, mais plus que la moyenne des familles ne peut se le permettre. Généralement, seul l'aîné des garçons pousse jusqu'à la troisième ou la seconde, et les autres abandonnent en fin de primaire.

— Toujours le garçon, même si l'aîné est une fille ?

Elle eut un sourire un peu triste.

— Disons, presque toujours. J'essaie – nous essayons tous, en fait, mais je suis probablement la plus déterminée – de faire évoluer les choses, mais on se heurte à des siècles de tradition, voyez-vous.

— Je vois.

— Pourtant, les gens ne sont pas stupides. Ils commencent à comprendre que les filles pourraient tirer profit d'un enseignement secondaire. On a déjà remporté quelques succès. Il n'empêche, en règle générale, seul un enfant par famille va au collège.

— J'imagine que certains garçons doivent en éprouver de la rancœur ?

— Oh, je ne sais pas, déclara-t-elle en souriant. Ils sont en majorité ravis de quitter l'école. Souvent, même, ils préfèrent que ce soit leur sœur qui continue les études.

Je poursuivis mon tour de l'assistance. Le Premier ministre lui-même me renseigna sur le fonctionnement du gouvernement thulahnais. Il existait une forme de démocratie au niveau local : les habitants de chaque village ou ville élisaient une sorte de maire, qui choisissait à son tour une sorte de police municipale pour maintenir l'ordre (ou ne s'en donnait même pas la peine, car il y avait très peu de délits. D'ailleurs, je n'avais pas remarqué de police dans les rues de Thuhn jusqu'à présent).

Les chefs de toutes les familles nobles, les maires et hommes influents constituaient une sorte de parlement qui se réunissait irrégulièrement pour conseiller éventuellement le monarque, mais, en réalité, tout reposait entre les mains de ce dernier et de ceux qu'il avait nommés. Tout citoyen du royaume pouvait faire appel au monarque s'il estimait avoir été victime d'une injustice. Suvinder prenait sa mission très au sérieux, même si, selon l'avis de Jungeatai Rhumde, les gens avaient tendance à abuser de sa bonne nature. Personnellement, il avait suggéré la création d'un genre de cour suprême, mais le prince préférait s'en tenir à l'ancien système.

— Non, faut pas déconner, c'est vraiment des gens sympa. Remarquez bien, il ne faut pas compter sur eux non plus ! s'exclama Rich, un ingénieur australien, en s'esclaffant. Certains ne sont pas d'accord, mais moi je trouve que leur attitude envers la vie est au poil. Évidemment, c'est parce qu'ils pensent être réincarnés dans une autre vie. Vous êtes au courant ?

J'acquiesçai en souriant.

— Pourquoi porter un casque de chantier si Dieu veille sur vous et vous offre une chouette petite vie au

297

prochain tour ? En revanche, ce sont de sacrés bons travailleurs. Savent pas s'arrêter !

Nouveau tour de salle. Michel était un médecin français, du genre beau ténébreux, un de ces mecs qui ne font aucun effort pour séduire ou draguer – mis à part la vérification constante de l'état de leur brushing. Il était un peu pincé, mais me fournit un bon compte rendu de la situation sanitaire de Thulahn : en résumé, une médecine assez primitive avec un taux de mortalité infantile plutôt élevé, de piètres soins pré- et postnataux dans les villages éloignés, des épidémies de grippe dévastatrices, un peu de malnutrition, des cas de cécité qu'on aurait facilement pu prévenir ou guérir, des goitres et carences alimentaires dans les vallées, où se faisait sentir un manque de minéraux et de vitamines. Mais on n'y tuait pas les bébés filles et les cas de sida y étaient presque inexistants.

Sur cette note négative assez positive, le charmant docteur me fit des avances, mais d'une façon distraite et blasée, sans doute parce que les femmes lui tombaient si facilement dans les bras qu'aucun effort n'était nécessaire. Ou alors parce qu'il avait trop peur d'un refus pour y mettre une quelconque conviction.

Je lui fis le coup de la leçon de latin : je déclinai son offre.

Pins argentés et pins sylvestres, chênes à feuilles piquantes, sapins-ciguës et cèdres argentés, genièvres arborescents occupaient les fissures où s'était accumulé un peu d'humus. Le dernier spécimen rabougri, couché par le vent, brûlé par les gelées, réussissait tout juste à survivre et s'accrochait encore à la vie, dernier représentant de son espèce, à cinq mille mètres d'altitude.

— Nous formons une société pluraliste. Nous respectons les croyances de nos frères et sœurs hindous. Les bouddhistes ne s'estiment pas en compétition avec les autres religions. Tout comme le judaïsme, la foi hindoue est un ensemble de règles anciennes selon lesquelles on doit organiser sa vie et ses réflexions. Notre religion est plus jeune et incarne une génération de pensée différente, greffée sur un ensemble de traditions très anciennes dont on a tiré les leçons et que l'on respecte. Les Occidentaux ont tendance à considérer le bouddhisme plutôt comme une philosophie, d'ailleurs.

— C'est exact. J'ai même des amis bouddhistes en Californie.

— Vraiment ? Quelle coïncidence ! Est-ce que vous connaissez...

Je souris. Nous échangeâmes quelques noms mais, ainsi qu'il fallait s'y attendre, sans trouver de contacts communs.

Sahair Beies était « rimpoche », autrement dit supérieur du monastère Bhaçiwair, le plus important du pays, que j'avais aperçu de loin, accroché aux parois rocheuses au-dessus du vieux palais, à quelques kilomètres de Thuhn. C'était un homme frêle au crâne rasé, sans doute d'un âge avancé mais difficile à déterminer, vêtu d'une longue robe jaune safran très vif. Il portait de petites lunettes rondes à monture métallique derrière lesquelles pétillait un regard intelligent.

— Vous êtes chrétienne, Ms Telman ?

— Non.

— Juive, alors ? J'ai remarqué que beaucoup de gens au nom en « man » sont juifs.

Je secouai la tête.

— Athée pratiquante.

Le rimpoche hocha la tête, songeur.

— Une voie bien exigeante, j'imagine. J'ai demandé

un jour à un de vos compatriotes ce qu'il était, et il m'a répondu : « Fervent capitaliste. »

Et il éclata de rire.

— C'est une race prolifique chez vous. Certains l'admettent plus ou moins ouvertement. Ils considèrent leur vie comme une course aux acquisitions. Celui qui meurt en ayant accumulé le plus grand nombre de jouets a gagné. Typiquement masculin.

— Ce même homme m'a fait une conférence sur la nature dynamique de l'Occident, et des États-Unis en particulier. Tout à fait lumineux.

— Mais il n'a pourtant pas réussi à vous persuader d'aller vous installer à New York pour devenir spéculateur ou courtier en Bourse, n'est-ce pas ?

Il éclata de rire.

— Et les autres religions ? poursuivis-je. Est-ce qu'il vous arrive de voir débarquer des mormons ou des témoins de Jéhovah par ici ?

J'eus soudain la vision comique de deux guignols en costume de polyester, aux chaussures bien cirées, couverts de neige et frigorifiés, frappant à la haute porte d'un lointain monastère.

— Très rarement. (Il réfléchit.) En général, le temps qu'ils arrivent jusqu'à nous, ils ont déjà… évolué. (Ses yeux s'agrandirent un peu.) Mais je trouve les physiciens bien plus intéressants. J'ai eu l'occasion de parler à certains professeurs américains et indiens, lauréats du prix Nobel, et j'ai été frappé de voir que nous étions, si j'ose dire, sur la même longueur d'onde à bien des points de vue.

— Ah, la physique ! C'est la foi de nos brahmanes à nous.

— Vous croyez ?

— Je crois que bon nombre de gens vivent comme si cela était vrai, même s'ils n'en ont pas conscience. Pour nous, la science est une religion qui réussit. Les autres religions promettent des miracles, mais c'est la science qui les réalise vraiment, grâce à la technologie : remplacer un cœur malade, parler à des gens qui sont à l'autre bout du monde ; aller sur d'autres planètes, déterminer l'âge de l'univers. Nous accomplissons un acte de foi chaque fois que nous appuyons sur un bouton électrique ou montons dans un avion.

— Eh bien, tout cela est très intéressant, mais je préfère mon idée du nirvana.

— Comme vous l'avez dit, cette voie est bien exigeante, à la réflexion.

— Un de vos professeurs américains a déclaré que pour étudier la religion il suffit de connaître l'esprit humain, alors que pour connaître l'esprit de Dieu il faut étudier la physique.

— Voilà qui me semble familier. J'ai dû lire un jour ce livre, moi aussi.

Le rimpoche se mordilla la lèvre inférieure.

— Je crois que j'ai fini par comprendre ce qu'il entendait par là. Mais, sur le moment, je n'ai pas pu lui expliquer que les pensées ou les phénomènes que nous essayons d'expliquer par la physique sont probablement... secondaires par rapport à l'accession à l'illumination. C'est un peu comme le résultat d'une de ces expériences qui utilisent de hautes énergies pour prouver que des forces apparemment différentes sont en fait les mêmes. Vous voyez ce que je veux dire ? Ayant atteint le nirvana, on se rendra peut-être compte que la conduite humaine et les lois physiques les plus mystérieuses sont, en réalité, de la même essence.

Il me fallut un moment pour digérer tout cela. Après quoi, je m'écartai d'un pas pour lui lancer :

— Eh bien, dites-moi, on ne s'improvise pas lama du jour au lendemain !

Les yeux du rimpoche étincelèrent, puis il se mit à rire modestement, la bouche cachée derrière sa main.

Parmi eux et au-dessus d'eux, des pigeons des neiges, des nectariniidés, des corbeaux à long bec, des barbus, des chocards, des fauvettes, des sibias, des grandalas, des accenteurs alpins, des vautours griffons et des tragopans thulahnais sautillaient, planaient, voltigeaient, tournoyaient et plongeaient en piqué.

En revenant des toilettes, je croisai la petite dame d'honneur du vieux palais, à qui j'adressai un sourire et un bref salut de la tête. Puis j'aperçus Josh Levitsen qui s'éclipsait sur un des balcons dominant la ville obscure. Je le suivis. Il se tenait près de la rambarde de pierre, vacillant, les mains en corolle autour du Zippo qu'il essayait d'allumer. La flamme finit par jaillir, éclairant son visage d'une lueur jaune. Il leva les yeux en m'entendant approcher.

— Hé, Ms Telman, tu risques d'attraper une sacrée crève par ici, tu sais ! Jolie robe. Je te l'ai peut-être déjà dit ? T'es assez bandante, si tu me passes l'expression. Une taffe ? La nuit est encore jeune, le moment est idéal pour un petit joint, non ?

— D'accord.

Nous étions penchés sur la rambarde de pierre. Il faisait vraiment froid, mais au moins il n'y avait pas de vent. Je sentis les poils de mes bras se hérisser et la chair de poule m'envahir. L'herbe était plutôt corsée. Je retins ma respiration un instant, mais finis par exhaler dans une quinte de toux. Je rendis à Levitsen son joint maigrelet.

— Pas mal, ce shit. Produit local ?

— Le meilleur de Thulahn. Chaque paquet porte un certificat sanitaire du ministère de la Santé.

— Ils en exportent beaucoup ? demandai-je. Je n'ai jamais entendu parler d'herbe thulahnaise.

— Moi non plus. Destinée à la consommation locale uniquement. (Il examina le joint avant de me le tendre à nouveau.) Tant mieux ! Sinon les prix augmenteraient !

On a fumé un moment, sans prononcer une parole.

— On dit qu'ils cultivent le pavot à opium, dans les vallées du bas, c'est vrai ?

— Ouais, un peu, pour l'exportation, mais trois fois rien…

Il aspira la fumée et ajouta en me passant le joint :

— … comparé à d'autres pays. J'en ai essayé, une fois, dit-il en reprenant une bouffée d'air ; puis il sourit et secoua la tête en laissant échapper un nuage de fumée odorante. Mais une fois seulement. Génial ! Vachement trop génial !

Je frissonnai.

— Je comprends. De la modération en toutes choses. Tiens !

— Tout à fait d'accord ! Merci !

Silence. Puis il reprit :

— Qu'est-ce que tu regardes ?

— Est-ce qu'on voit le vieux palais d'ici ?

— *Niet*. Caché par la courbe de la vallée. Et bien plus haut.

— C'est vrai. (Silence.) La brise se lève, on dirait ?

— Ouais. Pas grave tant que le vent ne tourne pas à l'est.

— Comment ?

— Rien.

Silence.

— Bon sang, quelles étoiles !

— Cool, non ? Hé, t'as l'air gelée !

303

— On se caille vachement !

— Vaudrait mieux rentrer, Kathryn, les gens vont se demander...

— En effet... Bonté divine, j'ai vraiment les dents qui claquent ! J'ai toujours cru que c'était seulement une façon de parler.

Un martini-vodka bien tassé me parut atténuer les effets du joint. Ce n'était sans doute qu'une illusion, mais j'avais besoin d'un remontant. Désormais incapable de contrôler la netteté de mon élocution ou le niveau intellectuel de ma conversation, je décidai prudemment de me mettre en mode d'expression minimale. Je circulai donc un moment de groupe en groupe, me contentant de rester en périphérie, d'écouter les conversations, de hocher la tête d'un air entendu ou complice aux péroraisons des autres invités. Je faillis me faire harponner une seconde fois par cet emmerdeur d'Autrichien, l'homme à l'usine, mais alors que je m'esquivais je tombai sur le prince.

— Kathryn, j'espère que vous vous amusez bien !

— Comme une petite folle, Suvinder ! C'est dingue, cette soirée ! Et vous, mon petit prince ?

« Eh bien, Kathryn, passée en mode d'expression nunuche, on dirait ? Tu ne peux pas la fermer, petite gourde ? »

— Ah, ah, ah ! Vous êtes trop drôle, Kathryn ! Oh oui, je suis vraiment heureux d'être rentré ! Et j'apprécie beaucoup cette soirée. Maintenant, écoutez, comme je vous l'ai déjà dit, j'aimerais beaucoup vous faire découvrir mon pays. Langtuhn Hemblu meurt d'envie de faire une excursion en 4 × 4. Il nous faudrait probablement une semaine. Le pays est d'une telle beauté, Kathryn ! Est-ce que vous pouvez nous accorder ce temps-là ? (Suvinder joignit les mains en une sorte de prière.) Oh, je vous en prie. Dites oui !

— Eh bien, pourquoi pas, que diable ! m'entendis-je répondre.

« Merde, elle devait vraiment être forte, cette herbe ! »

— Vous êtes extraordinaire, Kathryn ! Vous me rendez si heureux !

Suvinder s'approcha de moi, sembla vouloir prendre mon visage dans ses mains, puis se ravisa, et saisit seulement mes deux mains – qui avaient eu le temps de dégeler – pour les secouer avec une telle force que je me remis presque à claquer des dents.

Cette nuit-là, je dormis comme un bébé. J'avais cru un moment ne pas la finir seule – il y avait un certain nombre de beaux mecs tout à fait consommables parmi les invités, la convivialité et l'ambiance générale s'y prêtaient, et je me sentais agréablement réceptive et plaisamment disposée à l'égard de l'espèce masculine en général, ce qui aide toujours… Mais au bout du compte, eh bien, j'imagine que je me suis sentie tout simplement trop fatiguée pour ça. La soirée avait été très agréable, j'avais rencontré des tas de gens dont la majorité était des gens intéressants, j'avais pu rassembler pas mal d'informations et, en gros, je m'étais bien amusée.

Je ne regrettais même pas d'avoir accepté cette offre de balade en compagnie du prince. Dans le froid du petit matin blême, je jugerais sans doute avoir fait une erreur. Mais pas maintenant. Ou, du moins, pas tout de suite.

Là encore vivait toute une palette colorée d'animaux, invisibles la plupart du temps : langurs gris, pandas rouges, mouflons bleus, ours noirs et fouines à gorge jaune, dont la présence – comme celle des léopards, des tahrs, des gorals, des daims musqués, des muntjacs, des pikas et des antilopes qui se partageaient la montagne –

était signalée seulement par les traces de leurs déjections, de leurs pas, ou par leurs ossements.

Je visitai avec le prince les villes de Joitem, Khruhset, Sangamanu, Kamalu et Gerrosakain. Langtuhn Hemblu fit lentement avancer le vieux Land Cruiser dans des douzaines de villages aux maisons entassées. Les gens s'arrêtaient, nous souriaient et nous saluaient respectueusement. Les enfants s'enfuyaient en riant, les chèvres détalaient en boitillant, les moutons s'écartaient avec indifférence et les poules se contentaient de picorer au milieu des détritus. Nous prîmes le thé dans les ruines du grand monastère de Trisuhl.

Dans les vallées les plus basses fleurissaient d'épais buissons de rhododendrons aux feuilles vernies d'un vert si sombre qu'il semblait noir. Ces vallées gardaient les traces d'anciennes forêts dont ne subsistaient que quelques bosquets d'essences mixtes, des arbres nichés dans les plis des collines ou perchés sur les pentes les plus raides. À la place des forêts, des fermes s'étaient installées dans les vallonnements, avec des terrasses qui serpentaient au flanc de la montagne et matérialisaient chaque courbe de niveau.

Parents, nobles, personnalités religieuses et fonctionnaires venaient saluer le prince en affichant une gamme de réactions qui allaient de l'affection polie, la retenue respectueuse et l'amitié toute simple à la joie sans mélange. Pas de grandes foules brandissant le drapeau national et hurlant d'enthousiasme. Et pas non plus d'anarchistes encagoulés prêts à jeter des bombes. Seulement des mains qui s'agitaient et des sourires.

Visite d'un hôpital – propre mais assez rudimentaire, avec un seul bâtiment et un grand nombre de lits et de chambres, et dépourvu de tout cet équipement sophistiqué que bon nombre d'Occidentaux associent à la médecine hospitalière – où Suvinder distribua de petits cadeaux aux malades. Ma santé florissante me fit presque honte, comme si ma constitution robuste et mon teint frais étaient une insulte à ces pauvres malades.

Nous avons fait le tour de deux écoles, ce qui fut beaucoup plus amusant, visité le marché aux yaks de Kamalu, assisté à un mariage hindou près de Gerrosakain et à des funérailles bouddhistes à Khruhset.

Nous avons fait aussi de courtes balades à pied dans les montagnes pour atteindre des cascades à moitié gelées et des fortins abandonnés, ou pour rendre visite à des moines aussi vénérables et pittoresques que leurs monastères. Dans le bas des vallées, il nous fallut emprunter des ponts aux structures métalliques tressées comme de l'osier qui enjambaient les eaux laiteuses et bouillonnantes des torrents. S'aidant de deux grands bâtons de marche, le prince gravissait les sentiers en soufflant et suant abondamment – ce dont il s'excusait fort – mais il parvenait quand même au sommet sans que nous ayons besoin de nous arrêter pour l'attendre. Langtuhn, chargé du pique-nique et de tout le barda nécessaire, ne m'autorisa jamais à porter autre chose que mes jumelles et l'appareil photo que j'avais acheté à Joitem. Je m'estimais bien heureuse d'arriver à suivre le rythme de Langtuhn, qui était pourtant lourdement chargé et plus âgé que nous, mais qui, je pense, s'astreignait volontairement à ralentir son allure pour ne pas nous démoraliser.

Ce fut au cours de l'une de ces marches que je perdis la petite fleur artificielle que Dulsung m'avait donnée.

Comme casse-croûte, nous avions des *kkatjats*. C'est fou ce qu'on a pu grignoter comme *kkatjats* ! Des crêpes aussi, d'ailleurs. *Jherdu* était de la farine de millet rôtie et *pi'kho* de la farine de blé rôtie. J'avais bien potassé mon guide et savais maintenant que village se disait *pha*, aubergiste *thakle*, corbeau *kug*, mort *muhr*, ce genre de choses. Certains mots étaient faciles à retenir car ils ressemblaient à leurs équivalents anglais, indiens ou népalais, des mots comme *thay* pour thé, ou roupie, la monnaie locale, et *namst*, la forme courante de « salut ».

Notre hébergement se fit dans deux grandes demeures thulahnaises (l'une bien chauffée et peu sympathique, l'autre exactement l'inverse), dans une auberge-refuge propriété du gouvernement (spartiate, mais chambres vastes, avec un hamac *molletonné*, s'il vous plaît, où je dormis remarquablement bien), au Grand Hôtel de Gerrosakain, qui faisait salon de thé, gîte d'étape et auberge de jeunesse (enseigne impressionnante, mais confort minimaliste), et dans un monastère où l'on m'obligea à dormir dans une sorte d'annexe accrochée au flanc des murs parce que j'étais une femme.

À ma grande surprise, et à mon grand soulagement, Suvinder se comporta en véritable gentleman : aucune tentative de flirt, pas de main baladeuse s'égarant sur mes genoux, pas de petits coups discrets frappés à ma porte vers minuit. Autrement dit, l'un dans l'autre, des vacances très reposantes, dans le genre relaxation agréablement fatigante. J'avais délibérément laissé à Thuhn mon ordinateur portable et mes deux téléphones (de toute façon, l'un d'eux était absolument inutilisable dans ces montagnes). J'avais l'impression d'être en congé sabbatique. Ou quelque chose comme ça. En tout cas, je me sentais bien. Je pensais parfois à Stephen, sortais ces deux disques que j'avais toujours avec moi, le CD-Rom avec les projets du Business concernant Thulahn, et le disque DVD prouvant l'infidélité de la femme de mon bien-aimé. Je les tenais dans la lumière et regardais chatoyer les couleurs irisées de leur surface avant de les remettre dans ma poche.

« Peut-être, me disais-je, peut-être la situation sera-t-elle différente à mon retour à Thuhn. Je passerai quelques coups de fil, relèverai mon courrier électronique et découvrirai que Stephen a appris l'infidélité de sa femme. Emma aura emmené les enfants et il sera déjà dans les airs, en route pour Thulahn, vers l'oubli ! Et le Business aura soudain découvert une autre terre à acheter, un endroit encore plus intéressant, et filera quelques millions de dollars à Thulahn en guise de dédommagements. »

M'être tenue éloignée du moindre contact électronique, même si peu de jours, semblait rendre possible chacun de ces scénarios, comme si tout changement de cap dans ma vie se trouvait habituellement court-circuité en permanence par les coups de téléphone que je donnais ou les mails que je recevais. Mais que je m'absente un moment, et toute cette énergie négative se déchargerait et permettrait au courant de circuler, pulvérisant tous les problèmes et rétablissant la lumière.

Enfin, espérer est toujours plus facile que réfléchir !

Le prince et moi passâmes deux soirées à bavarder tard dans la nuit en dégustant quelques whiskys. Il évoqua la réforme, projetée de longue date, vers une monarchie constitutionnelle, et le besoin de meilleures routes, de nouvelles écoles, de davantage d'hôpitaux. Il me parla de son amour pour Paris et pour Londres, de son affection pour l'oncle Freddy, et de tout ce qui changerait fatalement lorsque le Business viendrait prendre possession de son pays, ce qu'il semblait considérer comme inévitable.

— C'est un pacte avec Méphistophélès, me dit-il tristement en contemplant le feu qui crépitait dans la cheminée de l'auberge.

Tout le monde était parti se coucher et nous étions

seuls dans le salon, avec une carafe remplie de ce breuvage à goût de tourbe venu d'Islay.

— Eh bien, puisque vous envisagiez ce passage à la démocratie constitutionnelle, vous ne perdez pas tant que ça, finalement. En un sens, vous y gagnez presque. Le Business préférera sans doute traiter avec un seul souverain plutôt qu'avec une assemblée de politiciens. Au bout du compte, le pays peut rester aussi... (J'essayai de trouver un mot plus neutre, mais la journée avait été longue et j'étais fatiguée.) ... conservateur que vous le voudrez, ça leur conviendra parfaitement. Quant aux exigences de réformes, je suis sûre qu'ils s'arrangeront pour étouffer l'affaire, à coups d'investissements ou de pots-de-vin. Vous devriez plutôt l'envisager comme un renforcement de votre position, Suvinder !

— Je ne parlais pas de moi, Kathryn, répondit-il en faisant tourner le whisky dans son verre, mais de mon pays. De mon peuple.

— Oh, je vois. (Je me sentais vraiment minable.) Vous voulez dire que votre peuple n'aura pas le choix ?

— Oui. Et je ne peux même pas les prévenir de ce qui risque d'arriver.

— Qui est au courant ?

— Le cabinet. Le rimpoche Beies en a une vague idée. Ma mère en a eu vent, elle aussi, je ne sais pas trop comment.

— Qu'en pensent-ils ?

— Mes ministres sont enthousiastes. Le rimpoche est... hum... indifférent n'est pas le mot. Disons serein, quoi qu'il arrive. Ma mère n'en a qu'une idée très floue, mais affiche un mépris total pour l'ensemble du projet. Comme je pouvais m'y attendre, d'ailleurs.

Il soupira.

— Mais c'est une mère, observai-je. Et toutes les mères souhaitent ce qu'il y a de mieux pour leurs fils !

— Hum, fit le prince en vidant son verre ; puis il l'inspecta et parut surpris de le trouver vide. Je crois que je vais reprendre un peu de whisky. Est-ce que vous en voulez aussi, Kathryn ?

— Une goutte. Très peu… Non, c'est trop. Tant pis.

— Je crois qu'elle me blâme pour tout, déclara-t-il d'un ton lugubre.

— Votre mère ? Pourquoi ?

— Pour tout.

— Pour tout ?

— Oui, pour tout.

— Comme, par exemple, la Seconde Guerre mondiale ? Le réchauffement de la planète ? Les évangélistes à la télé ? Le dernier single d'Achey Breakey Heart ?

— Ha, ha. Non. Elle me reproche de ne pas m'être remarié.

— Ah bon.

Nous n'avions encore jamais évoqué, même en passant, le bref mariage du prince avec une princesse népalaise morte dans un accident d'hélicoptère, il y a vingt ans.

— Eh bien, poursuivis-je, chacun a besoin d'un temps de deuil et parfois ce deuil prend du temps.

« Bravo les clichés, pensai-je. Mais il y a des banalités incontournables. J'ai lu un jour que Ludwig Wittgenstein était incapable de tenir une conversation courante, de parler pour ne rien dire. Quelle horreur ! »

Suvinder fixa les flammes.

— J'attendais de rencontrer la femme de ma vie.

— Allons donc, prince ! Votre mère ne peut pas vous en vouloir pour ça !

— Je crois que les mères ont leur propre conception du péché originel, Kathryn, remarqua-t-il en soupirant. Pour elles, on est coupable. (Il lança un regard vers la porte.) Je m'attends toujours à la voir apparaître sur le seuil. N'importe où. Chaque fois que je suis à Thulahn et même parfois très loin de là, je m'attends à la voir arriver pour me sermonner.

— Allons, elle me semble clouée au lit pour de bon, Suvinder !

— Oui, je sais, dit-il avec un frisson. Voilà pourquoi c'est si effrayant.

En fait, il me toucha ce soir-là, mais à la manière d'un ami ou d'un compagnon. Il me prit simplement le bras alors que nous regagnions nos chambres respectives. Aucune tentative pour m'embrasser ni rien de la sorte. Je préférais car j'avais déjà à affronter ce putain de hamac, qui se révéla d'ailleurs étonnamment confortable, à l'usage.

Le lendemain fut le dernier jour du voyage. On reprit la route en direction de Thuhn par une belle journée de froid sec et on fit un pique-nique dans les ruines du vieux monastère de Trisuhl.

Langtuhn déballa la petite table et les chaises, mit le couvert, disposa la nourriture et prépara une théière d'Earl Grey. Puis il s'éclipsa afin d'aller rendre visite à un membre de sa famille qui vivait près de là.

Les arbres qui avaient envahi l'enceinte vide agitaient leur cime en bruissant dans la brise légère. Des pinsons et des queues-rousses sautillaient et pépiaient autour de nous, acceptant presque les miettes de ma main. Le cri des chocards se répercutait en écho contre la carcasse des vieux murs.

Suvinder bavarda un moment et renversa même un peu de thé sur la table, ce qui ne lui ressemblait pas. Je me sentais sereine et en totale harmonie avec le monde. J'éprouvais des sentiments contrastés à l'idée de regagner Thuhn : certes, j'étais heureuse de retrouver mes mails et mes téléphones, mais si l'occasion s'était présentée, je n'aurais pas refusé de prolonger ma visite de Thulahn. Enfin, tant pis : le pays n'était pas vaste et il n'y avait sans doute plus grand-chose à voir. Et puis je devais déjà m'estimer heureuse d'avoir pu bénéficier de l'attention exclusive d'un homme aussi demandé et occupé que le prince.

C'était le moment de mettre en pratique les principes de Mrs Telman, ce qu'elle m'avait confié dans la chambre d'hôtel de Vevey, ce fameux soir : il fallait savoir apprécier les choses quand elles se présentaient, profiter de l'instant, prendre conscience de son bonheur.

— Kathryn, dit le prince en posant sa tasse de thé.

Curieusement, je sentis que le ton était devenu plus officiel. J'abandonnai les petits oiseaux et me redressai sur mon siège. Engoncés dans nos anoraks, nous étions assis face à face.

— Votre Altesse, répondis-je en posant mes mains jointes sur la table.

Il sembla s'adresser à elles plutôt qu'à mon visage.

— Est-ce que ces quelques jours vous ont plu ?

— Énormément, prince. Ils compteront parmi les meilleures vacances de ma vie.

Il leva les yeux vers moi, illuminé.

— Vraiment, Kathryn ?

— Mais bien sûr, Suvinder. Et vous ?

— Pardon ?

— Est-ce que notre balade vous a plu ?

— Naturellement !

— Eh bien, un triple hourra pour tous les deux !

— Oui, oui. (Il fixa de nouveau mes mains.) Mais vous avez été heureuse de ma compagnie, j'espère.

— Très heureuse, prince. Vous avez été un hôte parfait. Je vous suis très reconnaissante de m'avoir consacré tout ce temps. Je me sens... privilégiée. J'espère que vos sujets ne m'en voudront pas de vous avoir accaparé si longtemps ?

Il agita la main avec désinvolture.

— Parfait, parfait, je suis heureux de l'apprendre. Très heureux. Kathryn, je… (Le visage crispé d'exaspération, Suvinder poussa un profond soupir avant de plaquer les deux mains sur la table.) Oh, je n'y arriverai jamais. Autant vous dire les choses carrément.

Puis il me regarda droit dans les yeux. Et moi, grosse bécasse, je jure qu'à ce moment-là encore je n'avais absolument aucune idée de ce qui allait suivre.

— Kathryn, déclara-t-il. Voulez-vous m'épouser ?

J'écarquillai les yeux.

— Si je veux… vous…, bégayai-je. Vous êtes sérieux ?

— Bien sûr que oui, couina le prince avant de reprendre d'une voix posée : Oui, parfaitement sérieux.

— Oh… je… Suvinder… Prince…

Il essaya de capter mon regard.

— Ah, mon Dieu, cela vous étonne donc à ce point ?

J'acquiesçai.

— Oui, totalement, fis-je en déglutissant.

— Je me suis complètement ridiculisé, alors ? murmura-t-il en baissant les yeux.

— Prince, je…

Il me fallut reprendre mon souffle. Comment une femme peut-elle dire, sans ambiguïté et avec tact, à un homme qu'elle a fini par apprécier – et même par aimer beaucoup – qu'elle n'est pas amoureuse de lui et que non, décidément non, il est hors de question pour elle de l'épouser ?

— Mais non, prince, vous ne vous êtes pas rendu ridicule, bien sûr que non. Et je suis très très flattée que vous…

Il pivota sur son siège, croisa bras et jambes, et se mit à examiner le ciel. Je me souvins de son coup de téléphone éméché au milieu de la nuit, à Blysecrag.

— Oh, prince, ajoutai-je. Je sais que vous avez déjà entendu ces mots, que d'autres les ont déjà utilisés. Mais je suis sincère. Je n'essaie pas seulement d'être gentille. Je vous aime beaucoup et je sais que vous avez dû… Mais j'y pense : vous ne pouvez pas épouser une roturière, non ?

— Je peux épouser qui je veux, répliqua-t-il d'un ton boudeur en grattant une tache invisible sur la nappe. Ma mère et tous les autres peuvent aller au diable. La tradition dit que je dois épouser une princesse ou quelqu'un de rang équivalent. Mais cela ne repose que sur des précédents, à une époque où il y avait abondance de princesses. Nous sommes au XXe siècle, bon sang ! Bientôt au XXIe siècle ! Je suis assez populaire, j'ai pris la précaution, même si cela me déplaisait, de sonder mon entourage à votre égard. Les gens vous aiment bien. Mes ministres aussi. Vous avez fait une forte impression sur le rimpoche Beies, qui pense que nous serions très heureux tous les deux. Cette union serait donc très populaire. (Il soupira.) Mais j'aurais dû m'en douter…

— Attendez, ils sont au courant ?

— Bien sûr ! Enfin, pas les gens du peuple. Mais je l'ai dit aux membres de mon cabinet quand nous étions dans l'avion pour Thuhn, et au rimpoche avant la réception, l'autre soir.

— Oh, Seigneur !

Je me calai sur mon siège, anéantie. Je me rappelais leurs courbettes, leurs sourires, leurs petits hochements de tête. Ce n'étaient pas des marques de sympathie. Ils m'évaluaient !

— Et votre mère ?

— Elle, je l'ai gardée pour plus tard, avoua Suvinder.

Un doute affreux commença à m'envahir.

— Qui d'autre est au courant ? demandai-je en essayant de contrôler le ton de ma voix.

Il se tourna vers moi.

— Quelques autres, pas beaucoup. Des gens discrets. (Sa voix semblait presque amère, maintenant.) Pourquoi ? Vous avez honte ? Honte que je vous aie demandée en mariage ?

— Je vous ai déjà dit que j'étais flattée et je le maintiens. Mais je voulais parler des gens du Business. Ils sont au courant ?

— Un ou deux, admit-il, sur la défensive. Un ou deux savaient que je... que je pouvais peut-être...

Sa voix faiblit.

Je me redressai brusquement.

— Alors, c'était un coup monté, hein ?

Il se leva lui aussi, essaya de saisir mes mains et laissa tomber sa serviette dans son élan.

— Oh, Kathryn, vous n'allez pas croire ça ! s'écria-t-il.

Je retirai brutalement mes mains.

— Mais non, pas par vous, par le Business, idiot !

Il me regarda, ahuri et blessé.

— Qu'est-ce que vous voulez dire ?

Debout devant lui, je scrutai avec attention ses yeux. Des tas de pensées jaillirent dans ma tête, des pensées pas très agréables, certaines même carrément paranoïaques. Sans doute ce qu'on appelle couramment « faire tilt » !

— Prince, finis-je par déclarer. Est-ce que ce ne serait pas une façon pour le Business de s'assurer la possession de Thulahn ? En vous poussant à m'épouser ? Est-ce qu'ils l'ont suggéré ? L'un d'entre eux – Jeb Dessous, Cholongai, Hazleton – n'aurait-il pas, par hasard, insinué que ce serait une bonne idée ?

Suvinder semblait au bord des larmes.

— Eh bien, pas…

— Pas d'une façon aussi explicite, peut-être ? lui soufflai-je.

— Je crois qu'ils savent que je… que j'éprouve certains sentiments très forts à votre égard, oui. Mais je n'ai pas… et ils n'ont pas…

Je crois avoir rarement vu un homme aussi misérable. Parfois, il faut savoir faire confiance à ses intuitions. Je lui tendis la main.

— Suvinder, je suis désolée d'avoir à répondre non. Je vous aime bien et j'espère que vous resterez mon ami. Je suis persuadée que votre offre était sincère et qu'elle n'était dictée que par vos sentiments. Je regrette de vous avoir traité d'idiot.

Ses yeux scintillaient en me regardant. Il m'adressa un petit sourire pitoyable puis baissa la tête jusqu'à ce que je ne puisse plus voir ses yeux.

— Désolé de ne pas avoir protesté quand vous l'avez fait, bredouilla Suvinder en s'adressant à la table.

Je regardai la nappe immédiatement sous son ombre. Je vis clairement une petite goutte s'y écraser et déposer une tache sombre qui s'élargit. Le prince s'écarta en reniflant et tira de sa poche un mouchoir.

— Suvinder ?

— Oui, fit-il sans se retourner pour me regarder, avant de se moucher.

— Je suis vraiment navrée.

Il agita une main et haussa les épaules. Puis il replia avec soin son mouchoir.

— Écoutez, pourquoi ne pas dire aux gens que j'ai demandé un délai de réflexion ? suggérai-je.

Il me sourit tristement.

— Et ça servirait à quoi ?

— Peut-être… Non, vous avez raison, c'est ridicule.

Il revint vers la table, fourra le mouchoir dans sa poche et prit une profonde inspiration tout en se redressant.

— Franchement, regardez où nous en sommes ! J'ai vraiment honte d'avoir gâché un excellent pique-nique et des vacances idylliques !

— Vous n'avez rien gâché du tout, Suvinder, répliquai-je tandis qu'il me présentait ma chaise.

— Tant mieux. Dites, j'ai encore faim. Si on finissait de manger ?

— D'accord !

Au moment de s'asseoir, il hésita.

— Est-ce que je peux ajouter une dernière chose, Kathryn ? Ensuite, je vous promets de ne plus évoquer ce sujet.

— Allez-y !

— Je crois que je vous aime, Kathryn, mais ce n'est pas pour cela que je vous ai demandé de m'épouser.

— Ah, dis-je.

Il fit une pause.

— Je vous ai demandé de m'épouser parce que je pense que vous feriez une épouse merveilleuse, Kathryn. Parce que je me vois bien vivre avec vous pour le restant de mes jours lorsque, peut-être, l'amour, ou un sentiment de ce genre, d'une qualité spéciale et très importante, aura fini par se développer entre nous. Je crois que se marier seulement par passion est un idéal merveilleusement romantique, mais j'en ai vu beaucoup le faire et le regretter. Il existe, bien sûr, des gens qui ont de la chance et pour qui tout se passe de façon idéale. Mais, pour ma part, je n'en ai pas encore rencontré. Dans la majorité des cas, se marier par amour c'est… atteindre un sommet, en quelque sorte. Et on passe le reste de ses jours à descendre la pente. Se marier pour d'autres raisons, en écoutant sa tête et pas seulement son cœur, est un tout autre voyage, qui se fait plutôt en gravissant la pente, poursuivit-il un peu gêné. Mon Dieu, je choisis vraiment mal mes métaphores ! Mais je pense qu'il s'agit d'un voyage permettant d'espérer que tout ira en s'améliorant entre les deux partenaires. (Il éclata de rire en ouvrant les mains.) Et voilà. Mon opinion romantique sur le mariage occidental idéal ! Je n'ai pas réussi à bien formuler mes idées, mais en gros c'est ça. Je m'arrête.

— Vous vous êtes très bien exprimé, Suvinder.

— Ah vraiment ? Oh, alors, parfait ! affirma-t-il en se versant une nouvelle tasse de thé. S'il vous plaît, un autre sandwich ? Il ne faut pas tout donner aux oiseaux.

Même en montant plus haut que Thuhn, en empruntant ces pistes en lacet qui semblaient escalader éternellement les pentes pour atteindre d'autres vallées plus hautes encore, on se trouvait toujours au-dessous de la zone d'habitat de certains animaux : les léopards des neiges qui vivent en permanence au-dessus de la ligne des arbres et les mouflons qui, même en plein hiver, ne descendent jamais au-dessous de quatre mille mètres.

— Tu as fait quoi ? Tu pars dans ce trou perdu de royaume dans l'Himalaya. Le prince te demande en mariage et tu l'envoies promener ? T'es complètement givrée, ma vieille, ou quoi ?

— Évidemment, j'ai refusé : je ne suis pas amoureuse de lui.

— Et après ? Tu aurais dû accepter tout de même. Les filles qui épousent les princes ne courent pas les rues de nos jours ! Pense à tes petits-enfants !

— Je ne veux pas de petits-enfants ! Je ne veux pas d'enfants. Point final.

— Mais si, tu en veux.

319

— Je te dis que non.

— Oh, mais si. On est toutes pareilles.

— Merde, Luce, t'es sourde ou quoi ? Je te dis que non !

— Du pipeau !

— Tu crois que je te mentirais ? Je ne t'ai jamais menti.

— N'exagère pas : tu as certainement dû me mentir. Je suis ta meilleure amie. Pas ton psy.

— Tu es affreuse. Et je n'ai même pas de psy !

— Précisément.

— Qu'est-ce que tu veux dire avec ce « précisément » ?

— Cela prouve précisément que tu en as besoin.

— Quoi ? Ne pas avoir de psy prouve « précisément » qu'il m'en faut un ?

— Oui.

— Luce, tu es complètement folle !

— Oui, mais moi au moins j'ai un psy.

Glissant lentement dans les airs au-dessus d'eux planaient les silhouettes des gypaètes barbus, ces mangeurs d'os qui patrouillaient le ciel dans un vent glacé semblant lacérer les pics de glace.

— Mr Hazleton ?

— Kathryn ?

— Mr Hazleton, je viens de penser à un drôle de truc.

— Drôle ? Qu'est-ce que vous voulez dire ? Je croyais que vous m'appeliez au sujet de Freddy…

— Mr Hazleton, je viens d'être demandé en mariage par le prince. Est-ce que vous pensez que je devrais… Mais, pourquoi me parlez-vous de Freddy ?

— Vous n'êtes pas au courant ? Oh, mon Dieu ! Il a eu un accident de voiture. Il est dans – comment dit-on déjà ? – dans une unité de soins intensifs. Kathryn, je suis navré d'être le porteur de cette mauvaise nouvelle, mais on pense qu'il ne s'en tirera pas. Il vous a réclamée. Mais bien sûr, vu la distance, je me demande si vous arriverez à temps…

Soudain, bizarrement, une des blagues favorites d'oncle Freddy m'est revenue en mémoire. C'est un vieil homme de quatre-vingts ans qui rencontre un de ses copains. « Tu sais la nouvelle ? dit le vieillard. Je sors avec une fille de dix-huit ans et je l'ai mise enceinte ! — Ah ? fait l'ami. Eh bien, moi, l'autre jour en partant à la chasse, j'ai pris mon parapluie au lieu de mon fusil. Arrivé dans la forêt, j'ai aperçu un ours qui fonçait sur moi. J'ai saisi mon parapluie et j'ai appuyé sur la poignée. Et tu sais ce qui s'est passé ? — Non, répond le vieillard interloqué. — Eh bien, l'ours est tombé raide mort à mes pieds ! — Impossible ! s'insurge le vieillard. Quelqu'un a tiré à ta place… — C'est exactement ce que je voulais dire… »

C'était le genre de blague qui avait le don de faire pleurer de rire l'oncle Freddy. Je le voyais encore s'étranglant et se donnant de grandes claques sur les genoux, hilare, plié en deux et hoquetant pour reprendre son souffle.

— Dites-lui que j'arrive, Mr Hazleton.

10

Impossible de rester en place ce soir-là. Jusque tard dans la nuit je m'agitai, donnant des coups de fil, envoyant des mails, essayant de dormir, de ne pas dormir. Suvinder avait paru bouleversé d'apprendre l'accident de Freddy et avait immédiatement donné ordre d'avancer le vol du Twin Otter, qui quitterait Dacca à l'aube et reviendrait un jour plus tôt. Fort heureusement, les prévisions météorologiques s'annonçaient assez clémentes. Le Lear de Tommy Cholongai n'était pas disponible, mais un Gulfstream de la société m'attendrait à Siliguri vers midi.

Ce soir-là, le prince dut rendre visite à sa mère. Je passai donc la soirée seule dans ma chambre, où Mrs Pelumbu, ma petite femme de chambre emmitouflée et bavarde, m'apporta un repas que je touchai à peine.

J'appelai l'hôpital général de Leeds, en Angleterre, où Freddy avait été transporté. Je finis par les convaincre que j'étais bien une parente et aussi la fameuse Kate qu'oncle Freddy réclamait. Il se trouvait en unité de réanimation, comme l'avait dit Hazleton. Un accident de circulation sur l'A64, deux jours auparavant, sous une pluie battante. L'accident avait fait quatre autres blessés, deux légers et deux autres qui avaient regagné leur domicile après quelques soins. Personne ne voulut me renseigner sur la gravité de son état, mais on me conseilla de venir sans tarder si je désirais le voir.

J'appelai ensuite Blysecrag où Miss Heggies me répondit.

— Est-ce que c'est vraiment grave, Miss Heggies ?

— Je... Ils disent... il... vous...

Miss Heggies semblait incapable d'articuler autre chose que des pronoms. J'arrivai à lui arracher quelques bribes d'informations sensées qui me confirmèrent qu'oncle Freddy était vraiment mal en point. En fait, il m'avait suffi d'entendre la voix brisée de celle qui était d'ordinaire l'équilibre domestique incarné, la dame de fer des gouvernantes, pour comprendre qu'il n'y avait plus beaucoup d'espoir. (J'en vins même à me demander si, par hasard, oncle Freddy et elle... mais ce n'était pas le moment d'épiloguer.)

Hello Stephen. Ici Cœur Brisé.

Kathryn. J'ai appris la nouvelle pour Freddy Ferrindonald. Est-ce que tu vas pouvoir revenir rapidement ? Est-ce que je peux faire quelque chose pour t'aider ?

Je pars demain matin. Si le temps le permet. Dis-moi ce qu'on raconte, dans la boîte ? Tu as des détails ?

Ouais. Je savais que tu allais me le demander, alors je me suis renseigné. Il se rendait en bagnole dans un bled à côté, sur la côte. Scarboro, je crois. Le soir. Il pleuvait. Il a dérapé dans un virage. Collision frontale avec un véhicule en sens inverse. Aurait pu s'en tirer sans mal si le tacot qu'il conduisait avait été équipé de ceintures de sécurité. Apparemment, il a traversé le pare-brise et atterri contre un arbre ou des buissons ou un truc de ce genre. Fractures multiples et traumatismes crâniens. On aurait pu le transporter dans un de nos hôpitaux – on avait envoyé une ambulance de la Swissair à l'aéroport le plus proche –, mais il est en trop piteux état pour pouvoir bouger. Kathryn, navré de te le dire, mais d'après ce que j'ai appris ses chances ne sont même pas fiftyfifty. Il te réclame sans arrêt. Miss Heggies fait la gueule primo parce qu'il ne l'a pas demandée, deuzio parce qu'il y a déjà une autre dame à son chevet pour le veiller. La personne qu'il allait voir à Scarboro.

Oncle Freddy avait donc une coquine ? M'étonne pas. Merci d'avoir pris la peine de te renseigner. Il y a quelqu'un sur place que je peux contacter ?

Une certaine Marion Craston, une n-5 de chez GCM, nos avocats. À son chevet, elle aussi. Au cas où il voudrait changer son testament, un truc comme ça. Mais aussi pour représenter la boîte, j'imagine.

Merci. Il y a un numéro où la joindre ?

J'appelai Marion Craston à l'hôpital de Leeds. Son discours alambiqué, typique des avocats, ne m'apprit pas grand-chose. Elle me confirma, en résumé, ce que je savais déjà. La liaison téléphonique était excellente, et je pouvais même l'entendre pianoter sur son clavier de portable tout en me parlant. Je n'ai pas du tout apprécié cette désinvolture.

Après avoir raccroché, j'ai failli téléphoner à GCM (Gallentine Cident Muhel – Londres, Genève, New

York, Tokyo, notre propre firme d'avocats) pour exiger qu'on la remplace. Et puis, je me suis dit que j'étais bouleversée et sans doute un peu trop dure avec elle. Il m'était déjà arrivé de faire comme elle (mais certainement pas lorsque mon interlocuteur était deux ou trois échelons plus haut que moi dans la hiérarchie du Business. J'ai toujours réservé à mes supérieurs une totale attention !) Enfin, au diable tout ça. Il ne fallait pas être aussi sévère.

— Salut, Kate ! Tu veux l'adresse de mon analyste, finalement ?

Je racontai à Luce ce qui était arrivé à oncle Freddy.

— Il existe encore des voitures *sans ceintures* ? Doux Jésus ! Et j'imagine qu'on était en pleine purée de pois – on n'y voit goutte, hein, Mac Duff !

— Cesse de plaisanter. Le pauvre vieux est à l'article de la mort et tu me fais une mauvaise imitation de Dick Van Dyke.

— Bon, ça va. Excuse-moi.

— La voiture est un modèle de collection. Ou l'était. Ce qui explique l'absence de ceinture.

— O.K., je viens de m'excuser ! Arrête de me la jouer Union Jack et honneur national ! Mais pourquoi tient-il tellement à te voir, ce vieux bonhomme ? Vous étiez si proches ?

— Assez, oui. Je pense qu'il me considérait comme sa fille.

— Ouais, une fille très, très proche, genre « Viens voir dans la grange ce que tonton va te montrer ». C'est bien le vieux schnock qui te pelotait dans les coins, non ?

— Si c'est de l'humour californien, tu peux te le garder.

— Kate, tu n'as pas répondu à ma question.

— Écoute, on en a déjà parlé plusieurs fois. Il s'agit de mon oncle Freddy, qui m'a gratifiée d'une tape amicale sur les fesses à l'occasion. Point à la ligne. C'est un vieux bonhomme adorable qui est en train de mourir à douze mille kilomètres de moi, j'ai dix heures d'attente avant même de pouvoir commencer mon voyage de retour, et comme une idiote je t'ai appelée en espérant trouver chez toi un peu de réconfort, mais au lieu de ça...

— D'accord, d'accord ! Du moment que tu es certaine qu'il n'a pas abusé de toi...

— Mais c'est de l'obsession ! Je vais raccrocher.

— Non, c'est toi qui es obsédée ! Allô ? Kate ? Allô ?

Dans mon rêve, au fond de cette nuit froide, le vent d'est soufflait. Mihu, le valet chinois qui ressemblait à Colin Walker, le garde du corps de Hazleton, avait brisé une des fenêtres de la façade est et la reine mère se plaignait d'un courant d'air. On avait dû fermer un des côtés du lit à baldaquin. Cette nuit-là, pendant que la reine dormait, Mihu sortit sur la terrasse, puis revint dans la chambre et ouvrit les portes-fenêtres côté ouest menant à la terrasse (la reine bougea et murmura dans son sommeil sans se réveiller) ; ensuite, sous les yeux de Josh Levitsen et de la petite dame d'honneur qui assistaient au spectacle, Mihu-Walker alla ouvrir les fenêtres est pour laisser entrer le vent.

Le baldaquin se gonfla comme une voile gigantesque, sorte de spinnaker violet qui s'enfla en faisant craquer et plier les montants de bois du lit. La reine mère se réveilla encore groggy au moment où tout le lit s'ébranlait. Les énormes sculptures de bois fixaient la scène de leurs yeux morts ; leurs armures brillantes, déchiquetées en lambeaux de feuilles d'or, s'agitaient et bruissaient sous l'effet des bourrasques balayant la pièce. Un croissant de lune illuminait le ciel sans nuages, braquant son faisceau de lumière sur les rubans d'or qui chuintaient, s'allongeaient, se détachaient et voltigeaient dans l'obscurité de la chambre, comme des confettis de shrapnell.

Le lit s'ébranla sur ses rails. Mihu-Walker, trouvant qu'il ne se déplaçait pas assez vite, posa ses énormes mains sur le cadre et se mit à pousser. Comme auréolé d'un nuage d'étincelles bleu métallisé, le lit gronda et roula dans la nuit. La reine mère hurla en le sentant sortir des rails. Plus rien ne le retenait désormais. Les roues roulaient sur la pierre nue, faisant jaillir une gerbe d'étincelles. Le ciel de lit bouillonna, se replia ; les tentures se tortillèrent, claquèrent et battirent, lacérées par des rafales de vent pailleté d'or. Gagnant de la vitesse, accompagné du hurlement des roues et de la reine, le lit fonça sur le mur de la terrasse, fracassa la rambarde de pierre et bascula, inexorablement, lentement, dans le gouffre noir de la vallée.

Pour une raison inexplicable, Mihu-Walker ne put retirer sa main, qui resta collée au cadre du lit. Alors il plongea avec lui et oncle Freddy, cloué sur le lit par des sangles, des tubes et des fils, poussa un hurlement en s'abîmant dans la nuit.

À ce moment-là, je me réveillai en sueur. Je consultai ma montre : vingt minutes seulement s'étaient écoulées depuis que j'avais vérifié l'heure pour la dernière fois. Ce fut un soulagement de rester éveillée et de passer en revue tous mes sujets d'inquiétude.

Oncle Freddy. Suvinder. Stephen. La femme de Stephen.

Bizarrement – et d'une façon horriblement culpabilisante –, j'étais soulagée d'avoir, au moins, quelque chose à faire maintenant. J'avais déjà éprouvé cette impression lorsque le décès de ma mère avait interrompu mon voyage en Italie et que j'avais dû rentrer seule, en avion.

Mes larmes refusaient de couler et je me sentais anesthé-siée, comme protégée par des couches isolantes qui semblaient même assourdir la voix des gens. Je me rappelle encore le bruit de l'avion au moment où il survolait les crêtes des Alpes couvertes d'un duvet de neige.

J'avais à coup sûr un problème auditif car j'étais devenue sourde. Les hôtesses, pleines de sollicitude à mon égard, devaient me prendre pour une demeurée qui les obligeait à tout répéter plusieurs fois, incapable de saisir ce qu'elles lui disaient. Mes oreilles bourdonnaient, sûrement sous les effets conjugués du bruit des moteurs, du vent sur la carlingue et d'un défaut de pressurisation. Mais l'ensemble agissait comme un isolant qui me proté-geait de la réalité.

À l'époque, bien plus qu'aujourd'hui, on était vrai-ment coupé de tout, dans un avion, alors que maintenant chacun peut téléphoner de son fauteuil. Mais en ce temps-là, une fois en l'air, c'était fini. Mis à part un improbable appel transmis par le poste de pilotage, une fois installé dans votre siège, vous ne risquiez pas d'être dérangé. La durée du vol était une sorte de mise en paren-thèses qui vous donnait la possibilité de vous détacher du quotidien, de prendre une certaine distance avec votre vie ou avec les problèmes terrestres qui vous préoccu-paient à ce moment-là.

Cela expliquait sans doute pourquoi je me sentais si bien dans les avions, pourquoi je les aimais, pourquoi je dormais si paisiblement en avion. Merde alors ! Dire que tout remontait peut-être à ce vol Rome-Glasgow, à ce bourdonnement dans mes oreilles, à ce sentiment curieux et effarant de savoir que j'étais coupée de ma mère à jamais et que je dérivais à présent vers un avenir inconnu ! Je me rappelle ne pas m'être franchement inquiétée – en tout cas, ne pas avoir redouté une seconde que mon père biologique vînt me réclamer pour me ramener à mon mode de vie d'antan –, mais ce qui est sûr, c'est que je me retrouvai comme détachée de tout, persuadée que toutes les options m'étaient ouvertes, que ma vie allait changer et que j'allais changer moi aussi.

Je restai ainsi éveillée la nuit entière, tournant et retournant ces diverses pensées dans ma tête, me demandant si oncle Freddy s'en tirerait, si j'arriverais à temps pour le voir encore en vie ; ce qu'il avait de si important à me dire ; pourquoi il me réclamait avec tant d'insistance, moi et personne d'autre. Devais-je demander à Hazleton d'informer Stephen de la conduite de sa femme ? Le prince, en dépit de ses assurances, n'allait-il pas me haïr d'avoir refusé ses propositions ? Tout cela avait-il été manigancé par le Business de façon à s'assurer une emprise sur Thulahn ? Le peuple de Thulahn avait-il conscience de ce qui était en jeu ? Le méritait-il ? Le souhaitait-il vraiment ?

Mon amour des avions remontait-il à ce vol de retour en catastrophe ? Fallait-il chercher aussi loin, creuser sous ces multiples couches isolantes dont j'avais su protéger ma vie, fouiller ces strates accumulées de relations sociales et professionnelles, promotions et augmentations de salaire, paris gagnés, cartes de crédit flatteuses, voyages en cabine première classe, et même amis et amants que j'avais collectionnés au cours de toutes ces années ? Est-ce que je ne devais pas reconnaître qu'au bout du compte je n'avais pas essayé de me protéger du monde car les gens font partie du monde, mais plutôt de moi-même ?

Une dernière pensée m'agita, avant que je retombe enfin brièvement endormie. Au moins toute cette psychanalyse, cette histoire de lits et d'avions et de sommeil dans les avions m'avait-elle suffisamment fatiguée pour que j'espère bien dormir, sinon dans le Twin

Otter, du moins dans le Gulfstream. Puis, avant même d'avoir eu conscience de m'assoupir, je fus tirée du lit par la sonnerie du réveil, signal qu'il était l'heure de me lever, groggy, mal en point et titubante sous les effets de l'insomnie, et de me diriger, les yeux gonflés, vers la salle de bains.

Je pris une douche tiédasse en écoutant le vent gémir dans le conduit d'aération. Je me mis à gémir moi-même en entendant les bourrasques prendre de la puissance.

Je m'habillai style ethnique – longue veste rouge mate-lassée et pantalon assorti –, puis me rappelai, au moment où j'étais prête, que j'avais eu l'intention de mettre une tenue occidentale. Oh, et puis zut !

Mes bagages avaient déjà été expédiés vers l'aéroport lorsque je fis une dernière inspection de la chambre. Il s'agissait plutôt d'une formalité, car je suis très méticu-leuse lorsque je fais les bagages et je n'oublie jamais rien.

Le petit singe netsuké ! Mon fétiche était resté sur la table de nuit. « Comment ai-je pu t'oublier, *toi* ? » me dis-je en le glissant dans une des poches de ma veste.

Je vis le Twin Otter atterrir d'une manière que je qualifierai de « très spectaculaire », un adjectif dont je me serais bien passée, vu la circonstance. Le prince, tout emmitouflé contre la morsure de la brise, prit ma main gantée dans la sienne. Le vent me faisait larmoyer, ce qui me permit de penser que le prince était lui-même victime du froid et non d'une sentimentalité un peu bébête. Il me demanda :

— Vous reviendrez, Kathryn ?

— Promis, lui dis-je.

Dans le ciel roulaient de gros nuages noirs qui venaient se déchirer en multiples rubans sur les pics des sommets. Un épais tapis de neige cotonneux garnissait les pentes.

Les pilotes pressaient les quelques rares passagers, bien pâlots, de sortir de l'avion, et participaient aux opérations de déchargement, chargement et ravitaillement en fuel. Il y avait peu de monde. Une poussière mêlée de gravier s'élevait du terrain de foot-et-d'atterrissage.

On avait du retard : le vol avait été retenu une heure à Siligūri par la crevaison d'une des roues de l'appareil. J'avais profité de ce délai supplémentaire pour acheter quelques cadeaux – et laisser à la météo le temps de s'aggraver. Quand j'avais appris que l'avion avait pu, finalement, décoller et qu'il était en route pour Thuhn, je m'étais trouvée partagée entre le soulagement et la panique. Au niveau des tripes, c'était tangent. Au niveau du cerveau reptilien, c'était la plus totale confusion.

— Vous me le promettez ?

— Je vous le promets, Suvinder.

— Kathryn, puis-je vous embrasser ?

— Voyons, Suvinder, bien sûr !

Il déposa un baiser sur ma joue. Je le serrai brièvement dans mes bras. Il inclina la tête, tout gêné, tandis que Langtuhn et B. K. Bousande regardaient ostensiblement dans une autre direction, en souriant. Pour mettre un terme à ces minutes embarrassantes, j'eus l'idée de me diriger vers mes petits amis en bonnets pointus qui venaient d'apparaître. Je m'accroupis pour les saluer. La petite Dulsung n'était pas là, mais Graumo, Pokuhm et leurs copains me serrèrent les mains et me caressèrent les joues de leurs doigts poisseux. J'essayai de leur demander où était Dulsung, et ils me mimèrent en vain une réponse qui semblait impliquer une occupation laborieuse et compliquée.

Je fis la distribution des cadeaux que je venais d'acheter. Je remis deux paquets à Graumo en essayant de lui faire comprendre que l'un d'eux était destiné à Dulsung, mais son expression ravie me laissa quelques doutes. Quoi qu'il en soit il s'empressa de disparaître. Je fis signe à Langtuhn, qui arriva avec un grand sac plein de cadeaux peu excitants mais utiles, des crayons, des gommes, des cahiers, des lampes à dynamo, etc. Nous en fîmes la distribution en recommandant aux enfants de tout partager.

Nous venions de terminer et de remettre les derniers présents lorsque Dulsung arriva, hors d'haleine, toute souriante. Elle m'offrit fièrement une de ses petites fleurs en fil de fer et soie, qu'elle venait de confectionner elle-même. Je m'accroupis pour mettre mon visage au niveau du sien et recevoir la fleur que je fixai solidement au revers de ma veste.

Je cherchai Graumo du regard, il avait disparu. Je n'avais plus rien à offrir à Dulsung. Tous les cadeaux avaient été distribués aux enfants. Je fouillai mes poches, à la recherche d'un petit paquet oublié. En tâtant ma veste, je sentis la forme d'un objet, mon singe netsuké ! C'était tout ce qu'il me restait : mon petit singe au visage triste.

Je le sortis de ma poche, le tins un instant entre mes doigts, puis le tendis à Dulsung. La gamine hocha la tête et le prit dans ses deux mains ouvertes. Son visage s'éclaira d'un large sourire et elle me tendit les bras. Toujours accroupie, je la serrai contre moi. Elle tenait le petit singe dans sa main droite et je sentis les formes anguleuses de la statuette contre ma nuque.

On me signala que c'était l'heure de partir. Je partis donc.

Je m'en allai comme j'étais arrivée, seule avec les deux pilotes. Une fois que l'avion eut quitté le sol – et que mon estomac se fut dénoué – je hasardai un regard par le hublot pour essayer d'apercevoir les silhouettes de ceux que j'avais quittés, mais je ne vis plus que de gros nuages noirs lacérés par des rafales de neige.

L'avion finit par atteindre Siliguri, après m'avoir fait vivre des moments terrifiants. Le genre de vol épouvantable où l'on se demande ensuite, ayant vu la mort de si près, si la personne qui débarque est bien la même que celle qui a embarqué quelques heures plus tôt.

J'avais donné mon petit singe fétiche. Quelle idée m'avait donc prise ? Enfin, tant pis. Sur le moment, j'avais cru bien faire. Maintenant aussi, d'ailleurs. Pour commencer, c'était ma faute. S'il se trouvait dans ma veste, c'est parce que j'avais failli l'oublier dans la chambre. Une personne un peu superstitieuse en aurait déduit que la statuette manifestait clairement son désir de rester à Thulahn. Un disciple de Freud aurait dit... Bah, peu importe. Luce m'avait demandé un jour si j'étais freudienne. J'avais répondu non. J'étais seulement une schadenfreudienne [1].

Pendant un des moments particulièrement agités du vol, je m'étais surprise à caresser ma petite fleur en soie sur le revers de ma veste. J'avais failli interrompre mon geste en entendant ma raison me narguer : « Alors, on récite son chapelet, à présent ? » J'avais regardé ma main comme si elle appartenait à quelqu'un d'autre et puis je m'étais rassurée. Non, c'était un geste de gamine, pas de la superstition.

Tu parles d'une différence !

Car si j'avais *vraiment* été superstitieuse, je me serais dit que le petit singe avait décidé de rester à Thulahn, entre les mains d'une nouvelle propriétaire, parce qu'il savait que l'avion allait s'écraser sur une des montagnes.

Là-dessus, le Twin Otter avait plongé à pic dans un trou d'air, une chute brutale à vous décrocher l'estomac.

---

1. Aptitude à se réjouir du malheur d'autrui. *(N.d.T.)*

J'avais empoigné les accoudoirs de mon siège à deux mains. Ouais, quel réconfort !

Ensuite, ç'avait été le vol d'une seule traite en Gulfstream, Siliguri-Leeds-Bradford en un peu plus de huit heures. Aurait pu être plus rapide sans ces vents de face. J'avais cru qu'il y aurait une escale technique, au moins pour refaire le plein, mais non. Les sièges de l'avion, tout en cuir, étaient généreux et confortables ; la cabine doublée d'acajou étincelant, les toilettes équipées de robinets en or sur des vasques en marbre ; à l'avant, le poste de pilotage était occupé par un équipage de messieurs très sérieux. Une hôtesse (pour moi toute seule), souriante et efficace, me servit repas et snacks qui auraient valu une étoile Michelin à n'importe quel restaurant terrestre. J'avais à ma disposition les journaux du jour, les magazines du mois – dont certaines de ces revues féminines très haut de gamme – et toutes les chaînes de télévision possibles et imaginables sous la voûte céleste. Je m'offris une overdose d'informations. J'en avais besoin.

J'oubliais : le vol fut d'un calme sublime.

J'abandonnai la haute couture thulahnaise pour une élégante tenue de femme d'affaires occidentale, escarpins, chemisier et tailleur rayé, plus appropriée à une visite d'hôpital, à l'Europe et à l'hiver. Je glissai la petite fleur artificielle de Dulsung au fond de ma poche. Tandis que je m'examinais dans le vaste miroir généreusement éclairé au-dessus du lavabo en marbre, mon moi capitaliste (provisoirement réduit au silence par la transition traumatisante du vol Thuhn-Siliguri) émergea soudain pour déclarer : « Un avion ! C'est un avion comme ça que je veux ! » Mais un autre moi, que je ne connaissais pas encore, laissa tomber sèchement : « Quel luxe tape-à-l'œil et quel gaspillage ! » Ces hémisphères de mon ego ne tardèrent pas à se réconcilier pour s'endormir dès que j'eus installé mes petites fesses, quelquefois pelotées mais certainement jamais molestées, dans le cuir moelleux de mon fauteuil.

Je me réveillai, le siège en position relax et les jambes enveloppées dans une couverture de cashmere, alors que l'avion survolait les derricks illuminés des forages de gaz et de pétrole de la mer du Nord. L'avion ronronnait silencieusement.

Je bâillai et m'étirai, puis pris la direction des toilettes pour me recoiffer et rectifier mon maquillage. Je croisai l'hôtesse souriante que je remerciai d'un hochement de tête.

Retard frustrant à l'aéroport de Leeds-Bradford où l'on dut attendre qu'un fonctionnaire de la douane voulût bien se manifester. Trajet sans histoires dans une Mercedes avec chauffeur – mais siège arrière d'une dureté impardonnable. L'air était empreint d'une odeur étrange et lourde. Je ne l'avais pas remarqué à Siliguri, mais ici c'était frappant.

Il était déjà tard, maintenant. J'avais prévenu Marion Craston de mon arrivée dès qu'on avait atteint l'altitude de croisière au-dessus de Siliguri et elle en avait informé les toubibs, mais je ne savais toujours pas si l'état d'oncle Freddy me permettrait de le voir ce soir. J'arrivai aux soins intensifs, où l'on me demanda de couper mon téléphone mobile. On me permit de voir oncle Freddy – une petite chose rabougrie, peau couleur d'ivoire, tête bandée, presque complètement cachée par tous les appareils, fils et tuyaux –, puis je dus m'éclipser sur la pointe des pieds parce qu'il dormait enfin, pour la première fois un peu longuement, depuis qu'il était là. On lui avait dit que j'étais en route, ce qui expliquait peut-être qu'il ait pu s'endormir. J'en fus touchée, flattée et inquiète tout à la fois.

Marion Craston et la mystérieuse vieille maîtresse de Scarborough étaient reparties vers leurs hôtels respectifs. Je me sentais suffisamment reposée par mon bref somme dans le Gulfstream pour proposer de veiller au chevet du malade mais le corps médical refusa mon offre : il valait mieux que je revienne le lendemain matin. L'équipe me sembla un peu plus optimiste sur les chances d'oncle Freddy. Je restai encore une demi-heure, pour être bien certaine qu'il dormait profondément, avant de repartir. Je quittai l'hôpital toujours inquiète, avec un sentiment d'impuissance et d'angoisse, à moitié convaincue qu'il allait mourir dans son sommeil pendant la nuit, sans que je puisse plus jamais lui parler.

Trajet en Mercedes jusqu'à Blysecrag, où je fus accueillie par une Miss Heggies aux yeux rougis, parfaitement maîtresse d'elle-même cependant. La maison était terriblement silencieuse. Elle aurait dû me sembler froide, j'imagine, mais mon séjour à Thulahn m'avait aguerrie. La maison me parut donc chaude, mais vide et désolée.

Je m'éveillai au milieu de la nuit avec le sentiment de me noyer dans une eau tiède. Où étais-je ? Il faisait chaud. Trop chaud pour Thulahn. Je m'apprêtais à chercher à tâtons ma lampe de poche et puis cela me revint. La suite York. Blysecrag. Oncle Freddy. Je demeurai étendue dans le noir. Devais-je interpréter ce rêve comme une prémonition et appeler les soins intensifs ? Mais ils avaient mon numéro et celui de Miss Heggies. Ils auraient certainement téléphoné en cas d'incident sérieux. Il valait mieux ne pas les déranger. Freddy allait bien. Il dormait profondément et s'en tirerait. J'étendis la main pour toucher mon petit singe.

Il n'y avait rien entre ma montre et ma lampe. Évidemment, puisque c'était Dulsung, à l'autre bout de la Terre, qui avait maintenant mon fétiche ! Pourvu qu'elle en prenne soin. Pourtant, mes doigts trouvèrent quelque chose : la petite fleur en soie. Je la caressai, me retournai sur le côté et me rendormis.

— Kate, ma chérie !
— Oncle Freddy ! Comment vous sentez-vous ?
— Merdique. J'ai bousillé la bagnole, tu sais.
— Je sais.

Mon petit déjeuner avait été interrompu par un appel de l'hôpital m'informant qu'oncle Freddy était réveillé et désirait me voir. Plutôt qu'attendre encore une demi-heure l'arrivée de la voiture, j'avais proposé à Miss Heggies de nous y rendre ensemble dans son vieux break Volvo. Elle avait refusé : elle n'irait que lorsqu'on la réclamerait !

Nous nous rendîmes dans la grande écurie convertie en grange, où j'optai pour la Lancia Aurelia. Miss Heggies se chargerait d'annuler la voiture de location.

Marion Craston se trouvait dans le petit salon du service de soins intensifs en compagnie de la mystérieuse dame. Marion Craston était une grande femme aux cheveux châtain terne, d'allure sportive, pas très belle, l'air un peu absente. Mrs Watkins, la dulcinée d'oncle Freddy, était plus jeune que je ne m'y attendais, petite, bien en chair, élégante, avec une masse de cheveux teints en blond cuivré et un très léger accent du Yorkshire. J'avais imaginé que nous irions ensemble dans la chambre d'oncle Freddy, mais apparemment il tenait à me voir seule. De toute façon, trois personnes n'auraient jamais pu tenir à son chevet : j'eus déjà beaucoup de peine à me glisser entre son lit et tout l'équipement qui l'entourait. L'infirmière qui m'avait aidée à m'asseoir sans arracher ces tubes et ces fils reliant Freddy à la vie m'abandonna rapidement, appelée par une autre urgence.

Il avait l'air ridé, ratatiné, sur ce lit d'hôpital. Ses yeux brillaient malgré la faible intensité de l'éclairage, mais semblaient profondément enfoncés dans leurs orbites et entourés d'une peau cireuse et tirée. Son visage et ses cheveux avaient pris la même teinte jaunâtre. D'une caresse, je remis en place quelques mèches désordonnées.

— C'était une supervieille Delage, lança-t-il d'une voix basse et sifflante. Les connards ! Même pas fichus de me dire si elle est bonne pour la casse ou non. Tu peux te renseigner ?

— Naturellement. Au fait, j'ai pris l'Aurelia pour venir, vous ne m'en voulez pas ?

— Absolument pas. Faut les faire rouler. Hum… Est-ce que tu as rencontré Mrs Watkins ?

— À l'instant. Elle est là, avec Ms Craston, l'avocate.

Oncle Freddy plissa le nez.

— M'plaît pas.

— Qui ? Marion Craston ?

— Mmm. L'aigle de la loi. Ou plutôt la vieille chouette.

Il toussa et s'étouffa une seconde avant que je comprenne qu'il était en train de rire, ou d'essayer. Je pris sa petite main froide et émaciée dans la mienne.

— Doucement. Vous allez faire sauter tous ces tubes !

Il sembla trouver cette remarque drôle, elle aussi. Son autre bras était dans le plâtre. Il leva la main que je tenais pour essayer de s'essuyer les yeux, un geste d'une faiblesse pitoyable qui me brisa le cœur.

— Laissez-moi m'en occuper.

Je sortis un mouchoir et séchai délicatement ses larmes.

— Merci, Kate.

— À votre service.

— On m'a dit que tu étais à Thulahn ?

— J'en arrive.

— Tu as dû revenir à cause de moi, ma chérie ?

— Non, j'étais sur le retour.

— Mmm, hum. Et comment va Suvinder ?

— Très bien.

— Il ne t'a rien demandé ?

— Si. Il m'a demandé de l'épouser.

— Ah bon. Et tu peux révéler ta réponse à un vieil homme ?

— Je lui ai dit que j'étais très flattée, mais que la réponse était non.

Oncle Freddy cilla et ferma les paupières. Je me demandai un instant s'il s'était rendormi ou bien s'il était en train de tirer sa révérence pour de bon, sous mes yeux, mais je sentis battre faiblement le pouls de son poignet. Puis il rouvrit lentement les yeux.

— Je leur avais bien dit que c'était une idée idiote.

— Vous *leur* aviez dit ? À qui ? m'écriai-je. (« Oh, merde ! Tu étais donc mêlé toi aussi à cette histoire, oncle F. ? Tu m'as fait ça ? » pensai-je.)

— À Jeb Dessous. À Hazleton, répondit oncle Freddy en soupirant et en me pressant la main, une main plus forte qu'il ne paraissait. C'est une des choses dont je voulais te parler, Kate.

— Quoi ? Vous étiez au courant ?

— Je suis sincèrement navré, ma chérie.

Je lui pressai la main.

— Ce n'est pas grave.

— Mais si. Ils m'ont demandé comment tu réagirais, Kate, ce que tu ferais… Ils m'ont demandé de ne rien te dire. J'ai accepté. Je n'aurais pas dû.

— Et, dans ces discussions, il n'y avait que Dessous et Hazleton ou bien encore le prince ?

— Ces deux-là seulement ; et puis Tommy Cholongai, un peu plus tard. Ils espéraient seulement que Suvinder se déclarerait, ou lancerait quelques ballons d'essai, peut-être. Mais j'aurais dû t'en parler, Kate.

— Oncle Freddy, ce n'est pas grave.

— Ils sont inquiets, Kate. Ils pensaient que l'affaire était bien ficelée, mais ensuite ils ont compris que tout reposait sur la parole de Suvinder, ou plutôt sur sa cupidité. Et peu à peu ils ont fini par comprendre que le prince n'était pas aussi intéressé qu'ils l'avaient cru. En tout cas, pas autant qu'eux.

— Une différence de culture, sans doute.

— Mmm. Peut-être. Bref, ils se sont dit que t'impliquer dans l'affaire serait une excellente façon de garantir la conclusion du marché.

— Je vois ça.

— Ils vont poursuivre, je pense. Tout le projet. Tu ne crois pas ?

— Aucune idée.

— Je crois qu'ils aimeraient savoir comment... Merde, j'ai le cerveau qui fout le camp. Je ne trouve plus le mot.

— Calmez-vous. On a tout notre temps.

— Non... en tout cas... je ne crois pas. Bref, ils voulaient savoir comment tu réagirais à l'endroit, au pays, aux gens. Peut-être que cela aurait pu te persuader, en imaginant que Suvinder échoue. Tu vois ce que je veux dire ?

— Je crois.

— Mais leur plan diabolique n'a pas marché ?

— Oh, je ne sais pas. En un sens si, je suis bien tombée amoureuse du pays. Mais on n'épouse pas une nation !

Il battit des paupières plusieurs fois, comme surpris.

— Tu as rencontré Maeva ? s'enquit-il.

— Qui ? Mrs Watkins ? Oui.

— Pas mal, non ? me fit-il en me lançant un clin d'œil pitoyablement égrillard.

— Plutôt mignonne pour un vieux croulant comme vous ! répliquai-je en lui souriant. Je n'ai pas eu l'occasion de lui parler, mais elle m'a semblé très sympathique.

— J'y tiens beaucoup, Kate. Beaucoup.

— Eh bien, c'est parfait ! Vous la connaissez depuis longtemps ?

— Oh, des siècles. Mais cela ne fait qu'un an qu'on est… Enfin, tu vois… qu'on est vraiment liés. (Il soupira.) Charmante ville, Scarborough. Tu connais ?

— Non.

— Mérite le détour. La route n'est pas vraiment mauvaise. Mais quand on est impatient… J'espère que Maeva ne croit pas…

Il sembla perdre le fil une fois de plus avant de reprendre :

— Le prince. Pas trop bouleversé ? Je veux dire, de ton refus ?

— Un peu. Mais il s'en remettra. Plus triste qu'autre chose. Le plus ironique, c'est que je l'aime davantage, maintenant. Je ne suis pas amoureuse de lui, mais… Oh, c'est tellement compliqué, vous ne trouvez pas, oncle Freddy ? On ne peut jamais avoir les gens qu'on aime !

— Eh non ! Ou alors, tu trouves enfin l'âme sœur, et puis tu as un accident en allant la voir et tu te retrouves réduit à… ça.

— Vous allez vous remettre, oncle Freddy ! Mais à mon avis vous feriez mieux de prendre un chauffeur, désormais !

— Tu crois ?

— J'en suis sûre.

— Je pencherais plutôt pour une chauffeuse, personnellement.

— Non, oncle Freddy. Un chauffeur.

— Je ne sais pas, Kate, fit-il, le regard lointain. Je ne crois pas que je vais m'en tirer.

— Oh, voyons, arrêtez ! Vous allez…

— Je suis franc avec toi, Kate, répliqua-t-il d'une voix douce. Alors, sois franche avec moi.

— Je le suis, oncle Freddy. Hier soir encore, ils pensaient que vous alliez partir les pieds devant, mais à présent ils disent que vous avez une chance de vous en sortir. Évidemment, ils ne vous connaissent pas aussi bien que moi. En fait, je vais les prévenir qu'ils ont intérêt à vous entourer uniquement d'infirmiers, à partir de maintenant, ou, du moins, de veiller à ce qu'aucun popotin d'infirmière ne passe à portée de votre main…

Freddy eut une autre quinte de toux sifflante et je dus lui essuyer les yeux.

— Ça ne m'étonne pas de toi !

— Écoutez, si vous avez envie de…, commençai-je en faisant mine de me retirer.

— Ne pars pas tout de suite. J'ai encore à te parler, Kate.

— D'accord, mais on m'a fait promettre de ne pas rester trop longtemps.

— Écoute, ma chérie. Il se trame certaines choses.

— Vous voulez dire autre chose que cette histoire de mariage avec Suvinder ?

— Oui. Ce salaud de Hazleton mijote quelque chose.

— Plutôt occupé, ce monsieur, non ? remarquai-je en pensant au DVD.

— Kate, j'espère que je ne t'ai pas causé d'ennuis, je veux dire en t'invitant à Blysecrag ce fameux week-end. C'est Miss H. qui m'en a parlé. Ils t'ont fait surveiller, toi et ton copain américain, Buzetski, pendant que tu étais là.

— Tiens donc !

— Je ne savais pas trop si je devais intervenir. Ils n'ont pas… ils n'ont rien découvert, hein ?

— Il n'y avait rien à découvrir.

— Tu tiens beaucoup à ce type, pourtant ? Même moi je m'en suis aperçu, sans filature.

— J'y tiens beaucoup. Malheureusement, ce n'est pas réciproque.

— Désolé.

— Pas autant que moi. En plus, il est marié.

— Oui, je suis au courant. C'était d'ailleurs ce qui m'inquiétait.

— Qu'est-ce que vous voulez dire ?

— J'avais peur qu'ils découvrent… oh, je ne sais pas, des choses qu'ils auraient pu utiliser contre toi, ou contre lui, ou contre vous deux. Mais je m'en suis aperçu trop tard. Là encore, j'aurais dû t'en parler. Je me sens moche, Kate. J'aurais dû jouer cartes sur table avec toi.

— Eh bien, Freddy, rien ne s'est passé entre Stephen et moi. Je me suis jetée à son cou, mais il m'a repoussée, bien poliment. L'épisode le plus *hard* a consisté à le regarder nager et à recevoir un baiser sur la joue. Pas vraiment matière à chantage, si c'est ce que vous craignez.

(Je passai sous silence les mots peu équivoques avec lesquels je m'étais offerte à Stephen, une conversation que n'importe quel micro parabolique ou gadget planqué dans un veston aurait pu enregistrer. Mais, mis à part le léger embarras à l'idée d'apparaître comme une fille facile et prête à tout, où était le mal ?)

— Alors, pas de casse ?

— Non. Quoique…

— Quoi ?

— Vous voyez ça ? demandai-je en sortant le disque de ma poche.

— Ce CD ?

— Un disque vidéo numérique, exactement. Qui contient tous les éléments d'un chantage. Pas pour me faire chanter moi, ni Stephen Buzetski, mais quelqu'un qui lui est proche. C'est Hazleton qui me l'a fait remettre. Il s'est imaginé qu'avec ça je pourrais obtenir tout ce que je voulais et qu'en retour il achèterait mon obéissance.

— Quel vieux renard !

— Eh oui !

— Mon Dieu, j'ai peur. Peur pour Suvinder, Kate.

— Que voulez-vous dire ? Pourquoi ?

— Parce qu'ils tiennent ce gamin, son neveu. Dans cette école en Suisse. Oh, Kate ! Ils se vantent peut-être, mais ils prétendent que le gosse leur est tout acquis. Prêt à faire tout ce qu'ils lui demandent. Cupide et intéressé comme ils le voulaient. Si tout cela est vrai, Suvinder ferait bien de se méfier.

Il me fallut un moment pour saisir le sens de ses paroles.

— Vous pensez qu'ils pourraient faire assassiner Suvinder ?

— Rien ne m'étonnerait, venant de ces salauds, Kate. C'est une histoire qui leur tient sérieusement à cœur, avec un gros tas de pognon en jeu, tu sais.

— Je sais. Et un tas de gens en jeu aussi. À Thulahn.

— Je pense qu'ils se fichent pas mal des gens, Kate. Sauf s'ils leur font obstacle.

— Je crois que vous avez raison.

Oncle Freddy poussa un profond soupir, d'une force surprenante, puis contempla le plafond en battant des paupières plusieurs fois.

— Vous semblez fatigué, Freddy. Il vaudrait mieux que je m'en aille.

— Non, non. Tu dois encore m'écouter, juste au cas où... (Il me saisit la main avec force.) C'est au sujet de cette histoire de Silex.

— Silex ? (Je mis un certain temps à comprendre : notre usine de microprocesseurs, près de Glasgow.) Quoi de neuf ?

— Ils ont acheté notre bonhomme. Le gars qu'on avait envoyé de Bruxelles.

— Acheté ? Que voulez-vous dire ?

— Il a changé de camp, retourné sa veste, enfin, appelle ça comme tu veux. Peu importe comment je le sais, mais je le sais. Il prétend que tout est O.K. là-bas. Mais il ment, ce salaud. Et, d'après moi, c'est encore un coup de Hazleton.

— Vous en êtes sûr ?

Ce pauvre oncle Freddy était à la limite de la paranoïa, à mon avis. Il faisait une vraie fixation sur Hazleton. D'ici à ce qu'il prétende que Hazleton avait manigancé son accident...

— Sûr ? Non. Mais il a envoyé des gens à lui, chez Silex. En tout cas, un de ces hommes. (Il me fit un clin d'œil, un clin d'œil pénible et laborieux.) Il y avait quelqu'un à moi, dans l'usine. Un homme en qui j'ai une confiance absolue. M'a raconté que ce Poudenhaut s'était pointé. Le gars de Bruxelles l'a rencontré, mais il ne m'en a rien dit. C'est comme ça que j'ai deviné qu'il me doublait.

Je fermai une seconde les yeux.

— Écoutez, oncle Freddy, toute cette histoire devient trop compliquée pour moi. Il faut que j'y réfléchisse à tête reposée. Vous avez l'air lessivé, vous aussi. Je crois qu'il vaut mieux que je vous quitte.

— Kate, fit-il en me retenant par la main.

345

— Quoi, Freddy ?

— Blysecrag.

— Qu'est-ce qui se passe à Blysecrag ?

— Oh, Kate, je ne sais pas ce que je dois faire.

Il commença à pleurer. Pas des sanglots, mais de grosses larmes régulières coulant lentement sur ses joues.

— Freddy, qu'est-ce qu'il y a ? Voyons, ne vous mettez pas dans cet état.

Je lui essuyai les yeux à nouveau.

— Je te l'avais légué.

— Comment ?

— Je te l'avais légué, et puis j'ai changé mon testament et j'en ai fait don au National Trust, parce que je ne voulais pas que ce domaine te mette un fil à la patte, au cas où tu déciderais de partir à Thulahn, mais… (Il n'avait plus qu'un filet de voix, à l'intonation désespérée.) Mais maintenant, je ne sais plus ce qu'il faut faire. Je peux changer encore mon testament, si toutefois tu veux bien hériter de ce vieux tas de cailloux. Je ne sais pas. On pourrait appeler cette Miss Machin, Miss Craston, l'avocate. On pourrait régler ça tout de suite…

— Doucement, oncle Freddy ! Je suis sincèrement très honorée que vous ayez pensé à me le léguer. Mais que voulez-vous que je fasse d'un gros truc comme Blysecrag ?

— Que tu t'en occupes, Kate, comme je l'ai toujours fait.

— Eh bien, je suis persuadée que le National Trust s'en tirera beaucoup mieux que moi. Mais arrêtez de tenir ces propos, Freddy. Vous n'êtes pas encore mort ! Allons, voyons.

Je me demandais bien si ce genre de remontrances : « Secoue-toi un peu, sacrebleu ! » avait une chance de marcher avec oncle F. Je me sentais mal à l'aise, mais comment ne pas l'être face à un vieil homme qui sait qu'il pourrait mourir, qui en est même convaincu, ou qui sait, en tout cas, que l'issue fatale ne saurait tarder ? Surtout quand cette personne est en train de pleurer et qu'on est soi-même bien proche des larmes.

— Ça ira, dit-il d'un ton faussement désinvolte. Tu es bien sûre que tu n'en veux pas ?

— Affirmatif. Je n'arrêterais pas de m'y perdre. Écoutez, vous n'allez pas mourir, mais j'imagine que vous avez pris des dispositions concernant Miss Heggies.

— Oui, oui. Elle conservera son appartement et je lui ai laissé de l'argent.

— Alors, tout va bien. Arrêtez de vous faire de la bile. Bon sang ! Je vous parie que dans quelques semaines on vous retrouvera là-bas, occupé à réparer cette fichue catapulte !

— Oui.

— Regardez-vous : vous n'arrivez plus à maintenir vos yeux ouverts ! Il faut dormir, maintenant.

— Oui.

Il cessa de lutter et garda les yeux clos.

— Dormir, marmonna-t-il d'une voix pâteuse.

— Je reviendrai vous voir demain, dis-je en me levant.

Je reposai doucement sa main sur le drap vert pâle.

— Demain, murmura-t-il.

— Non, Kate, je rêve ! Dis-moi que ce n'est pas vrai ! Putain !... Un prince charmant en chair et en os te propose de l'épouser et tu refuses, et tu prends le jet suivant en partance. Et à peine un jour plus tard, ton vieil oncle à l'article de la mort t'offre un vaste domaine en Angleterre avec une baraque de la taille du Pentagone, et Mademoiselle fait sa mijaurée et refuse une fois encore ? Merde, t'es complètement louf ou quoi ?

— Oh, arrête, Luce ! Quelle réaction, de la part d'une

féministe qui n'arrête pas de dire que les femmes doivent sortir de leur dépendance, s'assumer seules, refuser le système, etc. De plus, je te signale que Freddy n'est pas à l'article de la mort.

— Écoute, il n'y a rien d'antiféministe à accepter un gros héritage immobilier. Surtout venant d'un vieil homme en train de passer l'arme à gauche. Au moins, s'il s'attendait à quelques faveurs en retour, il ne sera pas en état de tenter quoi que ce soit. En admettant que tu aies été prête à laisser tomber tes principes et ta petite culotte. Ce dont je doute.

— Luce, franchement ! Tu sais que te parler me purifie l'âme ?

— Arrête tes conneries : tu es athée. Tu n'as pas d'âme. Qu'est-ce que tu me chantes ?

— Chaque fois que je commence à me trouver fausse, superficielle, méchante, avide, âpre au gain et cynique, il me suffit de te parler quelques minutes pour me convaincre que je suis une sorte de sainte, finalement.

— Foutaises !

— Tu n'as pas encore compris, Luce ? Grâce à toi, je peux me passer d'un psy. Tout ce qu'il me faut, c'est qu'on me rappelle de temps en temps que je ne suis pas si mauvaise. Et toi, tu y réussis parfaitement. Je devrais te remercier. Je devrais même te payer, à la réflexion ! Mais je ne suis pas sainte à ce point-là.

— Kathryn, fais-toi aider. Ton cerveau est aux abonnés absents. Fais-toi interner dans une clinique. Je parle sérieusement.

— Tu ne parles pas sérieusement et je ne suis pas folle.

— Tu l'es, ma vieille ! En pleine attitude de refus ! Tu es en train de te refuser, entre autres, la chance de posséder la moitié de l'État de North-York et le château de Baisecrac. Et en plus, tu te refuses la chance de devenir reine, la reine de tout un pays ! Merde alors !

— Écoute, si on reprenait cette conversation une autre fois ?

— Ouais, par exemple quand l'archange Gabriel se présentera devant toi pour te proposer d'être la mère du second Messie et que tu l'enverras paître ?

— Très drôle. Non. Je veux te parler d'un choix qui s'offre à moi. Sérieusement, je peux te demander ton avis ?

— Te casse pas la tête ! Vu ton état d'esprit, je te crois capable de refuser quelqu'un qui te proposerait la guérison du cancer ou le moyen de sauver le monde de la famine !

— Non… Écoute-moi. Voilà : on m'a remis quelque chose qui pourrait être source de chantage.

— Du chantage ? T'es sérieuse ?

— Très sérieuse. C'est un film. On a filmé une personne en train de baiser une autre personne qu'elle n'est pas supposée baiser, parce qu'ils ne sont pas mariés ensemble.

— La personne en question est mariée, donc ?

— Oui, elle l'est.

— Quelqu'un que je connais ?

— Non. Le problème, c'est que je n'ai qu'un mot à dire pour que son mari voie le film.

— Et, du coup, tu hériterais du mari ?

— Eh bien, peut-être.

— L'histoire n'aurait pas par hasard un rapport avec ton bien-aimé ?

— Si. Je peux briser son ménage, si je veux. Qu'il me tombe dans les bras, ça, ça reste à voir, mais…

— O.K. Tu veux que je te dise ce que je ferais, à ta place ?

— Oui.

— Voyons un peu. Est-ce que les protagonistes du film sont plus riches que toi ?

— Non, je ne vois pas…

— O.K. Donc, tu n'as aucune raison de les faire chanter, au fond.

— Luce, franchement…

— T'emballe pas : je réfléchis.

— D'accord. Vas-y, continue.

— Bon… Je serais tentée de te dire ceci : quoi que tu penses, tu n'utilises *surtout* pas ce film et tu l'oublies dans un tiroir. Naturellement, je te dis ça parce que je sais que tu fais toujours l'opposé de ce que je te conseille. Alors, j'applique une psychologie inverse et je te suggère de faire ce qui est *exactement* à l'opposé de ton intérêt ; donc tu feras finalement ce que je voulais, par pur esprit de contradiction.

— Je dois déduire de ce galimatias que tu voudrais, en fait, que je dévoile tout et que j'apprenne à Stephen que sa femme le trompe ?

— Ouais, vas-y ! Si tu veux vraiment ce type et si tu ne veux vraiment pas monter sur le trône du yéti, alors, fonce ! Feu vert pour la projection !

— Mais je risque d'être victime du chantage de la personne qui m'a remis le film, par la suite !

— Hum… Attends… Je la tiens !

— Quoi ?

— La solution !

— Dis-moi vite !

— Voilà, il faut que tu sois positive. Affirmative. Il faut que tu acceptes tout.

— Je ne comprends pas.

— Dis oui ! Tu acceptes le château, l'État d'York, et tu les vends. Et tu achètes des hôpitaux et des écoles pour tous les nécessiteux de Trifouillis-les-Yaks !

— Thulahn.

— Ouais, Thulahn. Dont tu devrais devenir reine. Tu dis au prince que tu acceptes de l'épouser, mais que ce sera un de ces mariages de convenance comme ils en avaient en Europe. Parce que tu projettes aussi ton film. Tu t'arranges pour que ton chéri te tombe dans les bras et tu l'embarques à Thulahn où tu te le gardes, comme amant secret.

— Donc, j'accepte d'épouser le prince, mais le mariage ne sera jamais consommé ?

— Ouais. Un mariage morganatique, ou un truc comme ça.

— Je crois qu'un mariage morganatique est tout à fait autre chose.

— Non ? Merde ! J'ai toujours cru que ça voulait dire faire un bon mariage, avec un type plein aux as, que le mot venait du milliardaire J. P. Morgan. Non ?

— Non. Mais peu importe. C'est donc ce que tu suggères, alors ?

— Exactement. Et j'espère que ça me vaudra au moins un titre de dame d'honneur avec une tiare incrustée de diamants ! Faut pas déconner ! Je ne refuserais pas un château, non plus. Tiens, tu peux me laisser Baisecrac si tu veux. J'en ferai ton ambassade en Angleterre.

— Oui, mais je ne crois pas que Suvinder soit très chaud pour un mariage non consommé !

— Oh, il s'appelle Suvinder ? Eh bien, vas-y, consomme !

— Consomme ?

— Ouais. Il est si repoussant que ça ?

— Un peu empâté.

— Empâté de beaucoup ?

— Dix ou quinze kilos.

— Il est grand ?

— De ma taille. Un peu plus grand.

— Pas grotesquement obèse, donc. Il pue du bec ?

— Je ne crois pas.

— Sent mauvais sous les bras ?

— Non. Odeur normale. Un peu d'eau de toilette...
Passons.

— De belles dents ?

— Des dents parfaites. Un de ses atouts. Et il danse
bien. Très souple. Avec beaucoup de grâce, même.

— Très bien !

— Enfin, des vieux trucs, valses, tangos et autres
conneries.

— Ça peut revenir à la mode ! Disons qu'on ne le
comptera pas comme atout, pour l'instant. Mais peut le
devenir.

— Bon. Continue.

— Ses cheveux. Il en a beaucoup ?

— Oui. Une masse, presque une vraie crinière.
Presque trop.

— Pas grave. Les cheveux sur la tête d'un homme,
c'est l'inverse du sel dans un plat : on peut toujours en
enlever, mais pas en rajouter.

— La profondeur de tes comparaisons me donne le
vertige !

— Il est du genre visqueux, repoussant, disons carrément : laid ?

— Rien de tout ça.

— Est-ce que tu arrives à t'*imaginer* en train de baiser
avec lui ?... Allô, Kathryn ? Allô, t'es là ?

— J'étais en train de me l'imaginer.

— Et alors ?

— Pas terrible, en ce qui me concerne.

— Tu t'es imaginée en train de simuler un orgasme ?

— Ouais. Vaguement.

— Mais c'était pas à gerber, tout de même ?

— À gerber, non. Mais un peu dégradant.

— Pourquoi dégradant ?

— Je ne m'étais jamais vue auparavant en train de
baiser un type qui ne me ferait pas vraiment envie.

— Jamais ?

— Non, jamais.

— T'es vraiment trop ! Bon, mais ce n'était pas si horrible que ça, n'est-ce pas ?

— D'accord. Mais imaginer baiser et le faire réellement sont deux choses différentes.

— Idiote, voilà précisément à quoi sert ton imagination ! Une sorte de réalité virtuelle intégrée. Si ce n'est pas si horrible en imagination, ça sera peut-être même mieux en réalité.

— Bon, donc je l'épouse, on couche ensemble et je garde mon chéri comme amant, c'est ça ?

— Exactement.

— C'est peut-être un poil trop sophistiqué pour un pays où une femme vaut à peu près trois yaks.

— Sois discrète. Et puis, c'est un homme. Il s'amusera de son côté. Envisage le contrat en termes de réciprocité.

— Et les enfants ?

— Quoi, les enfants ?

— Et si on s'attend à ce que j'en produise ? Il y a une lignée royale à assurer, dans ce pays-là.

— Tu es peut-être stérile ?

— Non.

— Tu as vérifié ?

— J'ai vérifié.

— Alors, prends la pilule. Dis-lui que c'est un médicament contre la migraine. Il n'en saura jamais rien.

— C'est fou comme c'est plausible.

— De toute façon, une fois bien installée dans ta relation, en fait dans ta double relation, l'une avec ton roitelet et l'autre avec ton bien-aimé, il se peut que tu changes d'avis, et découvres qu'au fond de toi tu as toujours rêvé d'avoir des enfants.

— Ça, c'est ta grande théorie !

— Hum... Le prince, est-ce qu'il est... comment

353

dire ? vraiment basané ? Comparé à ton bien-aimé, je veux dire. Est-ce que tu crois… que vous pourriez…

— Non, je t'arrête tout de suite… Je ne veux même pas l'imaginer.

— Peut-être pas. Oui, tu as raison…

— Catégoriquement non ! Je pourrais être décapitée ou un truc comme ça.

— Ils décapitent les femmes pour ce genre de choses, dans ce bled ?

— À vrai dire, ils ont aboli la peine de mort. Ils sont plus civilisés que les Américains, à cet égard.

— Ah ouais ? Je les emmerde ! Et combien de porte-avions nucléaires ont-ils ?

— Je ne crois pas qu'un porte-avions soit d'une extraordinaire utilité dans un pays planté au beau milieu de l'Himalaya.

— Eh bien, combien d'avions furtifs ? De missiles ? De bombes atomiques ?

— Tu as raison. Ils sont lamentablement sous-équipés pour rivaliser avec les Super-Gendarmes de la planète en ce qui concerne le maintien des valeurs fondamentales de la civilisation.

— Eh, tu réalises que tu pourrais disposer de trois passeports, avec cette histoire ?

— Non ? Mince alors, mais ça change tout !

— En tout cas…

— Une seconde, j'ai un autre appel. Merde, j'ai un très mauvais pressentiment, Luce.

Miss Heggies était assise sur le parapet au bord du long lac aux eaux miroitantes, ses pieds touchant presque la surface de l'eau, ses cheveux gris, habituellement coiffés en un élégant chignon, pendant en tristes mèches sur son col déboutonné. Elle ne se retourna même pas quand elle m'entendit garer la vieille Lancia sur le gravier. Je descendis vers elle et m'assis à son côté sur la pierre, mes jambes repliées sous le menton. Une petite pluie fine, ce que nous appelons une nuée en Écosse, s'était mise à tomber du ciel gris et couvert.

— C'est bien triste, Miss Heggies.

— Oui, fit-elle d'une voix éteinte, en fixant toujours les eaux du lac. Bien triste.

Je risquai un bras autour de son épaule. Elle s'inclina d'une fraction de millimètre vers moi. Évidemment, elle ne se laissa pas aller à se détendre ou à sangloter, mais elle vint s'appuyer contre moi et me tapota gentiment le dos. Nous restâmes ainsi pendant un moment. En Écosse, des pleurs s'appellent parfois *a greeting*, une salutation. Et pour la première fois, la bizarrerie de la chose me frappa. Étrange qu'une chose habituellement associée à l'adieu puisse aussi s'appliquer à l'accueil.

En revenant vers la maison, je m'arrêtai pour contempler l'édifice et Miss Heggies fit de même, comme émerveillée de voir pour la première fois les fioritures baroques de ses façades de pierre. Elle renifla, boutonna le haut de sa robe et mit de l'ordre dans sa chevelure.

— Est-ce que vous savez ce qui va se passer pour Blysecrag, Ms Telman ?

— Apparemment, le domaine va revenir au National Trust, mais seulement à condition que vous puissiez y rester.

Elle acquiesça. Je sortis un papier de ma poche.

— Et voilà mon héritage.

Elle plissa les yeux pour lire.

— David Rennell ? Il a été jardinier ici. Un gentil garçon. Mr Ferrindonald lui a trouvé une place dans la société.

— Je sais. Près de Glasgow. Le moment est peut-être mal choisi, Miss Heggies, mais oncle Freddy y attachait beaucoup d'importance : il faut que je parle au plus tôt à Mr Rennell. Vous voulez bien arranger les présentations ?

— Bien sûr, Ms Telman.

En fait, les présentations ne furent pas nécessaires. Je n'eus qu'à mentionner mon nom au téléphone. À l'évidence, oncle Freddy avait prévenu David Rennell et lui avait demandé de répondre à toutes mes questions.

— Vous avez vraiment pu rentrer *là-dedans* ?

— Sans problème, Ms Telman. Apparemment, ce n'est plus zone rouge, maintenant. Les gens entrent et sortent comme dans un moulin. On nettoie, déblaie, etc.

David Rennell avait un charmant accent du Yorkshire.

— Appelez-moi Kathryn et je vous appellerai David, d'accord ?

— Entendu.

— Alors, David, qu'est-ce qu'il y a là-dedans ? Qu'est-ce que vous avez vu ?

— Seulement une grande pièce vide. Il y avait de grosses caisses, mais elles étaient vides. J'ai parlé à un des gars. On les avait entreposées là l'autre jour, après avoir tout déménagé.

— Qu'est-ce qu'on a déménagé ?

— Je n'en sais rien. Toujours est-il que tout a disparu d'un coup, dans la nuit du 20. Il y en a qui ont vu des bureaux qui ont été déplacés le lendemain matin. Il doit en rester quelques-uns dans l'entrepôt, à mon avis.

— Vous pouvez me décrire la pièce en détail ?

— C'est une pièce de dix mètres sur vingt environ, au plafond de la même hauteur que le reste de l'usine. Avec les conduites habituelles, des dalles de moquette, des câbles dans tous les coins, sortant de conduites percées dans le sol.

— Quel genre, les câbles ?

— Des câbles électriques et des câbles d'imprimante, enfin le bazar classique. J'ai aussi ramassé quelques câbles de raccordement et des prises.

— Ah, ah ! Bien joué. Pouvez-vous me rendre un service, David ?...

— Certainement.

— ... et aussi demander une demi-journée de congé ?

Ma rencontre avec David Rennell avait été prévue sur le parking de Carter Bar, exactement à la frontière entre l'Écosse et l'Angleterre. La journée était plutôt fraîche, avec des bourrasques de vent. Du col évasé, la vue portait vers le nord, en direction des collines, forêts et prairies des basses terres de l'Écosse, un panorama mélancolique et changeant sous un ciel chargé de nuages qui couraient et se culbutaient. Je m'achetai un sandwich végétarien dans une caravane garée à l'autre bout du parking et retournai le manger dans la voiture. Très planque de flics, ce rendez-vous. Très guerre froide.

Le trajet en voiture avait été idéal. J'avais coupé mon téléphone mobile, me satisfaisant du plaisir de conduire la vieille Aurelia, perdue dans mes pensées.

Je songeais à oncle Freddy, à quel point il allait me manquer, ce sacré clown, lui et aussi mes séjours à Blyse-crag. Bizarre d'imaginer qu'à ma prochaine visite il me faudrait sans doute payer mon entrée. Il y aurait une boutique du National Trust, et des cordons rouges accrochés à de petits poteaux de cuivre guideraient les visiteurs le long de l'itinéraire officiel, comme dans toutes les grandes demeures transformées en musée. Eh bien, tant mieux, finalement ! Cela permettrait à des tas de gens de visiter cette vieille baraque étrange. Rien à regretter, donc.

La disparition d'oncle Freddy, c'était une autre affaire. Encore un mort. Ma vraie mère, puis Mrs Telman l'an dernier (son mari – officiellement mon père adoptif, mais je ne l'avais vu qu'une fois – était mort dix ans avant), et maintenant Freddy.

Je me demandai si mon père biologique était encore en vie. Probablement pas. À la vérité, je n'avais pas envie de le savoir et, pour être honnête, j'aurais préféré apprendre qu'il n'était plus de ce monde. Gros sentiment de culpabilité. Cela ne revenait-il pas à souhaiter sa mort ? Certainement pas. Si j'avais eu le choix, si j'avais pu souhaiter qu'il vive, j'aurais fait ce souhait. Mais je n'avais pas envie de le voir, aucune envie de provoquer une rencontre artificielle chargée d'émotions factices. D'ailleurs, je trouvais injuste que ce père génétique ait pu survivre alors que tous les êtres qui m'étaient le plus chers, ma mère, Mrs Telman et aujourd'hui oncle Freddy, étaient morts.

Dans ma vie, à quoi se résumait sa contribution ? Une éjaculation d'ivrogne. Il avait tabassé ma mère, il avait fait de la prison pour vol ; il en était sorti pour poursuivre sa carrière d'alcoolique, et puis il s'était manifesté à l'enterrement de ma mère et nous avait injuriées, Mrs Telman et moi. Au moins avait-il eu la décence de ne pas contester mon adoption. Mais peut-être avait-il été acheté ? Après tout, c'était bien probable. En tout cas, même s'il avait appris que j'étais devenue, selon ses critères, « riche à crever », il ne m'avait jamais réclamé d'argent. Logiquement, j'aurais dû faire des recherches, voir s'il était encore en vie. Bah, un de ces jours…

Je poursuivis ma route. Le temps changeait sans arrêt, alternant pluie et soleil, apportant neige fondue et gadoue. La petite route secondaire se tortillait sur les hauts plateaux, un instant gris et sauvages, la minute suivante illuminés de soleil et égayés par la fraîcheur des

358

bruyères en fleur. Je m'arrêtai à Hexham pour remettre un peu de super dans le réservoir de l'Aurelia, une bonne occasion de faire un test quand on voyage dans une voiture de prix : si les gars du garage adressent davantage de compliments à la voiture qu'à votre petite personne, c'est signe que vous vieillissez ! En l'occurrence, score à égalité. Je continuai vers le nord.

David Rennell arriva dans une Mondeo bleu foncé. Je lui payai un hamburger et une limonade, et on s'installa dans l'Aurelia aux vitres embuées, tout à fait comme un couple d'amants adultères se rencontrant une dernière fois, au terme d'une liaison. La pluie martelait le toit de la voiture.

David Rennell était un homme grand, vigoureux, aux cheveux châtain clair coupés court. Il avait eu l'excellente idée d'apporter deux photos Polaroïd des bureaux qu'on avait enlevés de cette mystérieuse salle-top-secret-qui-ne-l'était-plus, de l'usine Silex : ce n'étaient pas des bureaux ordinaires, il y avait trop d'étagères, et des tas de trous pour les câbles dans la surface de travail. Il avait apporté aussi une poignée de rallonges et de prises qu'il avait ramassées dans la pièce.

— Celle-là ressemble à une prise de téléphone, mais ce n'est pas ça, fit-il remarquer.

— Hum. Est-ce que vous avez trouvé autre chose ?

Je lui avais demandé de réfléchir en venant au rendez-vous. Le genre « Aucun détail même insignifiant n'est inutile », comme dans les films policiers.

— J'ai pu parler à un gars qui a vu les camions où on a chargé tout le bazar.

— Vous avez le nom de la société ?

— Non. Les camions ne fournissaient pas la moindre indication. Aucune inscription dessus, mais la personne qui les a vus m'a dit qu'ils lui rappelaient les camions Pikefrith, sans qu'il puisse expliquer pourquoi exactement. Ça n'évoque rien pour moi, malheureusement.

Pikefrith était une de nos entreprises, cent pour cent propriété du Business, une des rares sociétés européennes spécialisées dans le transport des instruments scientifiques de pointe et du matériel informatique particulièrement fragile. En y regardant de plus près, quelqu'un connaissant bien le design des camions s'apercevait rapidement qu'il ne s'agissait pas de véhicules ordinaires. Les camions Pikefrith bénéficiaient d'une suspension à air. Je me contentai de hocher la tête.

— Oh oui, et les petits beaufs de l'Essex ont tous disparu, eux aussi. Z'ont pas semblé les regretter, dans la boîte. (Son accent était vraiment adorable.)

— Qui diable sont donc ces « petits beaufs de l'Essex », comme vous dites ?

— Ben, c'est le surnom que les gens de Silex leur avaient donné. Ils travaillaient dans cette grande pièce et ne fréquentaient personne. Des mecs qui se la jouaient, d'après certains. Z'ont fait une grosse nouba le vendredi soir et le lundi matin ; envolés. Tous partis.

Je n'y comprenais rien.

— Ils venaient réellement de l'Essex ?

— Ben, ils venaient du sud. De l'Essex ? Peux pas le garantir.

— Freddy m'a dit que vous aviez vu Adrian Poudenhaut là-bas, à l'usine.

— Oui, pas plus tard que la semaine passée.

Je sentis mes yeux se plisser en le regardant.

— Vous êtes sûr que c'était lui ?

— Certain, fit-il en hochant la tête. Je l'ai rencontré plusieurs fois chez Mr Ferrindonald. Je l'ai aidé à sortir les bagnoles, quand il les essayait, ou à recharger son fusil, à la chasse.

— Est-ce qu'il vous a vu ?

— Non, mais c'était lui. Sûr et certain.

Il y a de ces coïncidences…

Nous nous quittâmes et prîmes chacun la route du retour. Je choisis cette fois un itinéraire différent. Le soleil baissait et la nuit s'annonçait. Je disposais d'un bon nombre de kilomètres pour cogiter.

La Lancia était vraiment un rêve à conduire.

Les funérailles d'oncle Freddy se dérouleraient dans trois jours. J'avais tout le temps d'aller faire un tour à Londres.

11

Dans le quartier de Whitehall, à Londres, se tient Suzrin House, seul bâtiment non gouvernemental sur cette partie de l'Embankment. Il donne sur la Tamise et semble toiser le complexe du National Theatre, ce parfait exemple de la frénésie de béton des années 60, tel un vieux briscard surveillant un jeune cow-boy ambitieux fraîchement débarqué en ville. Dans le genre « Je suis moche, et alors ? », son architecture est particulièrement réussie.

Le bâtiment principal, un gros bloc brun sombre en forme de tour rectangulaire, part légèrement vers l'intérieur, séparé quelque peu du fleuve par une annexe en verre dont le toit s'élève depuis les berges de l'Embankment jusqu'au corps principal. Je me suis toujours demandé pourquoi sa silhouette m'était si familière, jusqu'au jour où j'ai compris que c'était la réplique exacte d'une caisse enregistreuse.

Suzrin House se compose en partie de bureaux, en partie d'appartements. C'était là que travaillait Adrian George.

J'avais pris le train d'York à Londres, le lendemain de

la mort d'oncle Freddy, appelant A.G. *en route*[1] pour lui fixer rendez-vous à l'heure du déjeuner.

— Kate, vraiment navré d'apprendre la disparition du vieux Freddy Ferrindonald.

— Oui, c'est bien triste.

— Vous aviez quelque chose en tête, pour le déjeuner ?

— Un restaurant italien, ça me tenterait assez.

— Non, je voulais dire comme ordre du jour.

— Oh non ! Rien de particulier, lui mentis-je.

Nous nous retrouvâmes vers Covent Garden, dans un de ces bistrots français branchés que fréquentait Adrian George. Il n'était pas fanatique de cuisine italienne. Pas très disposé à boire non plus, alléguant une masse de travail l'après-midi. A. G. était plutôt petit, bien habillé, brun, beau garçon. Ses sourcils m'avaient toujours impressionnée, des arcs épais qui se rejoignaient au milieu du front. Mais cette particularité avait dû lui faire rater quelques conquêtes, des filles que leur mère avait mises en garde contre les garçons dont les sourcils se touchent. En tout cas, maintenant, il se rasait le milieu du front. Nous eûmes une conversation plaisante, échangeant surtout les derniers potins de la compagnie. Il faisait partie de ces gens avec qui je m'entends merveilleusement bien par mails, de même que Luce est une amie avec qui je préfère bavarder par téléphone.

Ce n'est qu'en fin de repas que je mentionnai brièvement cette rumeur selon laquelle il aurait aperçu Colin Walker, le chef de la sécurité de Hazleton, à Londres, le mois dernier. Il évita de répondre nettement et parla en riant d'une confusion d'identité. Puis il insista pour payer l'addition.

Je lui proposai de regagner Suzrin House à pied.

---

1. En français dans le texte. *(N.d.T.)*

Il faisait frais et il y avait du vent, mais il ne pleuvait pas. Une promenade sur le Strand et le long de l'Embankment aurait été agréable. Adrian George insista pour prendre un taxi. Il bavarda pendant tout le trajet. Mais j'avais déjà appris ce que je voulais savoir.

Après avoir franchi les services de sécurité du rez-de-chaussée, nous nous séparâmes : A.G. partit vers les étages, rayon cadres supérieurs, et moi vers le sous-sol. Je devais rendre visite à une vieille connaissance.

— Celui-là, c'est un câble de connexion Bell-K.

Allan Fleming était, comme à son habitude, complètement débraillé. Il était cloué sur un fauteuil roulant depuis un accident de montagne remontant à l'adolescence. Il avait une femme adorable, Monica, qui le chouchoutait et veillait chaque matin à ce qu'il soit impeccable en quittant la maison. Mais il ne fallait pas plus de dix minutes, au bureau, pour qu'Allan ressemblât à quelqu'un ayant dormi sous les ponts depuis un mois. Parfois il réussissait la transformation entre le garage – où il rangeait sa Mini spécialement adaptée – et son atelier.

Allan était le petit génie en informatique de Suzrin House. Son atelier, situé dans les sous-sols, au-dessous du niveau de la Tamise même à marée basse, ressemblait à un musée de l'ordinateur, rempli jusqu'au plafond d'un capharnaüm invraisemblable de matériel électronique de toutes les époques, mais principalement ancien, antédiluvien pour les vrais experts – autrement dit, en termes d'informatique, à peu près de notre génération. On s'était connus après l'université, fraîchement recrutés tous les deux par les services de sécurité du Business, avant que je ne me ressaisisse et décide de m'orienter plutôt vers les technologies d'avant-garde.

Allan était responsable de la sécurité informatique, officiellement à Suzrin et dans nos autres officines londoniennes, mais en fait, avec un quarteron d'autres professeurs Nimbus américains aussi doués que lui, partout dans le monde où le Business possédait des modems et des ordinateurs. Allan était, à lui seul, notre plan Vigipirate informatique. S'il n'arrivait pas à s'infiltrer dans nos systèmes, il était peu probable que quelqu'un y parvienne ! C'était à lui que je voulais montrer les prises et tout ce bric-à-brac que David Rennell m'avait rapporté de l'usine Silex.

— C'est quoi, une connexion Bell-K ? lui demandai-je sans pouvoir détacher mes yeux de son cardigan où pas un bouton n'était dans la bonne boutonnière.

— Une prise pour ligne téléphonique spécialisée, dit-il en tournant distraitement dans ses doigts une mèche de ses cheveux bouclés jusqu'à ce qu'elle restât dressée droit sur sa tête. Une ligne terrestre assignée, sans doute. Très grande capacité, surtout pour l'époque. Mieux que l'ISDN. Fabriquée par les laboratoires Bell aux États-Unis, comme on s'en serait douté. Technologie à base de cuivre, cependant. Pour trouver mieux, il faut passer à la fibre optique.

— Elle se situe quand, cette « époque » ?

— Quelques années en arrière.

— Le genre de truc qu'on peut s'attendre à trouver dans une usine de microprocesseurs ?

— Hum…

Allan fit tourner la petite prise dans sa main puis quitta ses lunettes démodées à grosse monture, souffla sur chaque verre qu'il examina successivement en louchant, à la lumière de sa lampe.

— Pas particulièrement, reprit-il. En tout cas, pas pour une ligne téléphonique ordinaire. J'imagine que la plupart des ports parallèles ou de série ou SCI pourraient satisfaire les besoins standard d'un non-spécialiste.

— Mais je pensais qu'il s'agissait justement de spécialistes.

— Oui, comme je te l'ai dit, ce genre de prise correspond à une application téléphonique spécialisée.

— Comme par exemple ?

Allan replaça de travers ses lunettes sur son nez et se balança un moment sur sa chaise, réfléchissant.

— L'endroit où tu pourrais t'attendre à voir cet équipement serait, par exemple, la Bourse ou une boîte qui s'occupe de marché à terme. Tu vois le genre. D'après ce qu'on m'a dit, ils utilisent des lignes terrestres spécialisées de haute capacité.

Je me carrai dans le vieux fauteuil en contreplaqué écaillé et tubes d'acier noirs. Une idée commençait à germer dans ma tête. Je tirai de ma poche la photo Polaroïd du bureau.

— Tu vois ça ?

Allan se pencha en avant pour l'examiner.

— C'est un bureau, conclut-il, ce qui m'avança beaucoup.

Je fis pivoter la photo et l'examinai moi-même.

— Bon sang, mais c'est bien sûr ! m'exclamai-je ironiquement. Maintenant que tu me le dis !

Il me prit la photo de la main et l'étudia de nouveau.

— Oui. Mais avec beaucoup de trous pour les câbles. Et ces étagères supplémentaires ? On dirait le genre de bureau qu'utilisent les traders, ou enfin les gens comme ça, tu ne trouves pas ?

— Oui, c'est ça. C'est ça. Tout à fait ça !

— Kate, merde, je suis en pleine réunion. Qu'est-ce qui se passe de si important pour que tu me déranges maintenant ?

— Je suis chez ton dentiste, Mike. Mr Adatai a des scrupules. Il demande si tu m'autorises à consulter ton dossier dentaire.

— Quoi ? Tu joues de ton autorité hiérarchique pour ça ?

— Écoute, ne m'en veux pas. Je te croyais à Londres. Je ne pouvais pas supposer que tu t'étais envolé pour Francfort.

— Oui, et pour une réunion sacrément importante, nom d'un chien ! Tu peux me dire à quoi ça rime ? Rapido, Kate, s'il te plaît. Il y a des gens importants qui m'attendent.

— Moi aussi, c'est important. Il faut absolument que je voie ton dossier, Michael. Je vais te passer Mr Adatai maintenant. Dis-lui seulement que tu me permets d'y jeter un coup d'œil, et tu pourras retourner à ta réunion.

— O.K., O.K. Passe-le-moi.

Une bouche humaine contient en moyenne trente-deux dents. Mike Daniels avait dû avoir de bons parents qui l'avaient consciencieusement obligé à se brosser les dents après chaque repas et avant d'aller au lit, car il possédait encore toutes ses dents – avec deux plombages seulement sur les grosses molaires inférieures – quand il avait été drogué dans un night-club londonien, un mois plus tôt, le soir où on lui avait arraché la moitié de ses dents avant de l'abandonner dans son propre lit, chez lui, à Chelsea.

J'étais installée dans la chaude et luxueuse salle d'attente de Mr Adatai, pleine de magazines récents : *Vogue* (naturellement, à Chelsea), *National Geographic* (un *must*) et *Country Life* (je ne pus m'empêcher de repenser à la reine douairière dans son lit géant et de frissonner malgré la chaleur).

J'étudiai le diagramme des dents de Mike Daniels. Je notai celles qui avaient été arrachées et celles qui restaient. Je refermai le dossier et, les yeux fixés sur un palmier en pot, je fis un peu de calcul mental.

En base dix, un nombre de dix chiffres. Deux milliards virgule un et des poussières. Pas même besoin de compter sur mes doigts.

Soudain, j'avais la bouche sèche.

En partant, ce jour-là, j'avais pensé dormir à Londres – j'avais prévu le nécessaire dans un sac de voyage –, mais en sortant du cabinet de Mr Adatai, en fait au moment même où le taxi démarrait, je pris la décision de regagner le Yorkshire. J'appelai Miss Heggies pour l'en avertir.

Je dînai dans le train, en tête à tête avec mon portable, naviguant parmi les fichiers sur l'accord de l'île de Pejantan et la Shimani Aerospace Corporation, que j'avais téléchargés. C'était cet accord que Mike Daniels devait partir signer à Tokyo au moment où il avait été dentairement agressé et où il m'avait appelée au milieu de la nuit, complètement paniqué, à Glasgow.

L'île de Pejantan est un bout de rocher couvert de guano quelque part au sud de la mer de Chine, entre Bornéo et Sumatra. Sans manquer de charité, on peut dire que c'est une île totalement dépourvue d'intérêt, à un détail près : elle est située pile sur l'équateur. En la déplaçant de trois kilomètres, on pourrait y faire passer le parallèle 0. Elle se trouve à moins d'une heure de Singapour par avion et sa taille convient parfaitement à nos besoins, ou plutôt à ceux de la Shimani Aerospace, car notre rôle dans l'histoire se résume à celui d'investisseurs. Et elle est inhabitée. Le projet est d'y construire une base de lancement spatial.

Il s'agit là d'un projet de très fort calibre, qui me dépasse un peu, même si mon métier m'a habituée à jongler avec les gros chiffres. Mais, avec les lancements spatiaux, comme avec tout ce qui concerne l'espace, on aborde la mégamoney. Impressionnant ! Actuellement, l'espace représente déjà un très gros business, qui ne fera que grossir dans l'avenir.

Les États-Unis avec la NASA, l'Europe avec l'ESA, les Russes, les Chinois, les Japonais et d'autres concurrents de moindre envergure sont tous à l'affût pour s'emparer des parts du gâteau et mettre la main sur le marché du lancement spatial. Et les entreprises privées entendent bien prendre la fusée en marche, si j'ose dire.

Sans parler de toutes les idées farfelues, comme les ascenseurs géants, canons sur rail et lasers titanesques, il existe à ma connaissance une douzaine de projets différents pour se propulser dans l'espace – par exemple, en utilisant des véhicules équipés de pales d'hélicoptère, avec des fusées au bout des ailes, ou bien… mais peu importe. Ce qu'il faut retenir, c'est qu'il ne s'agit pas d'un seul projet qui pourrait marcher avec un peu de chance. En fait, a priori, tous peuvent marcher !

Quelle que soit la méthode utilisée, les meilleurs sites pour la mise en orbite se situent à l'équateur, ou aussi près que possible. Ce qui explique que la NASA ait choisi pour base le sud de la Floride et que l'Union soviétique ait dû se résigner aux charmes du Kazakhstan. La Terre, par le simple effet de sa rotation, fournit un surplus d'énergie gratuit qui aide à expédier une masse hors de l'atmosphère, ce qui signifie que sur l'équateur on peut envoyer une charge plus lourde, ou utiliser moins de carburant que si le lancement se fait près des pôles.

Une entreprise de lancement spatial – dans laquelle j'ai le plaisir de dire que nous avons investi – a prévu d'utiliser ce phénomène pour son projet de deux navettes spatiales (un navire amiral avec les commandes et les contrôles, un second navire portant les fusées elles-mêmes) capables d'expédier d'énormes charges dans l'espace depuis les océans de la zone équatoriale. Lors de mon avant-dernier voyage en Écosse, j'ai eu le privilège de pouvoir monter à bord de ce navire amiral, alors en cale sèche dans les chantiers de Greenock sur la Clyde. Sur le plan high-tech, c'est le pied absolu ! Évidemment, il s'agit de vraies navettes, construites dans un but dépourvu de tout romantisme ou d'idées héroïques par un consortium bien matérialiste et strictement intéressé par le fric. Mais je dois admettre que j'aurais sérieuse-ment recommandé qu'on y investisse simplement pour leur beauté un peu folle, digne d'un épisode des *Thunderbirds*. Par chance, il se trouve que cela coïncide aussi avec la perspective de juteux dividendes.

Mais on ne peut rien garantir. On s'apercevrait peut-être, à l'usage, que ces navettes avaient des capacités de transport plus limitées que prévu. Aussi, histoire de ne pas mettre tous nos œufs dans le même panier, nous avions décidé de devenir partenaire majoritaire dans le projet Shimani Aerospace-île de Pejantan qui, si tout se déroulait selon le planning, devrait pouvoir lancer dans l'espace, dès 2004, des fusées ultramodernes avec leur précieux chargement de satellites.

Il s'agissait en l'occurrence de structures lourdes, de technologies de pointe, de science d'avant-garde. Le budget du projet était ahurissant, colossal. Et les profits espérés l'étaient aussi, si notre calcul était juste. À grand projet, gros budget, précisément le genre de budget où l'on peut sans problème glisser subrepticement certaines choses.

Par exemple, une petite babiole comme cette station d'observation à Fenua Ua.

Or, pourquoi Fenua Ua ? Pourquoi pas plutôt un de ces endroits tout aussi invraisemblables comme (je consultai une carte du Pacifique) Nauru, ou Kiribati, ou même les Galapagos ?

Tout en dégustant mon café, à la hauteur de Grantham, je me branchai sur mon téléphone mobile et mon modem pour continuer mes recherches sur le Web. Finalement, au moment où le train ayant pris sa vitesse de croisière dépassait Doncaster, au milieu du laïus d'un dossier de presse parfaitement inepte par ailleurs – ce qui prouve qu'on ne sait jamais où l'on va dénicher quelque chose d'utile –, je tombai sur un clip vidéo montrant Kirita Shinizagi, P-DG de la Shimani Aerospace Corporation, en train d'inspecter, cette année, le site de la future station d'observation lors de sa visite dans l'île de Fenua Ua.

« Prochain arrêt : York », annonça le haut-parleur du train, alors que j'avais l'esprit quelque part entre Londres, Tokyo, Fenua Ua et l'île de Pejantan.

Je déconnectai mon téléphone mobile de l'ordinateur. À ce moment précis il sonna, affichant le numéro de Hazleton. J'hésitai, laissant passer deux ou trois sonneries avant de répondre.

— Allô ?

— Kathryn ?

— Oui, Mr Hazleton ?

— Kathryn, je suis tellement navré d'apprendre la triste nouvelle, pour Freddy.

— Merci. Vous allez pouvoir venir à son enterrement ?

— Non, vraiment désolé. Kathryn, vous n'êtes pas trop bouleversée pour réfléchir en ce moment ? Si le moment est mal choisi, nous pouvons remettre cette conversation à plus tard.

— Je pense que j'arrive encore à aligner deux pensées cohérentes, Mr Hazleton. De quoi s'agit-il ?

— Je voulais savoir si vous avez pu faire le point sur votre voyage à Thulahn. Je pensais vous poser la question la dernière fois mais, évidemment, la nouvelle de l'accident de Freddy a tout bouleversé et nous n'avons pas pu terminer cette conversation.

— Oui, c'est vrai. Je me souviens que je m'apprêtai justement à vous demander si vous aviez joué un rôle dans cette proposition de mariage.

— Vraiment ? Je ne comprends pas, Kathryn. Pour quelle raison voudrais-je me mêler de votre vie privée ?

— Laissons tomber, Mr Hazleton. J'ai eu le temps d'y réfléchir depuis. Cette question n'a plus d'importance.

— Je vois. Je dois dire que j'ai été le premier surpris de l'apprendre. Mais j'ai parlé à Suvinder par la suite et il m'a confirmé que sa demande était, qu'elle est toujours en fait, très sérieuse. J'ai cru comprendre que vous l'aviez rejetée. C'est bien triste. Mais c'est votre choix, et après tout c'est à vous de décider. Le prince m'a semblé très affecté par votre réponse.

— Le prince est un type bien, un homme que j'ai appris à connaître et à apprécier, Mr Hazleton. Je l'aime beaucoup, finalement. Mais je ne suis pas amoureuse de lui.

— Dommage, mais c'est la vie. Comme vous pouvez l'imaginer, toute cette histoire complique un peu la situation. Vous réfléchissez toujours à cette autre proposition que Jebbet Dessous et Tommy Cholongai vous ont faite ?

— Oui.

— Parfait. La personne qui acceptera ce poste, quelle qu'elle soit, sera investie d'un pouvoir considérable.

Vous avez peut-être renoncé à devenir la reine de Thulahn, Kathryn, mais vous pourriez bien en devenir une sorte de « président ». Qu'en pensez-vous ? Vous y avez accordé réflexion ? Ou trouvez-vous que les rapports avec Suvinder sont devenus trop gênants, maintenant ?

— Oh, j'y ai réfléchi, Mr Hazleton.

— Vous me semblez bien énigmatique, Kathryn. Quelqu'un est à côté de vous ? Vous ne pouvez pas parler ?

— Il n'y a personne et je peux parler. Je réfléchis toujours à cette proposition de poste à Thulahn.

— Mais vous n'avez pas pris de décision, pas encore, c'est ça ?

— C'est ça.

— Vous ne pouvez vraiment pas nous donner une vague idée de votre réponse ? Nous dire de quel côté penche la balance, pour l'instant ?

— Il y a de très fortes raisons qui me poussent à accepter et autant de raisons qui me poussent à refuser. C'est un équilibre très délicat. Non, vraiment désolée, je ne peux encore rien dire. Mais une fois ma décision prise, je m'y tiendrai.

— Et vous avez une idée du délai qu'il vous faudra ?

— Oh, je pense que quelques jours suffiront.

— Eh bien, j'imagine qu'il faut se résigner à la patience, n'est-ce pas, Kathryn ?

— Oui, navrée.

— Et puis, il y a cet autre problème, vous voyez ce que je veux dire ? Je ne veux pas avoir l'air de mettre la pression, mais il y a une quinzaine de jours... vous vous rappelez ?

— Vous voulez parler de ce film X que vous m'avez fait remettre ?

— Exactement. Je me demandais si vous aviez pris une décision à ce sujet-là.

— Oui. Je viens de me décider.

```
Stephen. Besoin de te parler. Rappelle-moi
dès que possible. Téléphone ou mail.
```

On fit à oncle Freddy des funérailles de Viking. Son cercueil fut posé sur un vieux canot automobile, un de ces modèles en bois verni avec deux rangées de sièges séparées et une poupe qui descend en courbe douce jusqu'à l'eau. On avait rempli le bateau de toutes sortes de produits inflammables et on l'avait ancré au milieu du lac, là où nous avions pêché quelques semaines plus tôt. Beaucoup de gens – une foule nombreuse, finalement, vu le peu de famille de Freddy – s'étaient rassemblés pour assister à la cérémonie.

Un de ses vieux potes du pub du village faisait du tir à l'arc. Il possédait un de ces engins modernes très sophistiqués, plus compliqués qu'un fusil, équipés de multiples contrepoids et accessoires bizarres. Il prit une flèche dont l'extrémité avait été entourée d'une grosse boule de chiffons imbibés d'essence. Un autre copain du pub se chargea d'y mettre le feu et la flèche s'envola en direction du vieux canot. Je n'oublierai jamais le bruit qu'elle fit, fonçant dans l'air frais et clair comme du cristal. Le copain d'oncle Freddy était sans doute un excellent archer, ou bien il s'était exercé avant, car une seule flèche lui suffit. Elle se ficha dans le bois de la coque avec une résonance impressionnante. Des flammes jaillirent, et le feu se propagea à l'ensemble du bateau, l'embrasant d'un seul coup.

Je le regardai brûler, pensant à toutes les lois que l'on était sans aucun doute en train d'enfreindre, ces multiples règlements certainement très britanniques et très raisonnables codifiant la façon légale de se débarrasser des corps. Au diable les règlements. Si l'on ne peut plus plaisanter avec la mort ! Freddy : l'homme qui a su mettre de l'humour dans ses funérailles.

Il m'avait légué un petit tableau, un paysage que j'avais un jour admiré. Le peintre n'était pas célèbre et l'œuvre n'avait aucune valeur commerciale. C'était simplement une toile charmante, quelque chose qui me rappellerait Freddy. Que donner à une femme qui a tout ? Le souvenir de votre indéfectible affection, bien sûr. Alors, faute de pouvoir me laisser un vaste domaine et un château, Freddy m'avait légué encore mieux : un objet que je pouvais glisser dans ma valise et emporter avec moi.

Conformément aux dispositions testamentaires d'oncle Freddy, les Ambianceurs – la division récréative et ludique du Business – avaient été tenus à l'écart de la cérémonie. Je pense que Miss Heggies en avait été soulagée. Mais elle n'avait pas pu s'opposer à la présence de Mrs Watkins. Elles semblaient avoir adopté, cependant, un *modus vivendi* civil. Miss H. avait servi le thé à Mrs W. dans le salon avec une courtoisie juste un cran au-dessus de la politesse glacée. Et, en retour, Mrs W. avait manifesté une timidité et une reconnaissance de bon aloi.

Le Business était représenté par Mme Tchassot, seul niveau-un avec Hazleton à avoir été présent au week-end de Blysecrag trois semaines auparavant. Je demandai à pouvoir lui parler en particulier, et nous allâmes nous asseoir dans l'impressionnante bibliothèque du château. Elle installa élégamment sa petite personne frêle dans un des fauteuils, lissant avec soin les plis de sa jupe noire sous ses cuisses maigrelettes.

— Qu'est-ce qui vous préoccupe, Kathryn ? (Elle jeta un regard autour d'elle, puis sortit un petit étui ressemblant à un poudrier.) Vous croyez qu'on peut fumer ici ? reprit-elle.

— Je n'en sais rien.

— Ça ne vous dérange pas ? demanda-t-elle avec son curieux accent mi-français, mi-allemand.

— Pas du tout.

Elle m'offrit une cigarette que je refusai. Elle l'alluma. Le poudrier était en fait un petit cendrier de poche qu'elle plaça sur la table près d'elle.

— On raconte que vous allez peut-être vous installer à Thulahn, dit-elle en tapotant sa Dunhill sur le rebord du cendrier pour faire tomber une cendre encore inexistante.

Je l'observai, essayant d'évaluer ce que je pouvais lui répondre, rassemblant ce que je savais déjà de Mme Tchassot. Était-elle vraiment proche de Hazleton ? On lui attribuait une liaison avec Adrian Poudenhaut, mais ça ne prouvait rien. Et c'était sa vie privée, après tout. D'ailleurs, qui sait si Hazleton ne se servait pas de Poudenhaut pour la surveiller ?

— J'y réfléchis.

Elle cilla derrière ses petites lunettes.

— D'après la rumeur, le prince vous aurait demandée en mariage, déclara-t-elle en souriant. C'est très intéressant.

— Oui, très. À un moment, je me suis même demandé si toute cette histoire n'avait pas été arrangée.

— Arrangée ? Que voulez-vous dire ?

— Je veux dire que quelqu'un, au plus haut niveau de notre hiérarchie, a dû estimer qu'un accord, légal ou autre, avec le prince n'était pas suffisant pour garantir l'emprise du Business sur Thulahn. Faire en sorte qu'un de nos cadres épouse le prince régnant était la meilleure façon de cimenter cet accord.

— Oui, je vois. Mais vous ne croyez pas que c'est un peu… alambiqué ?

— Pas tant que ça. Les personnes en question ont eu vent de, disons, l'affection que le prince me porte. Et on m'a envoyé des ballons d'essai, par l'intermédiaire de Jeb Dessous et Cholongai. Je n'ai pas compris, sur le moment. J'ai cru qu'ils m'évaluaient simplement pour savoir si je ferais un bon ambassadeur du Business à Thulahn – le prétexte invoqué pour m'envoyer là-bas. Je croyais qu'ils redoutaient que je ne sois pas asssez dévouée à la cause du Business, pas assez intéressée par le pouvoir personnel et par l'argent, pas assez convaincue des vertus du *laisser-faire*[1] capitaliste. Mais en fait, ce qu'ils redoutaient, c'est que je le sois trop. Trop attachée à tout cela.

Elle battit des paupières.

— Je ne crois pas qu'on puisse le redouter.

— Si. Surtout quand vous espérez que la personne en question acceptera de vivre dans un des pays les plus pauvres et les plus sous-développés du tiers monde, en abandonnant une vie très confortable dans l'endroit le plus riche de l'État le plus riche de la nation la plus riche du globe.

— J'ai entendu dire que Thulahn était un pays enchanteur. (Mme Tchassot essaya de persuader un peu de cendre de tomber de sa cigarette.) Je n'y suis jamais allée. (Elle m'observa par-dessus ses lunettes.) Vous me conseillez la visite ?

— Sur le plan personnel ou officiel ?

Elle me regarda, surprise.

---

1. En français dans le texte. *(N.d.T.)*

— J'ai toujours pensé qu'un pays enchanteur ne pouvait s'apprécier qu'à titre personnel.

— Évidemment. Mais, madame Tchassot, puis-je vous demander si tout ce que je vous raconte là est nouveau pour vous, ou si vous avez déjà eu vent de toute cette histoire ?

— Entre nous, Kathryn, si la question qui vous tracasse avait été officiellement discutée à mon niveau, cela reviendrait à me demander de vous révéler les débats du Conseil, et vous savez bien que c'est impossible. (Elle sourit et porta une main à ses cheveux impeccablement tirés en arrière.) Néanmoins, il se trouve qu'à d'autres occasions, des occasions moins officielles, de tels sujets ont été évoqués par les membres du Conseil. Ce qui me permet de vous dire qu'il y a bien eu des rumeurs, effectivement. Par exemple que vous étiez la personne idéale pour nous représenter à Thulahn. Et on a aussi parlé de l'affection du prince comme point positif à cet égard. Pourtant, je ne pense pas que l'un d'entre nous ait imaginé un seul instant que le prince puisse vous demander en mariage. Pour ma part – et j'espère que vous ne le prendrez pas mal –, j'aurais cru que le prince chercherait plutôt à épouser, par volonté personnelle ou par obligation, quelqu'un d'une certaine classe sociale.

— C'est ce que je pensais aussi. Mais apparemment ce n'est pas le cas.

— Hum… très intéressant, aussi. (Elle sembla perplexe.) Vous avez pris une décision ?

— J'ai refusé la proposition du prince.

— Oh ! J'avais entendu dire que vous y réfléchissiez… Eh bien, vous avez peut-être fait le bon choix. Ou le mauvais. Et pour le poste à Thulahn, qu'avez-vous décidé ?

— J'y réfléchis encore.

— Parfait. J'espère que vous n'avez pas refusé la proposition du prince simplement parce que vous imaginiez que nous l'avions poussé à la faire.

— Pas du tout. Je l'ai refusée parce que je ne suis pas amoureuse de lui.

Elle sembla méditer ma réponse.

— Franchement, nous avons beaucoup de chance, remarqua-t-elle, de pouvoir nous marier par amour.

J'eus nettement le sentiment qu'elle ne se laisserait pas aller davantage.

— Est-ce que vous avez entendu parler de l'histoire Silex, madame Tchassot ?

Elle fronça les sourcils. L'histoire Silex ? Non. Qu'est-ce que c'est ?

— Je n'en sais rien. Je pensais que vous pourriez m'en parler.

— Malheureusement non.

— Alors, il faudra que j'en discute avec Mr Hazleton.

— Vous pensez que Mr Hazleton pourrait savoir quelque chose ?

— Peut-être bien. Silex est une usine de microprocesseurs en Écosse et il semblerait qu'il s'y passe des choses bizarres. Je suis allée y mettre mon nez. (Pause.) Apparemment, Adrian Poudenhaut aussi. Je me demande s'il vous en a parlé.

— Pourquoi l'aurait-il fait ?

Elle rougit imperceptiblement. Enfin une réaction ! Soit Mme Tchassot était une actrice extraordinaire, soit elle m'avait dit la vérité jusque-là.

— Moi aussi, j'ai entendu des rumeurs, lançai-je, en affectant un petit sourire timide, les yeux baissés. Veuillez m'excuser de vous avoir embarrassée.

— Adrian et moi sommes très liés, mais nous ne discutons jamais des affaires du Business… comment dire ?… sans raisons.

— J'en suis persuadée. (Je lui adressai un petit sourire que j'espérais amical.) Je pensais avoir une conversation avec Adrian, à ce sujet, mais ne lui en parlez pas. Je m'adresserai à Mr Hazleton.

Nous continuâmes à bavarder un moment et Mme Tchassot fuma encore quelques cigarettes.

— Allô, Mr Dessous ?

— Telman ? Comment diable allez-vous donc ? Qu'est-ce que je peux faire pour vous ? Pourquoi cet appel sécurisé ? Et d'abord, pourquoi vous ne m'appelez pas Jeb, comme je vous l'ai demandé ?

— Je vais bien, Jeb. Et vous ?

— Furax ! Je suis absolument furax.

— Navrée de l'apprendre. Qu'est-ce qu'il y a ?

— Ces salauds de fédéraux m'ont piqué mes Scud, voilà ce qu'il y a !

— Ciel ! Vous voulez dire vos Scud, les missiles ?

— Naturellement. Que voulez-vous que ce soit ? Pourtant, j'étais persuadé d'avoir trouvé la planque infaillible. Mais cette bande de branleurs a dû être renseignée. Il y a un traître dans les rangs, Telman. En tout cas, vous, au moins, vous n'êtes pas sur la liste des suspects. Je ne vous ai jamais dit où je les avais fourrés, hein ?

— Je ne pense pas, non. Où étaient-ils ?

— Dans deux silos à grains. Une idée à moi : silos à grains, silos à missiles. Astucieux, pas vrai ? Je pensais que c'était le dernier endroit où ils iraient fourrer leur sale nez.

— Ce n'est pas ce qu'ils ont fait dans un des épisodes de *Our Man from Uncle* [1] ?

— Quoi ?

---

1. « Des espions très spéciaux », série télévisée des années 70. *(N.d.T.)*

— Je suis sûre qu'il y a un épisode de *Our Man from Uncle* où les méchants cachent des missiles dans un silo à grains. Mais c'est très vieux, évidemment.

— Merde, vous voulez dire que l'idée n'est pas nouvelle ? Pas étonnant qu'ils aient deviné, alors. Jamais regardé ce feuilleton, personnellement. Ça m'apprendra à négliger la culture populaire ! Un de ces guignols du FBI a dû voir le même épisode que vous, Telman. Finalement, on n'a peut-être pas de traître chez nous.

— Eh non !

— Bon, Telman, qu'est-ce qui se passe ?

— Freddy Ferrindonald, Jeb.

— Ah ouais. Navré d'apprendre la nouvelle. Vous avez assisté à ses obsèques ?

— Oui, ça vient de se terminer.

— Bon. Alors, Thulahn… Hazleton m'a dit que vous aviez envoyé paître le prince. Vrai ?

— Non, Jeb. J'ai seulement refusé sa proposition de mariage.

— Revient au même pour un gars, Telman. Z'allez pas me dire que ce bon vieux Suvinder n'a pas encaissé ça comme un direct dans le pif, hein ?

— J'espère bien que non. Nous nous sommes même séparés en excellents termes, à mon avis.

— Telman, n'importe quel gars qui a une once de matière grise au niveau du ciboulot réfléchit dur, et à deux fois, avant de demander une donzelle en mariage. Et, sauf s'il l'a mise en cloque et s'il fait ça par obligation, il se ronge les sangs en attendant sa réponse. Or, votre gars est un prince. Le genre de mec qui doit envisager non seulement son avenir mais aussi celui de son putain de pays tout entier. En plus, comme les gens autour de lui doivent voir les choses – et lui aussi, si ça se trouve –, c'est pour lui une grande faveur, et même un grand sacrifice, de vous demander en mariage ; parce que vous n'êtes ni une lady, ni une princesse, ni rien. Juste un cadre supérieur niveau trois. D'accord, vous avez probablement plus de blé que le prince, mais ça ne compte pas chez ces gens-là. Ce qui compte, c'est la naissance. Un tas de conneries, si vous voulez mon avis, mais c'est comme ça, et même si on vous propulse au niveau deux vous ne resterez qu'une gamine sortie des taudis d'un petit bled d'Écosse.

— Logement social. En Écosse, on appelle ça un logement social, Jeb. Mais je vois ce que vous voulez dire. N'importe comment, j'ai donné ma réponse avec beaucoup de diplomatie et je crois que nous sommes restés bons amis.

— Déconnez pas, Telman !

— Vous ne pensez pas que c'est possible ?

— J'en doute. Vous avez blessé l'orgueil de cet homme. Et puis, si par hasard, un jour, le prince finit par se caser, aucune épouse digne de ce nom ne permettra qu'il reste *copain* avec vous !

— Je ne serai peut-être pas là, de toute façon. J'hésite toujours à accepter ce poste à Thulahn.

— C'est ce qu'on m'a dit. Traînez pas trop, Telman ! On n'a pas l'éternité devant nous... Alors, qu'est-ce que vous allez faire maintenant ?

— D'abord, vous demander si vous avez une idée de ce qui va se passer pour Fenua Ua, lorsque notre accord avec Thulahn sera signé ?

— Par les culottes du petit Jésus, Telman ! Faites un peu gaffe à ce que vous dites. Ce coup de fil a beau être sécurisé ou codé ou je ne sais quoi, faut...

— Je vous demande ce qui va se passer, Jeb.

— Qu'est-ce que vous voulez dire ? Ben, rien. Cette bande d'assistés, ces branleurs – rapaces – bons à rien vont faire cracher tout ce qu'ils peuvent aux

382

Amerloques, British et Frenchies avant que ça se gâte vilain. Et puis, quand on sera tous partis, ils retourneront aux joies de l'inceste et de l'alcool. Qu'est-ce qui vous prend de vous inquiéter pour ces zouaves, merde alors, Telman ! Me dites pas que vous avez pris l'âme d'une bonne sœur au contact de tous ces sherpas et de leurs petits gosses si mignons ? Vous allez peut-être devenir notre représentant à Thulahn, mais pas ambassadeur dans cet ONU de merde ! Putain, secouez-vous, Telman ! Vous voyez, vous finissez par me rendre grossier. Merde alors, qu'est-ce qui vous prend ?

— Jeb ? Mr Dessous ?

— Quoi encore ?

— Jeb, je crois qu'on est en train de se faire *couffabler*.

La ligne devint presque parfaitement silencieuse. Couvrant le léger grésillement du brouillage, j'entendais seulement la lourde respiration de Jeb Dessous. Je m'étais demandé jusque-là s'il connaissait le sens de cette expression remontant à ce fameux Couffable, un de nos responsables qui avait puisé dans les caisses du Business un siècle auparavant. D'après sa réaction, il savait parfaitement de quoi il s'agissait. Il s'éclaircit la voix.

— Z'êtes sérieuse, Telman ?

— Malheureusement.

— Bon. De quelle importance, l'opération ?

— À votre niveau, Jeb.

Nouveau silence.

— Sacrément importante, donc.

— J'ai pensé un moment que vous étiez dans le coup, mais plus maintenant.

— Trop bonne, Telman.

— Mais je n'ai pas encore tous les éléments. Et je ne peux accuser personne. Je tenais seulement à ce qu'une autre personne soit au courant.

— Je vois. Bon. Faites gaffe où vous mettez les pieds, Telman !

— J'essaierai.

Ce soir-là, après les funérailles, une fois l'assistance partie, je m'installai en compagnie de Miss Heggies devant le feu de la cheminée, dans le petit salon attenant à la grande cuisine, pour bavarder un peu, un verre de whisky à la main.

Mme Tchassot avait été conduite jusqu'à l'aéroport de Leeds-Bradford où l'attendait son jet Lear. Les gens du coin avaient fait retraite vers le pub où oncle Freddy avait légué deux briques au gérant, pour permettre aux habitués de célébrer son trépas au cours d'une veillée funèbre dont on se souviendrait. Mrs Watkins était retournée à son hôtel de Leeds. Les quelques rares parents de Freddy – de la famille éloignée – s'étaient éloignés tout à fait malgré une invitation à rester. J'eus nettement l'impression que Miss Heggies était soulagée de leur refus. J'espérais ne pas lui avoir imposé ma présence et, après quelques centilitres de whisky, je lui fis part de mes scrupules.

— Oh, vous ne me dérangez pas du tout, Ms Telman. (Je lui avais proposé de m'appeler par mon prénom, mais elle s'était tortillée comme une écolière et avait secoué la tête, toute gênée.) J'ai toujours eu beaucoup de plaisir à vous accueillir.

— Même ce jour où je suis restée coincée dans le monte-charge ?

— Oh, vous n'étiez pas la première. Ni la dernière.

L'incident remontait à ma deuxième visite à Blysecrag, avec Mrs Telman, lorsque j'avais dix ans. La première fois, j'avais été tellement impressionnée et terrorisée par l'endroit que j'avais à peine osé m'asseoir. La deuxième fois, j'étais déjà un peu plus blasée et j'avais entrepris d'explorer les lieux. Le monte-charge que j'avais choisi pour cette exploration était resté coincé entre deux étages, et il avait fallu plusieurs hommes et deux bonnes heures pour arriver à me dégager. Oncle Freddy avait trouvé l'incident extraordinairement drôle et m'avait fait envoyer des gâteaux et de la limonade. Il avait aussi demandé d'une voix de stentor, à ma plus grande honte, de ne pas hésiter à réclamer un pot de chambre en cas de besoin.

— Est-ce que vous croyez que quelqu'un a déjà exploré tous les recoins de la maison ?

— Mr Ferrindonald l'a fait, tout au début, dit Miss Heggies. Et moi aussi, je pense. Mais je crois qu'on ne pourra jamais être certain de tout connaître.

— Vous ne vous perdez jamais ?

— Pas depuis des années. Remarquez, parfois je dois réfléchir pour savoir où je suis. (Miss Heggies but une gorgée de whisky.) Mr Ferrindonald aimait dire qu'il connaissait des passages secrets qu'il ne me révélerait jamais. Mais je crois qu'il me taquinait. Il a toujours dit qu'il me laisserait un plan dans son testament, mais…

— Freddy va vraiment me manquer, déclarai-je.

Miss Heggies hocha tristement la tête.

— C'était parfois un vrai chenapan, mais c'était un bon patron. Et un véritable ami pour moi.

— J'imagine que vous avez été heureuse qu'il ne se marie pas.

Elle me jeta un regard perçant.

— Heureuse, Ms Telman ?

— Désolée. Ne m'en veuillez pas de vous poser cette question. J'ai toujours considéré que cette maison était la vôtre autant que la sienne. Alors, avec une épouse, vous auriez été contrainte de la partager.

— J'espère que je me serais entendue avec cette dame

aussi bien qu'avec lui, répliqua Miss Heggies, un peu sur la défensive. Bien sûr, tout cela aurait dépendu de la femme, néanmoins j'aurais fait de mon mieux.

— Et si oncle Freddy avait épousé Mrs Watkins, vous croyez que vous vous seriez entendue avec elle ?

Elle détourna les yeux.

— Je le crois.

— Elle m'a semblé assez sympa.

— Oui, assez sympathique.

— Vous pensez qu'elle l'aimait ?

Miss Heggies se redressa dans son fauteuil et lissa ses cheveux de la main.

— Je serais bien incapable de le dire, Ms Telman.

— En tout cas, moi je l'espère, pas vous ? Ce serait réconfortant de savoir que quelqu'un l'a aimé. Tout le monde mérite d'être aimé.

Elle se tut un moment.

— Je pense que nous étions nombreux à l'aimer, chacun à notre façon.

— Vous l'avez aimé, Miss Heggies ?

Elle renifla et contempla le contenu de son verre.

— J'avais beaucoup d'affection pour ce vieux brigand. Est-ce qu'on peut appeler ça de l'amour, je n'en sais rien. (Elle me regarda dans les yeux.) Nous n'avons jamais… eu de liaison… (Elle promena son regard sur les murs et le plafond.) Notre seul lien, c'était cette maison.

— Je vois.

— Enfin, de toute façon, ce n'est pas ma maison. Elle ne l'a jamais été. J'ai toujours été une domestique. Il aurait pu me renvoyer quand il voulait. Notez bien qu'il ne m'en a jamais menacée, non, et il ne m'a même jamais rappelé qu'il pouvait le faire. Mais c'est une chose qui vous reste toujours présente à l'esprit, vous savez.

— Eh bien, maintenant vous êtes tranquille.

Elle acquiesça.

— Mr Ferrindonald a été très généreux de me donner cet appartement et d'assurer mon avenir.

— Vous pensez rester ici lorsque le National Trust aura pris possession du château ?

Elle parut un peu choquée.

— Mais bien sûr !

— Ils proposeront certainement de vous employer. En fait, je pense qu'ils seraient fous de ne pas le faire Vous accepteriez de travailler pour eux ?

— Sans doute… Tout dépend… Si j'avais le sentiment de me rendre utile, j'en serais très heureuse.

— Oncle Freddy en aurait été heureux, à mon avis.

— Vraiment ?

— J'en suis sûre.

Elle regarda autour d'elle une fois encore, inspira profondément et déclara :

— Cette maison, Ms Telman, a été l'amour de ma vie. Depuis bientôt cinquante ans, depuis que j'ai quitté l'école, j'y ai servi votre oncle, sa société, l'armée et la famille Cowle. Je n'ai jamais envisagé de me marier. Je n'en ai jamais eu envie non plus : Blysecrag représentait tout ce que je désirais. (Elle releva la tête.) Il y a des gens, ici, dans le village, qui disent que j'ai raté ma vie, mais je ne suis pas d'accord. Pas du tout. Que les autres s'occupent d'avoir des histoires d'amour, d'avoir des enfants ! Moi, j'ai Blysecrag et je ne l'ai jamais regretté… en tout cas jamais plus d'une heure ou deux, par moments, et encore, pas souvent. (Elle m'adressa un petit sourire furtif, l'air vulnérable.) On a tous nos moments de cafard, pas vrai ? Mais je ne regrette rien et je ne changerais rien si on me le proposait. (Elle éclata de rire et fit tournoyer le whisky dans son verre.) Seigneur, écoutez-moi donc ! Je vais bientôt danser sur la table, si ça continue !

Je levai mon verre.

— À Blysecrag !

Nous portâmes un toast à la vieille maison, et peut-être à toutes les maisons en général.

— Suvinder, allô, c'est vous ?

— Oh, Kathryn, pardon ! Ce n'est pas vous que je voulais appeler. J'ai dû appuyer sur la mauvaise touche, par inadvertance. Heu… Vous allez bien ? Votre voix semble tout endormie.

— Ne vous en faites pas, je vais bien. Et vous aussi ?

— Oui, ça va. Mais il faut que je vous quitte, sinon vous serez fâchée contre moi. Dites-moi que vous me pardonnez de vous avoir téléphoné si tard.

— Je vous pardonne.

— Alors, bonne nuit, Kathryn.

— Bonne nuit, doux prince.

— Oh, Kathryn…

— C'est une citation, Suvinder.

— Je sais. Mais elle m'est destinée ! Je suis sûr de bien dormir maintenant. Bonne nuit, très chère Kathryn.

Le lendemain matin, j'appelai Adrian Poudenhaut. Il se trouvait en Italie où il était parti prendre livraison de sa nouvelle Ferrari, à l'usine de Modène. Il pensait rentrer en Angleterre au volant de son bolide dans un ou deux jours. Je l'informai de mon désir de le rencontrer, et il en parut sincèrement surpris. J'en conclus que Mme Tchassot ne lui avait rien dit. Nous nous fixâmes rendez-vous en Suisse, le jour suivant.

12

Miss Heggies me conduisit à York dans son vieux break. À mon avis, nous souffrions toutes les deux d'une légère gueule de bois. Train jusqu'à Londres (thé correct ; ouvert mon portable sans pouvoir faire plus que jouer sur toutes les combinaisons possibles d'un certain nombre de dix chiffres ; regardé défiler le paysage et conclu que la côte la plus pittoresque de l'est de l'Angleterre se situe au nord d'York et non pas au sud ; passé *Ingénue* de K. D. Lang sur mon Walkman tout en fredonnant dans ma tête. Mais au fait, où as-tu vraiment la tête, Kathryn ?). Taxi jusqu'à Heathrow (chauffeur casse-pieds, incapable de saisir l'allusion « Excusez-moi-je-lis-le-journal », qui ne s'est finalement tu que lorsque j'ai mis mes écouteurs). J'ai écouté *Matapedia* de Kate et Anna McGarrigle tout le long de la M4. Du folk. Inhabituel pour moi, mais sublime. Au bord des larmes pour certains morceaux. Ravalage de façade devant le miroir des toilettes de l'aéroport et reprise en main après une leçon de morale. Vol Swissair Londres-Genève. Service correct et froid mais, comme toujours, impeccable. Limousine BMW série 7, gris argenté, de la compagnie jusqu'à Château-d'Œx. Chauffeur nommé Hans, plus très jeune mais compétent, de l'espèce silencieuse, Dieu merci.

La Suisse, cette terre d'accueil du pognon, m'a toujours inspiré des sentiments ambigus. D'un côté, c'est un pays d'une beauté somptueuse, dans le genre dur, escarpé et enneigé, où tout fonctionne. De l'autre, c'est le pays où l'on vous insulte si vous traversez la rue quand le petit bonhomme est rouge et non vert, même s'il n'y a pas la moindre voiture à l'horizon, et où, si vous dépassez la vitesse autorisée d'un kilomètre à l'heure, on vous rappelle à l'ordre à grands coups de klaxon et appels de phares.

C'est aussi le pays où tous les dictateurs du tiers monde et autres truands de haut vol viennent planquer leur butin après avoir dépouillé leur peuple ou leurs clients. C'est le pays où l'argent retourne à l'argent. Une des nations les plus riches de la Terre, avec des fortunes extorquées aux pays les plus pauvres – qui, une fois saignés à blanc par leurs salopards de dirigeants, s'entendront intimer par le FMI l'ordre d'appliquer la directive « Serrez-vous la ceinture ».

Ce jour-là, sur cette autoroute de Lausanne bourrée de BMW, Mercedes, Audi, Jaguar, Bentley, Rolls, Lexus, etc., la Suisse me parut plus opulente et sûre d'elle que jamais. Seules les montagnes aux sommets enneigés semblaient se tenir à l'écart de tout ce luxe. Pourtant, je ne les percevais plus de la même façon. Ce qui m'a toujours beaucoup plu dans ce pays, c'est qu'il a su domestiquer la plupart de ses montagnes. On peut les escalader en téléphérique, les parcourir en voiture, passer entre elles ou sous elles, ou bien en faire l'ascension dans un tortillard brinquebalant qui vous conduira jusqu'au sommet dans un de ces cafés-restaurants où seuls les prix sont plus vertigineux que le panorama. Et de là, vous pourrez dévaler à ski toutes ces pentes. J'ai toujours beaucoup aimé cette accessibilité, ce refus de traiter chaque pic comme s'il s'agissait d'un domaine tabou, réservé aux seuls alpinistes et à la faune locale. Mais, aujourd'hui, bien qu'appréciant toujours l'idée en théorie, je ne pouvais m'empêcher de comparer défavorablement les sommets bordant le lac Léman aux cimes de Thulahn, et de leur reprocher, précisément, ce côté bâtard et apprivoisé.

« Merde, me voilà devenue "indigène" ! » Un ricanement m'échappa. Hans, mon chauffeur aux cheveux blancs, m'observa dans le rétroviseur, vit que je ne semblais pas requérir son attention, et s'absorba de nouveau dans sa conduite. Je glissai le dernier album de Joni M. dans le Walkman, mais sans vraiment l'écouter.

J'avais laissé mon téléphone mobile sur messagerie jusqu'à Genève et ne l'avais rebranché qu'en montant dans la BMW, sans consulter mes messages. Il se mit à sonner au moment où nous dépassions Vevey, alors qu'on abordait la montée sinueuse vers Château-d'Œx. Je vérifiai le numéro qui s'affichait. Je ne pus retenir un sourire.

— Allô ?

— Kathryn ?

— Oui, Suvinder, comment allez-vous ?

— Très bien. J'ai préféré vous rappeler à une heure plus civilisée. Je m'en veux déjà assez de ne pas avoir pu assister aux obsèques de Freddy. Mais j'avais tant de choses à faire et je venais juste de rentrer. Est-ce que tout s'est bien passé ? Est-ce que tout s'est déroulé comme il… je ne trouve pas le mot juste, comme il convenait ?

— Tout à fait. Des funérailles de Viking. (Je dus

expliquer à Suvinder ce qu'étaient des funérailles de Viking.) Et Miss Heggies vous envoie son meilleur souvenir.

— C'est très aimable à elle. Elle m'a toujours reçu avec beaucoup de gentillesse.

— Personnellement, au début, elle m'intimidait fort, mais j'ai eu une longue conversation très sympathique avec elle, hier soir, précisément.

Je contemplai les montagnes.

— Oui ? Kathryn ? Allô ?

— Excusez-moi. Je disais : une conversation sympathique… Suvinder ?

— Oui ?

— Euh, non. Rien.

J'avais été tentée de lui dire que je pensais retourner très bientôt à Thulahn, mais j'avais peur de le voir prendre cette information pour un encouragement. Aussi je me contentai d'un très neutre :

— Et comment vont mes amis de Thulahn ?

— Oh, tout va bien. Sauf que ma mère a été informée de ma demande en mariage et qu'elle en a été fort contrariée. Du coup, elle ne me parle plus. Rien que pour cela, vous mériteriez ma reconnaissance, à mon avis !

— Suvinder, vous n'avez pas honte ! Vous devriez aller la trouver pour faire amende honorable.

— Je n'ai pas l'intention de m'excuser de cette demande. Ni de la retirer non plus, pas même pour lui plaire. Il faut qu'elle évolue. Qu'elle comprenne que c'est moi qui gouverne. Pas elle.

— Bravo ! Mais vous devriez faire la paix, tous les deux.

— Oui, peut-être. Oui, vous avez raison. J'irai la voir demain, si elle accepte de me recevoir !

— Je lui envoie mon meilleur souvenir. Mais j'imagine que ce serait sans doute manquer de diplomatie que de le mentionner maintenant.

— Je crois qu'il sera plus sage de ne pas en parler pour le moment, effectivement. (Je l'entendis soupirer.) Kathryn, je dois vous laisser.

— D'accord, Suvinder. Prenez bien soin de vous, entendu ?

— N'ayez crainte. Vous aussi.

Un cliquetis, et le téléphone se tut. Je restai immobile à contempler les montagnes, tapotant ce petit boîtier noir et chaud, perdue dans mes réflexions.

Château-d'Œx est, comme je l'ai déjà dit, le plus proche équivalent de notre quartier général mondial. Les bâtiments s'élèvent au-dessus de la ville elle-même, à l'écart de la ligne de chemin de fer. En fait, l'ensemble n'est pas tellement impressionnant : une grosse maison qui semble avoir hésité à devenir un château ou un *Schloss*. Elle est entourée d'un grand terrain, qui semble encore plus grand lorsqu'on l'observe un moment, que l'on suit les murs et les palissades cachés discrètement sur un pan de colline parsemé de résidences et de bâtiments plus modestes. Franchement, Blysecrag est bien plus impressionnant.

Pourtant, ce que l'on voit ici en surface ne représente pas même la moitié de l'ensemble. D'où le surnom d'« Iceberg » que lui ont donné certains.

Dans le crépuscule, la ville de Château-d'Œx semblait aussi riche, propre et ordonnée qu'à l'habitude. Il avait neigé récemment, ce qui ajoutait beaucoup de pittoresque à cette richesse et à cette rigueur. Je suis sûre qu'ils doivent aspirer la neige fondue, par ici. La route qui mène au complexe traverse la voie ferrée et monte en lacet jusqu'à un imposant portail avec maison de gardien dessinée par un grand architecte. Un des trois gardes me reconnut et me fit un signe de tête – mais il vérifia tout de même mon passeport.

Le portail s'ouvrit avec la pesante inertie qui ferait hésiter à utiliser un véhicule plus léger qu'un char d'assaut pour le forcer. Les cylindres de la BMW ronronnèrent le long de l'allée plantée d'arbres, éclairée de lampadaires fantaisie, dont une lampe sur six environ se doublait d'une petite caméra de circuit de surveillance vidéo.

Le château apparut, illuminé avec goût, charmant dans son genre couvercle de boîte de chocolats, niché dans l'écrin noir et blanc des montagnes boisées en arrière-plan. Au-dessus, une route en lacet soulignée par les perles lumineuses de l'éclairage montait vers les autres bâtiments.

Le personnel du château, masculin en majorité, s'activait autour de moi, en tenue blanche, efficace, semblant investi comme Miss Heggies de ce don particulier de se matérialiser et de disparaître à volonté. On m'accueillit avec des courbettes et des claquements de talons ; mes bagages semblèrent se volatiliser, apparemment de leur propre gré ; mon manteau glissa de mes épaules presque à mon insu, et on m'escorta dans le hall baroque et illuminé jusqu'aux ascenseurs rutilants, dans cet état semi-onirique où je me trouve à chacune de mes visites à Château-d'Œx. Je fis un signe aux personnes de ma connaissance, j'échangeai quelques banalités sur mon voyage avec le type en veste blanche qui portait mes bagages, mais tout cela resta comme déconnecté de la réalité. Si on m'avait demandé, en arrivant dans la chambre, de dire en quelle langue je m'étais exprimée, j'en aurais été bien incapable.

Ma chambre donnait sur la vallée et sur la ville en contrebas. Les montagnes avaient pris la couleur de la lune. La pièce était grande – ce que certains hôtels appellent une minisuite –, avec des meubles anciens, deux balcons, un très grand lit, et une salle de bains avec cabine de douche séparée. On avait livré des fleurs, des chocolats, des journaux et une demi-bouteille de champagne. Avec le temps, on devient très sensible à tous ces détails attachés aux privilèges et avantages du Business. Et le niveau de luxe qui vous accueille en arrivant à Château-d'Œx est un baromètre assez exact de votre importance dans la hiérarchie.

Tous ces raffinements correspondaient indiscutablement à un grade niveau-deux. Il n'y avait, certes, qu'une demi-bouteille de champagne mais, après tout, j'étais seule, et par principe on n'encourage pas les invités à trop boire avant le dîner. Et puis la bouteille était millésimée, un gros plus ! Le téléphone sonna : le directeur tenait à s'excuser de ne pas m'avoir accueillie en personne. Je l'assurai que tout était parfait et à mon goût.

Je pris la petite fleur artificielle de Dulsung et la plaçai dans un vase sur la table de chevet. Mais, dans ce cadre, elle semblait minuscule et abandonnée, presque tocarde. Et s'il prenait à la femme de ménage l'idée de la jeter ? Je la mis sur ma veste, à la boutonnière ; là non plus elle ne faisait pas très bon effet. Alors je la fourrai dans la poche intérieure, en coinçant la tige dans le Velcro pour éviter de la perdre.

Le dîner fut servi à huit heures précises dans la salle à manger principale. Il y avait plus d'une centaine de convives, tous liés au Business. Je bavardai avec les plus intéressants avant, pendant et après le repas. Le château fournit, en général, une occasion idéale de connaître les derniers potins du Business. Chacun voulait savoir ce qui se passait à Thulahn. Les questions qu'on me posait donnaient une bonne indication des rumeurs du moment, plus ou moins exactes selon le rang de chacun.

Est-ce que je revenais de Fenua Ua ? (Non.) Est-ce

qu'on prévoyait Thulahn comme solution de rechange, au cas où la négociation avec Fenua Ua capoterait à la dernière minute ? (Je ne pouvais rien affirmer.) Est-ce que je pensais devenir présidente de Fenua Ua ? (Peu vraisemblable.) Est-ce que l'affaire était signée, oui ou non ? (Je ne pouvais vraiment rien dire.) Est-ce que le prince m'avait demandée en mariage ? (Oui.) Avais-je accepté ? (Non.) Il me fallut donc répondre à une avalanche de questions, mais j'eus l'occasion d'en poser aussi. Dans cette ambiance détendue, je me retrouvai, pour finir, assez bien renseignée, provisoirement, sur ce qui se passait dans le Business, certainement autant que n'importe quel cadre de la hiérarchie.

Mme Tchassot, qui disposait d'une maison dans le complexe, assistait au repas et resta pour la soirée. Elle était le seul niveau-un de l'assistance. Nous discutâmes un moment dans le salon, en dégustant un cognac, et elle me parut très aimable. Elle avait l'intention de passer quelques jours dans sa propre résidence, près de Lucerne.

— Adrian m'a dit que vous aviez rendez-vous demain, Kathryn.

— C'est exact. J'ai besoin de lui parler, déclarai-je en souriant. Il semble très fier de sa nouvelle voiture. Une 355, je crois. Plutôt sympa, comme bagnole.

Elle eut un petit sourire.

— Le rouge n'est pas sa couleur, mais il a insisté.

— Mais pour une Ferrari, c'est presque obligatoire, non ?

— Vous allez déjeuner ensemble ?

— Oui, près du col de Grimsel. Un endroit qu'il a recommandé.

Elle sembla hésiter.

— Vous prendrez soin de lui, n'est-ce pas ?

— Naturellement, répondis-je en fixant mon verre.

Mais que voulait-elle dire ? Elle ne s'imaginait tout de même pas que j'avais des vues sur ses fesses grassouillettes ?

— Merci… Il a… beaucoup d'importance pour moi. Il m'est très cher.

— Bien sûr, je comprends. Je ferai en sorte qu'il me quitte en un seul morceau, répliquai-je avec un petit rire. Mais dites-moi, il n'est pas mauvais conducteur, j'espère ? J'avais l'intention de lui demander de m'emmener faire un tour dans la Ferrari.

— Non, non. Il conduit très bien, à mon avis.

— Ah, vous me rassurez ! (Je levai mon verre.) Aux bons conducteurs, alors !

— Aux bons conducteurs !

Dans mon rêve, je me trouvais dans une grande maison entourée de montagnes. Il y avait un beau clair de lune et les étoiles brillaient, mais ce n'était pas le ciel habituel. Je me rappelle avoir pensé qu'on devait être en Nouvelle-Zélande. L'énorme bâtisse s'élevait dans un vaste paysage bosselé de glace, entre deux montagnes. Je ne semblais pas trouver étonnant qu'on ait construit une maison sur un glacier, et pourtant l'ensemble de la construction craquait et vibrait en suivant la lente descente de cette grande rivière de glace qui entraînait dans son sillage tout son environnement immédiat. Les grondements et craquements souterrains s'accompagnaient d'un tintement des chandeliers en diamant, les miroirs s'incurvaient et se déformaient, des fissures apparaissaient au plafond et zébraient les murs en répandant un nuage de poussière. Des domestiques vêtus de combinaisons blanches se précipitaient pour réparer les dégâts dans un bruit d'échelles métalliques, collant des couches de plâtre frais sur les lézardes avec des pinceaux fixés à des manches étincelants qui projetaient une pluie de gouttelettes. Et cela continuait. Nous nous protégions sous des parapluies et arpentions les vastes pièces sonores. Les statues de marbre étaient en fait de vrais êtres humains, piégés sous cette pluie de plâtre.

Des attelages de yaks passaient dans un labyrinthe de tunnels creusés sous la glace et refaisaient surface devant nous, dans cette grande demeure. Leurs gardiens au visage rond et souriant nous remerciaient de leur avoir fourni de la soupe et des tentes plantées à la surface du glacier.

Un homme masqué, dont je savais qu'il fallait me méfier, exécutait des tours de bonneteau avec un chapeau, des tasses et mon petit singe netsuké, encourageant le public amusé à parier. La bouche de l'homme masqué restait visible et il lui manquait des dents. Mais elles n'étaient pas absentes : je remarquais qu'on les avait noircies artificiellement comme pour un maquillage de théâtre.

Je me réveillai, cherchant à me rappeler où je me trouvais. Thulahn ? Pas assez froid. Oui, mais nous étions à l'hôtel. Pourtant, non, ce n'était pas Thulahn. Il me revint l'odeur du Bonheur-Céleste. Le Yorkshire ? Non. Londres ? Non. Château-d'Œx ? Oui, c'est ça. Cette belle chambre. Avec vue sur la vallée. Seule. Personne d'autre avec moi. Je tâtai le lit, tout ensommeillée. Non, personne. Plus de petit singe non plus. Le petit singe est monté au ciel... Tiens, ce n'est pas une ronde enfantine, ça ? Dulsung. Pourquoi n'était-elle pas dans ce rêve ? Et qui était ce « nous », grand docteur blanc ? Bah, ce n'est rien. Il faut dormir.

J'arrivai en avance au col de Grimsel. Je restai assise dans la BMW à attendre Poudenhaut, plongée dans le

Herald Tribune. Le téléphone sonna. C'était Stephen. Enfin !

— Kathryn, bonjour. Désolé pour le retard. Daniella nous a fait une grosse fièvre et Emma était partie chez une copine. J'ai donc dû me taper l'hôpital. Mais elle va bien maintenant. Enfin, ça t'explique le retard.

— Ce n'est pas grave. Je suis ravie de t'entendre.

— De quoi voulais-tu me parler ? Rien de grave, j'espère ?

— Attends, ne coupe pas !

Je sortis de la voiture, battant d'une courte longueur Hans, mon joyeux chauffeur aux tempes argentées, qui s'était précipité pour m'ouvrir la portière. Le temps qu'il remette sa casquette et fasse le tour de la voiture, j'étais presque dehors. Il me tint la portière ouverte pendant que je sortais dans l'air glacé de ce début d'après-midi. La surface du parking, inégale, était recouverte de gravier. Je remerciai Hans d'un hochement de tête tandis qu'il me glissait mon manteau sur les épaules. Puis je m'éloignai de la vieille auberge aux peintures pittoresques et du parking plein de voitures et de cars de tourisme.

— Kathryn ?

Je m'arrêtai près d'un parapet qui surplombait les lacets de la route plongeant dans la vallée en direction de l'Italie.

— Je suis toujours là, Stephen. Écoute, ce que j'ai à t'apprendre est plutôt une mauvaise nouvelle.

— Ah ouais ? (Il ne sembla pas très inquiet, au début.) Mauvaise ? À quel point, mauvaise ?

J'inspirai un grand coup. Je sentis l'air froid et vif traverser mes narines, toucher le fond de ma gorge et paralyser mes poumons.

— Il s'agit d'Emma.

Alors, je me lançai. Il resta silencieux. Je déballai tout : le DVD, les dates et les lieux, le rôle qu'avait joué

Hazleton et la soumission qu'il espérait obtenir de moi en retour. Un bref instant, je me demandai si cela allait vraiment être un choc pour Stephen. Peut-être formaient-ils un de ces couples modernes où l'on se dit tout, et ne m'en avait-il pas parlé de peur que je ne le prenne pour un encouragement. Peut-être aussi que Hazleton, voyant mes hésitations et redoutant mon inaction, avait déjà tout révélé à Stephen.

Mais non. Stephen parut littéralement assommé par mes révélations. Il n'avait rien deviné, ou alors, s'il avait eu parfois des doutes, il les avait considérés comme des hypothèses, des soupçons que la raison accepte mais que l'ego rejette et dont on a même un peu honte.

Il dit seulement « Oui » ou « Je vois » une ou deux fois.

— Stephen, je suis navrée. (Silence.) Le terme est mal choisi, je sais. (Nouveau silence.) J'espère seulement… Écoute, Stephen, ça fait un moment que j'y réfléchis, deux semaines que ça me travaille, que je ne sais pas quoi faire. Je ne sais toujours pas si j'ai bien fait. Toute cette histoire est assez moche, en particulier Hazleton et le rôle qu'il me fait jouer là-dedans. Je tiens à ce que tu saches que j'en suis désolée, que ça ne me plaît pas du tout. J'essaie seulement d'être honnête et franche avec toi. J'aurais pu charger Hazleton de tout t'apprendre sans être personnellement…

— Oh, ça va ! s'écria-t-il d'une voix forte, presque violente ; puis il se reprit : Excuse-moi. D'accord, j'ai compris, Kathryn. Je vois ce que tu veux dire. Tu as fait ce qu'il fallait faire, je pense.

Je fixai le ciel bleu et limpide.

— Tu ne vas pas te mettre à me détester, maintenant ?

— Je ne sais pas ce qui va se passer, Kathryn. Je me sens… je ne sais pas… j'ai le souffle coupé. Comme

quand on te flanque un coup de poing dans le ventre…
mais bien pire, tu vois ?

— Oui, je vois. Stephen, je suis très triste pour toi.

— Oh, écoute, tu as bien fait, j'imagine. Bon Dieu ! (Il
avait la respiration sifflante d'un homme proche du rire
ou des larmes.) Tu parles d'un début de journée !

— Emma est là ?

— Non, toujours absente. Enfin, elle revient
aujourd'hui. Merde, la salope !

— Garde ton calme, d'accord ?

— Hum ? Ouais, ne t'inquiète pas. Au fait, je devrais
te remercier sans doute.

— Écoute, tu me téléphones quand tu veux, promis ?
Respire un grand coup. Et contacte-moi à n'importe quel
moment. Rappelle-moi plus tard. Promis ?

— Ouais, ouais… D'accord. Je te… Au revoir,
Kathryn.

— Au… (Le téléphone cliqueta.) … revoir, Stephen.

Je fermai les yeux. Sur le versant italien, le ronronnement d'un puissant moteur de voiture progressait vers le
col.

Le déjeuner fut décevant. Poudenhaut ne cessa de me
parler de sa voiture, un cabriolet Ferrari 355 rouge vif,
avec capote noire. Il m'avait emmenée au restaurant au
volant de son engin, tout en restant sagement au-dessous
des cinq mille tours-minute parce que, même si on les
rodait en usine, il valait mieux être prudent avec ces gros
moteurs. Hans et la BMW viendraient nous rejoindre
plus tard pour me ramener à Château-d'Œx. Il avait
choisi un restaurant moderne, tout en verre et acier,
niché dans la forêt au-dessus d'un de ces villages
typiques si mignons où toutes les maisons ressemblent à
des horloges à coucou. À l'heure et à la demie, on

s'attendait presque à voir les portes s'ouvrir et Heidi jaillir au bout d'un ressort géant.

Au menu : eau de source et cuisine suisse allemande, pas ma cuisine favorite. Mais au moins, elle laissait de la place pour le dessert, qui se révéla crémeux et chocolaté à souhait.

Poudenhaut arracha son regard à la contemplation de sa Ferrari (il avait exigé une table avec vue sur le parking) pour me demander :

— Au fait, pourquoi vouliez-vous me voir ?

Il fallait marcher sur des œufs, encore une fois.

— Je voulais savoir ce que vous êtes allé faire à l'usine Silex, l'autre jour.

Son gros visage, un peu bouffi, se pétrifia. Sa tasse de café fumait. Puis il cligna les yeux une ou deux fois. Je surveillais sa réaction.

— Silex ? fit-il enfin, tout en remuant d'un air concentré le sucre de son espresso.

— Mais oui, vous savez bien, cette usine de microprocesseurs en Écosse. Qu'est-ce qui vous a conduit là-bas, Adrian ?

Je le vis élaborer sa réponse : il ne fallait pas tout nier. Il fallait opter pour une version assez proche de la vérité.

— Je recherchais quelque chose.

— Quoi ?

— Je n'ai pas le droit de le dire.

— Envoyé par Mr Hazleton ?

Il tourna lentement la cuillère dans sa tasse, puis porta celle-ci à ses lèvres.

— Mmm-hum, fit-il avant de déguster une gorgée de café.

— Je vois. C'est donc qu'il avait des soupçons, lui aussi ?

— Des soupçons ?

— Oui, sur ce qui se passait là-bas.

Il prit un air grave.

— Hum, dit-il en me dévisageant.

— Vous êtes arrivé à une conclusion, Adrian ?

Il haussa les épaules.

— Et vous ?

Je me penchai en avant, le parfum de mon café me titillant agréablement les narines.

— On avait caché certaines choses, dans cette usine.

— Dans l'usine ?

— Oui, c'est l'endroit idéal, quand on y réfléchit. Question sécurité, les usines de composants électroniques constituent une planque du tonnerre. Vous savez ce que valent les puces : davantage que leur poids en or. L'endroit est gardé comme Fort Knox, et puis il y a tout ce cérémonial : cette décontamination qu'on vous oblige à subir avant d'entrer, ce changement de vêtements et cette attente. Impossible d'y pénétrer à l'impromptu. On a amplement le temps de cacher ce qui doit être caché si jamais quelqu'un s'avise de venir y fourrer le nez sans crier gare. De plus, l'endroit regorge de produits toxiques, avec ces liquides corrosifs, ces solvants qu'on y utilise. Tout cet arsenal de guerre chimique que n'importe quel individu sensé tient à garder à distance. Donc, outre ce cinéma habituel imposé par la sécurité classique, gardes, murs, surveillance par caméra vidéo, etc., et la difficulté d'envahir l'endroit rapidement, vous vous trouvez fortement dissuadé de vous balader dans l'usine, ne serait-ce que pour préserver votre petite santé. C'est parfait. C'est vraiment l'endroit idéal pour planquer n'importe quoi. Je suis allée y faire un tour moi-même il y a trois ou quatre semaines mais, bien sûr, je n'ai rien pu y découvrir.

Poudenhaut suivait mes paroles en hochant la tête d'un air grave.

— Oui, oui, nous y avons pensé, nous aussi. Alors, à votre avis, de quoi s'agissait-il ? Ou s'agit-il ?

— Oh, tout a été enlevé maintenant. Mais je crois qu'il s'agissait d'une autre chaîne de montage.

Il battit des paupières.

— Des puces ?

— Que voulez-vous faire d'autre dans une usine de microprocesseurs ?

— Hum, fit-il de nouveau avec un bref sourire. Je vois.

Il pinça les lèvres en hochant la tête et fixa la surface de la table où l'addition venait d'être déposée.

— C'est pour moi, déclarai-je en saisissant la note.

Il étendit la main, trop tard.

— Non, je vous en prie. Laissez-moi faire.

— Mais non ! Je m'en occupe, répliquai-je en cherchant mon sac à main.

Il m'arracha la note.

— Prérogative de l'homme, affirma-t-il en souriant.

Je cachai mes pensées derrière un sourire glacé de circonstance. (« Tu m'as l'air bien soulagé, tout d'un coup, mon ami ! ») Il extirpa de son portefeuille une carte de crédit de la compagnie.

— Donc, Kathryn, selon vous, quelqu'un ferait des entourloupes dans le dos de la boîte. Qui, à votre avis ? La direction de l'usine ? Les gars de Ligence Corporation ? Mais ce sont nos associés, tout de même !

— Évidemment. Et à l'évidence aussi, la direction devait être au courant : on ne peut rien faire sans eux. Pour ma part, je pense qu'il y avait quelqu'un dans les rangs du Business lui-même.

Il sembla inquiet.

— Vraiment ? Oh, bon sang, mais c'est grave alors. Vous avez des soupçons ? Et ce serait à quel niveau ?

— À votre niveau, Adrian.

Il resta figé, la carte de crédit à la main, à mi-chemin du plateau où était l'addition.

— À mon niveau, Kathryn ?

— Eh bien, oui, niveau deux ! finis-je par déclarer en écartant les mains.

— Ah bon ?

On vint enlever le plateau.

— Alors, Adrian, une idée ? Est-ce que Hazleton sait quelque chose ?

Il fit claquer sa langue.

— Nous avons des soupçons, mais il serait prématuré d'en dire davantage à l'heure actuelle, Kathryn.

Je lui laissai le temps de signer le reçu de sa carte avant de lancer :

— Évidemment, il pourrait aussi s'agir d'une conspiration se situant au niveau un. Quelqu'un du niveau de Mr Hazleton, par exemple.

Son Mont Blanc hésita sur la ligne réservée au pourboire. Il arrondit la somme, un peu chichement, et signa.

— Mr Hazleton a envisagé cette éventualité, affirmat-il d'une voix lénifiante, puis il fit un signe au maître d'hôtel. Bon, on y va ?

— Quelle tenue de route, non ? Écoutez-moi ronronner ce moteur, il arrache un peu ! Une vraie petite merveille. Et on entend encore mieux dans un cabriolet, même avec la capote.

— Hum, hum, fis-je.

Je venais de parcourir le manuel. Je le replaçai dans la boîte à gants avec les factures de l'achat et le second jeu de clés de la voiture.

Poudenhaut était un piètre conducteur. Même en considérant qu'il essayait de ménager le moteur, il changeait de vitesse beaucoup trop tôt et n'avait toujours pas maîtrisé les subtilités des rapports. Il prenait très mal ses virages, et le fait que la voiture ait le volant à droite n'excusait pas tout. Il semblait croire qu'une conduite sportive signifiait accélérer dans le virage, donner de brusques petits coups de volant pour reprendre la bonne direction, faire le point et opérer les corrections nécessaires (processus à répéter jusqu'à la ligne droite suivante). Nous sillonnions des routes de montagne aux lacets impressionnants, sans aucune circulation, dans une des plus belles voitures de sport du monde, mais ce genre d'expérience commençait à devenir lassant. Adrian refusait de baisser la capote : il faisait trop froid et des nuages venant de l'ouest avaient déjà amené quelques flocons de neige.

— Je serais ravie d'essayer, dis-je entre deux virages. Vous voulez bien me laisser conduire ? Un petit moment ?

— Eh bien, je ne sais pas... Il y a une histoire d'assurance... (Pour le coup, il semblait vraiment inquiet.) J'aimerais beaucoup vous la passer, Kathryn, mais...

— Je suis assurée.

— Mais, Kathryn, c'est une Ferrari !

— J'ai déjà conduit des Ferrari. Chez oncle Freddy. Il lui est arrivé de me laisser conduire la Daytona, parfois, à Blysecrag.

— Ah oui ? Mais le moteur est à l'avant. C'est une conduite tout à fait différente. La 355 est équipée d'un moteur à position centrale, beaucoup plus chatouilleux quand on frôle un peu les limites.

— Il m'a laissé sa F40, aussi. Et puis, je vous promets de ne pas m'approcher des limites.

Il me jeta un coup d'œil.

— Vraiment ? Il vous a laissée conduire la F40 ?

— Une ou deux fois.

— Il ne me l'a jamais prêtée, à moi. (Il avait l'air boudeur d'un gamin déçu.) C'était comment ?

— Brutal.

— Brutal ?

— Brutal.

On s'arrêta sur une terrasse en arc de cercle et gravillonnée, près du sommet d'un col, juste au-dessus de la limite des arbres.

Il rangea la voiture et resta à tapoter le volant. Puis il se tourna vers moi avec un sourire et se mit ostensiblement à regarder mes genoux. Je portais un tailleur avec un chemisier de soie. Une tenue très professionnelle. Rien de provocant.

— Si je vous laisse conduire la bagnole, qu'est-ce que vous m'offrirez en retour ?

Il posa la main sur mon genou. Une main chaude, légèrement moite.

Je crois que ce fut ce qui me décida. Je pris sa main que je reposai sur sa cuisse et répondis en souriant :

— Nous verrons.

Il me rendit mon sourire.

— Elle est à vous !

Il sortit, et me tint la portière ouverte jusqu'à ce que je sois installée au volant. Le moteur tournait toujours au ralenti. La porte se referma avec un bruit sourd. Je pris mon téléphone mobile dans mon sac et vérifiai rapidement que les appels passaient. Je verrouillai les portes pendant que Poudenhaut faisait le tour de la voiture. Il entendit le déclic, hésita une seconde, puis essaya d'ouvrir la portière côté passager. Il se pencha et tapa contre la vitre de son index replié.

— Hé ? Je peux entrer ?

Il souriait toujours.

Je bouclai ma ceinture.

— Je crois que vous m'avez menti, Adrian.

Je titillai l'accélérateur, faisant monter l'aiguille du compte-tours à quatre mille tours-minute avant de laisser le régime du moteur se calmer.

— Kathryn ? questionna-t-il, comme s'il n'avait rien entendu.

— J'ai dit que vous m'avez menti, Adrian. Je suis persuadée que vous en savez bien plus long que vous ne le prétendez, sur cette histoire de Silex.

— Qu'est-ce que vous me racontez donc, bon Dieu ?

— Vous savez parfaitement de quoi je parle, Adrian. Et j'aimerais beaucoup vous poser d'autres questions sur ce qui s'est vraiment passé là-bas.

Je me penchai vers mon sac, et en sortis un morceau de plastique et de métal que j'agitai dans sa direction.

— En particulier sur certaines activités nécessitant des lignes téléphoniques équipées de petits bidules de ce genre.

Il me fusilla d'un regard noir, puis se redressa et courut vers l'arrière de la voiture. Je l'observai dans le rétroviseur : il ramassa deux grosses pierres sur le bord de la route, revint rapidement les glisser des deux côtés d'une roue arrière en les calant à grands coups de pied. Je me penchai pour ouvrir la boîte à gants. J'en tirai le second jeu de clés, arrêtai le moteur, refermai à clé la boîte à gants et mis le contact. Poudenhaut revint vers la vitre de ma portière en tapant ses mains l'une contre l'autre pour en faire tomber la poussière.

— Ah, ah ! Pas assez rapide, Kathryn ! s'exclama-t-il en se penchant pour m'observer.

Ensuite, il s'assit sur l'aile de la Ferrari, les yeux tournés vers la route. J'entendais très nettement sa voix malgré l'épaisseur de la capote.

— Bon, allez, on va déclarer match nul, dit-il en pivotant sur ses hanches et en m'examinant derrière le pare-brise. Allons, Kathryn, si vous êtes furieuse que je vous aie posé la main sur le genou, si c'est ce qui vous a mise en rogne, on oubliera que ça s'est passé. Je ne sais pas ce que vous me racontez avec cette histoire d'usines Silex et de câbles de téléphone et toutes ces élucubrations, mais on pourrait discuter en adultes raisonnables. Vous vous comportez comme une gamine. Allez, laissez-moi monter !

— Qu'est-ce qui se passait chez Silex réellement, Adrian ? Est-ce que c'était une salle d'opérations boursières ? C'est ça, non ? C'est bien ce à quoi servait cette salle mystérieuse ?

— Kathryn, si vous n'arrêtez pas vos bêtises immédiatement, je serai obligé de… (Il tâta la poche poitrine de sa chemise, mais son téléphone était resté dans la voiture, branché sur le kit mains-libres. Il sourit et écarta ses mains.) Eh bien, je suppose qu'il ne me reste plus qu'à faire du stop. Mais je vous préviens que la police suisse ne sera pas contente du tout, si vous m'obligez à la faire intervenir.

— Est-ce que vous étiez aussi dans le coup, pour Mike Daniels, Adrian ? Ou bien Colin Walker a-t-il agi seul – enfin, mis à part la fille et le dentiste ?

Il me regarda, la bouche ouverte. Il la referma.

— Et cette petite ruse d'envoyer un numéro à Shinizagi en utilisant ce pauvre Mike. Qu'est-ce que c'était ? Un code bancaire ? Un numéro de compte ? À mon avis, c'est plutôt une idée de Hazleton, non ? Il adore ces jeux de nombres, les devinettes, les conneries de ce genre. On peut compter jusqu'à mille en utilisant seulement ses dix doigts, il vous l'a peut-être déjà dit ? Et naturellement, si on utilise les dents d'un mec, on peut compter jusqu'à plus de deux milliards en code binaire, ou transmettre un nombre de dix chiffres.

Poudenhaut se précipita sur la portière côté passager et secoua violemment la poignée.

— Laisse-moi entrer, connasse ! Maintenant, tu vas me laisser entrer, espèce d'enfoirée de petite connasse. Arrête de faire ta maligne et ouvre-moi, ou je déchire la capote !

— Ton couteau suisse est dans la boîte à gants, avec le second trousseau de clés, mon petit Poupou. Oh, au fait, tu m'as bien dit qu'il ne fallait pas dépasser... combien de tours-minute, mon chou ? Cinq mille, c'est ça ?

J'appuyai sur l'accélérateur un peu plus longtemps, cette fois. L'aiguille indiqua rapidement six mille puis sept mille. Le compteur portait une ligne rouge au niveau de huit mille cinq cents tours-minute mais était étalonné jusqu'à dix mille. Le moteur rugit, avec un superbe hurlement métallique à vous glacer le sang, un bruit qui dut se répercuter sur les flancs de montagne et envoyer un nombre de décibels largement supérieur aux limites tolérées dans les cantons suisses.

— Qu'est-ce que vous faites ? cria Poudenhaut. Arrêtez tout de suite !

J'accélérai à nouveau. Le moteur répondit avec docilité, produisant un nouveau rugissement phénoménal.

— Ouille ! On a atteint les huit mille tours cette fois-ci, mon petit Adrian. On est presque dans la zone rouge.

Il avait cessé de secouer la poignée, sans doute de peur de la casser, et s'était éloigné de quelques pas, complètement désemparé, tremblant de peur. Ou de colère. Difficile à dire.

J'écrasai l'accélérateur, jusqu'au plancher cette fois-ci, pendant quelques secondes. Le bruit fut énorme, intense, furieux, comme une troupe de lions rugissant dans votre oreille. L'aiguille du compte-tours flirta brièvement avec la zone rouge, puis redescendit en reprenant le ralenti.

— On est passé dans la zone rouge, ce coup-ci, Adrian. Pas très bon pour le moteur.

— Va te faire foutre, connasse ! Salope, va te faire foutre ! Ce n'est que du métal ! Connasse !

Il semblait au bord des larmes. Il tourna les talons et partit d'un pas martial vers la route, la tête enfoncée dans les épaules. J'attendis qu'il soit sur le macadam, puis j'appuyai à fond sur la pédale et la maintins au plancher quelques secondes. La voiture vibra, le moteur hurla comme un être arrivé aux limites de la torture. Toute personne douée de la moindre sympathie pour la mécanique aurait trouvé l'épreuve insupportable. Je n'étais pas loin d'être dans ce cas. Mais la fin veut les moyens et Adrian avait raison : ce n'était que de la tôle, après tout. Le vacarme était peut-être impressionnant mais le seul à souffrir c'était lui, en fin de compte. Le bruit fit sursauter Poudenhaut, qui se retourna et revint vers la voiture au pas de charge. Il martela le capot de ses poings.

— Arrête ! Arrête ! Arrête ! Ma voiture ! Arrête !

— Tu sens cette odeur, Adrian ? On dirait de l'huile brûlée ou un truc comme ça, tu ne trouves pas ? Oh, regarde ! Il y a un voyant rouge qui s'est allumé sur le tableau de bord. Tu crois que c'est mauvais signe ?

Nouveau rugissement de l'accélérateur. Le moteur émit comme un feulement, un bruit métallique et strident.

— On dirait que le bruit est différent, non ? Très différent, cette fois. Plus… métallique, tu ne penses pas ? Écoute encore une fois.

— Non ! Arrête ! Arrête !

— Tu ferais mieux de répondre à mes questions, Adrian. Je commence à me lasser de ce petit jeu. Je vais finir par laisser mon pied sur la pédale jusqu'à ce que le moteur crache ses cylindres.

— Espèce de sale pute !

— C'est reparti !

— Non, arrête ! Qu'est-ce que tu veux savoir ?

— Plaît-il, Adrian ? dis-je.

Je mis le doigt sur le bouton de commande de la vitre, appuyant très légèrement jusqu'à ce qu'elle s'entrouvre d'un centimètre. Adrian se rua pour glisser ses doigts dans la fente et tenta de baisser la vitre de force. Je pressai à nouveau sur le bouton, et la vitre remonta. Les doigts coincés entre le verre et le cadre métallique de la portière, Adrian poussa un cri.

— Zut ! m'écriai-je. Je ne savais pas que c'était possible avec une bagnole aussi moderne. Je croyais qu'elles étaient toutes équipées d'un système antipincement, pour éviter ces désagréments.

Poudenhaut essaya vainement de dégager ses doigts.

— Putain d'enculée de salope ! Mes doigts !

— Qu'est-ce que tu en penses, Poudenhaut ? Tu crois que Ferrari trouve ce genre de gadget un peu trop bas de gamme ? Ou alors, tout simplement, il est en panne ? À ton avis ? Franchement, on ne peut pas compter sur les Italiens pour la fiabilité. Enfin, peu importe. Tiens, l'aiguille est encore dans le rouge, Poupou !

Nouveau hurlement, rugissement, beuglement du moteur.

— D'accord. C'est bon !

— Quoi ?

Je saisis mon téléphone et étudiai le cadran.

— C'est bon ! Dégage-moi les doigts, merde !

— Pardon, Adrian ? Qu'est-ce que tu as dit ?

Je pianotai sur le mobile, écoutai, puis tapai sur d'autres touches.

— J'ai dit : C'est bon ! T'es sourde ou quoi ? C'est d'accord !

— Quoi ?

Je finis de composer mon numéro, ensuite je tins le téléphone contre la vitre.

— Il faut que tu me répètes ça, Adrian.

— D'accord. C'était bien une salle de marchés.

— Dans l'usine Silex ?

— Ouais. Et alors, merde ? Il arrive aussi qu'on perde de l'argent à la Bourse, tu sais !

— Il est vrai que la valeur des investissements n'est jamais garantie, approuvai-je.

— Mais quelle importance ? C'est fini, maintenant ! On a envoyé l'argent à Shinizagi ! C'est ce qu'il voulait. Mike Daniels avait violé sa fille, il méritait bien pire, ce connard ! Et puis merde, on s'en fout ! Allez, dégage-moi ! Aïe, mes doigts… Putain !

— Toute cette magouille servait à quoi, Adrian ? poursuivis-je en tenant toujours le téléphone pressé contre la vitre. À quoi servait l'argent ? Qu'est-ce qu'il devait en faire, Shinizagi ?

— Je n'en sais rien !

— Oh, oh ! Mauvaise réponse, Adrian. Elle pourrait bien te coûter un nouveau moteur.

J'écrasai le champignon. Le moteur vibra monstrueusement. Indiscutablement, il commençait à faire des bruits bizarres. Je pouvais même apercevoir des volutes de fumées grises, pas très catholiques, dans le rétroviseur.

— J'en sais foutre rien ! Un truc lié à cette histoire de Fenua Ua, peut-être. Mais il n'a rien voulu me dire. Bougre de salope ! Tu m'as brisé les doigts !

— Hazleton ne t'a rien dit ?

— Non, et je n'ai rien demandé ; c'est juste une idée. Une hypothèse.

— Hum, dis-je en baissant la vitre d'un centimètre.

— Sale conne ! s'exclama-t-il d'une voix sifflante en passant ses mains dans l'ouverture pour saisir ma gorge.

Je me reculai prestement et actionnai le bouton de commande. La vitre coinça Poudenhaut au niveau des poignets. Il émit un hoquet de douleur. Ses doigts s'agitaient furieusement, comme des anémones de mer violacées.

Je fouillai mon sac et en retirai une bombe aérosol.

— Pas très malin de ta part, ça, mon petit Adrian ! Une bombe lacrymogène, tu connais ? Très mauvais pour les yeux et les muqueuses. Tu en auras au moins pour une journée. À ta place, je m'écarterais de la voiture… Au fait, j'ai appelé la police. Si tu te calmes, ils accepteront peut-être la version de l'« erreur regrettable ». Sinon, ils vont me trouver en larmes et bouleversée, comme il convient à une pauvre femme que tu viens d'essayer de violer. Mets-toi à leur place : qui vont-ils croire, à ton avis ?

— Salope, sanglota-t-il. J'aurai ta peau, je te le promets !

— Oh non, Adrian, tu n'auras rien du tout. Parce que si tu tentes n'importe quoi, je te ferai bien pire que ça. Maintenant, tu vas te pencher en arrière, avec tout ton poids sur les talons, complètement, jusqu'à ce que seuls tes bras te retiennent. Oui, comme ça.

Je pressai le bouton de commande pour entrouvrir la vitre, puis la refermai aussitôt. Poudenhaut se dégagea et recula en chancelant. Il resta un moment planté par terre à frictionner ses poignets et à masser tendrement ses doigts, le visage strié de larmes. Je tournai le téléphone dans sa direction, pour qu'il puisse bien le voir, et pressai le bouton « Off ». Après quoi, j'appelai le joyeux Hans et lui demandai de venir me chercher.

— Et la police ? demanda Poudenhaut en jetant un regard inquiet vers la route en lacet.

— Ne t'inquiète pas, répondis-je.

Je n'avais pas appelé la police. Seulement un répondeur. Et ce n'était pas une bombe lacrymogène non plus. Simplement un spray Armani. J'indiquai du menton la murette de la terrasse à Poudenhaut.

— Tu devrais aller t'asseoir, mon petit Adrian.

Je coupai le moteur. Il s'éteignit avec un crachouillis et quelques hoquets bizarres à l'arrière.

Poudenhaut se pétrit les doigts en m'expédiant des regards furieux et rageurs. Puis il se résigna à s'asseoir sur le petit mur.

Dix minutes plus tard, Hans faisait crisser les roues de la BMW sur le gravier. Il se rangea de l'autre côté, entre Poudenhaut et moi, sortit et me tint la portière ouverte. Je saluai Adrian d'un geste de la main et montai. Nous redémarrâmes aussitôt. Cent mètres plus loin, je me retournai : Poudenhaut examinait le volant par la portière ouverte du cabriolet. Puis il nous regarda. Alors, je baissai ma vitre et lui lançai les clés de la Ferrari.

— Kathryn ?

— Oui, Mr Hazleton ?

— Je viens de parler avec Adrian Poudenhaut. Il est très perturbé.

— Oui, je crois que je serais très perturbée, moi aussi, à sa place.

— Il semblerait que vous ayez formulé certaines allégations, à mon sujet. Enfin, c'est ce qu'il a semblé dire, bien qu'il soit en état de choc... Ce n'est évidemment pas un témoignage susceptible d'être utilisé devant un tribunal. En fait, c'est plutôt vous, Kathryn, qui risquez de terminer devant les tribunaux. J'ai bien peur que le traitement que vous avez fait subir à ce malheureux garçon ne soit tout à fait contraire à la convention de Genève.

— Où êtes-vous, Mr Hazleton ?

— Où je suis, Kathryn ?

— Oui, Mr Hazleton. Nous nous parlons souvent au téléphone, et généralement vous savez où je me trouve,

415

que ce soit au milieu de l'Himalaya ou sur un vieux rafiot bon pour la casse. Mais, pour moi, vous restez toujours une voix désincarnée apportée par les ondes, qui flotte au milieu de nulle part, dans le vide. Je me demande toujours où vous pouvez être. À Boston ? C'est bien là que vous vivez, aux États-Unis ? Ou à Egham, sur la Tamise, votre résidence en Angleterre ? Peut-être même êtes-vous comme moi en Suisse ! Impossible à dire. Et pour une fois, j'aimerais savoir.

— Eh bien, Kathryn, je suis sur un bateau de pêche, au large de l'île de St. Kitts, dans les Caraïbes.

— Beau temps ?

— Un peu chaud. Et vous, où êtes-vous en Suisse ?

— Dans les jardins du château.

Je mentais. Je n'en étais pas loin, mais pas dans le complexe du château lui-même. Je me tenais dans un petit parc public, charmant mais un peu humide, de la ville de Château-d'Œx. De là, on pouvait apercevoir les bâtiments du château, à travers les arbres, de l'autre côté de la vallée. Si tout se déroulait comme prévu, Hans y était en ce moment même, occupé à rassembler mes bagages dans ma belle chambre aux deux balcons.

Je traversai les dalles caoutchoutées de l'espace de jeux pour aller m'asseoir sur une balançoire. Je surveillais prudemment les alentours – pas tant de peur de voir arriver les gros bras du Business, des hommes comme Colin Walker et sa bande : je redoutais plutôt la venue d'honnêtes citoyens suisses qui ne manqueraient pas de me reprocher d'être assise sur un jeu prévu pour un individu ne dépassant pas un certain poids ni un certain âge. Personne aux environs. J'étais tranquille. Je levai les pieds et commençai à me balancer doucement.

— Parfait, poursuivit Hazleton. Maintenant qu'on a établi où chacun se trouvait, on pourrait peut-être passer à des choses plus sérieuses.

— Ah oui ! Comme vos petites couffableries ?

— Kathryn, vous êtes déjà sacrément dans le pétrin. À votre place, je n'aggraverais pas mon cas.

— Oh non, Mr Hazleton. Je crois que c'est plutôt *vous* qui êtes dans le pétrin. En fait, je crois que vous êtes carrément dans les excréments jusqu'aux amygdales, et plus vite vous laisserez tomber ce ton paternaliste à la noix, style « Allons - voyons - jeune fille », mieux ce sera !

— Quel langage pittoresque vous utilisez, Kathryn !

— Merci. Et je fonctionne à plein régime, ce qui n'est peut-être pas le cas de la Ferrari de ce pauvre Adrian.

— Précisément. Comme je vous l'ai dit, ça l'a beaucoup perturbé.

— C'est la vie ! Bon, laissez-moi vous exposer mon scénario, Mr H. : imaginons un certain cadre supérieur, d'une organisation vénérable mais toujours bien active, spécialisée dans les investissements à long terme. Cet individu crée en douce une salle d'opérations boursières qu'il installe très intelligemment dans une usine dont la sécurité est garantie précisément par l'organisation qu'il va gruger. Il y gagne, oh, je ne sais pas, mais à coup sûr des sommes énormes, une masse de fric, qu'il répartit en plusieurs comptes, sans doute ici, au pays du Toblerone SuperGéant. Puis il transmet un de ces numéros de compte au P-DG d'une grande boîte japonaise par une voie peu orthodoxe, laquelle passe par la bouche édentée d'un quidam. J'oubliais : ce P-DG – selon mes dernières informations – vient de prendre sa retraite et s'est acheté son propre terrain de golf à l'extérieur de Kyoto, ce qui a dû coûter bonbon, vous êtes d'accord ? Cependant, la plus grosse partie de l'argent est destinée à l'acquisition d'un petit morceau de terre plate et entouré d'eaux océaniques, une sorte d'État de poche pour notre cadre entreprenant. L'escroquerie est double, et peut-être même

417

triple. Le Business se fait avoir une première fois, par son propre leurre dans le Pacifique. Et une deuxième fois par…

— Je préfère vous arrêter tout de suite, Kathryn.

— Pourquoi, Mr Hazleton ?

— Laissez-moi vous rappeler que la CIA, ainsi que d'autres organismes américains similaires, surveillent sans cesse les transmissions téléphoniques de la zone des Caraïbes. En principe, ils ne s'intéressent qu'aux trafiquants de drogue, mais je suis persuadé que, s'ils tombaient sur quelque autre information, ils se feraient un plaisir de la transmettre aux ministères concernés.

— Comme le Département d'État ?

— Précisément. Donc, je tiens à vous dire que j'ai compris où vous vouliez en venir, et qu'il n'est pas de ce fait nécessaire d'entrer dans les détails. Tout cela est effectivement fort intéressant – comme hypothèse de scénario, bien sûr –, mais cela nous mène où, exactement ?

— C'est à vous de choisir, Mr Hazleton.

— Et vous pouvez me préciser quel est ce choix, Kathryn ? Je suis sûr que vous en mourez d'envie.

— Mis à part une confession arrachée – et enregistrée, je dois le préciser – sous une certaine contrainte, quelques prises de téléphone d'une espèce particulière et quelques autres preuves annexes, il me faut admettre que mon dossier est bien léger.

— Je vois. Et alors… ? Et pourtant… ?

— Et pourtant, la preuve n'est pas loin. Je suis certaine qu'on arriverait assez facilement à retrouver la piste des petits beaufs de l'Essex, si on y mettait le prix.

— Les petits beaufs de l'Essex ?

— Oui, c'est le surnom que donnaient les vrais employés de l'usine Silex aux petits génies chargés de traficoter pour votre compte dans cette salle secrète.

— Ah, ah.

— Il ne faudrait pas grand-chose pour déclencher une enquête sérieuse, Mr Hazleton. Je ne sais pas si d'autres niveau-un étaient impliqués dans l'histoire, mais j'imagine qu'il suffirait d'en parler à tout le Conseil pour voir s'agiter la fourmilière.

— Ce qui risquerait de faire éclater le Business – s'il y avait d'autres membres du Conseil impliqués, bien sûr.

— Il faudra peut-être courir ce risque, Mr Hazleton. Mais, selon moi, je pense que notre bonhomme agissait seul. Ou avec un ou deux complices, peut-être. Cependant, je ne crois pas que la totalité du Conseil soit dans le coup : sinon, pourquoi s'entourer de ce luxe de précautions ? Bref, de quelque côté qu'on tourne ces hypothèses, la personne derrière cette arnaque se retrouvera, elle, confrontée à de très gros ennuis.

— Évidemment, ces gens pourraient être assez riches pour s'en ficher.

— Ces *gens* étaient déjà assez riches à l'origine pour ne pas avoir besoin de monter une escroquerie pareille. Mais ceux qui organisent ce genre d'arnaque le font souvent simplement pour l'amour de l'art, le plaisir de tirer les ficelles ; pour le jeu, l'excitation d'ajouter un zéro supplémentaire au chiffre déjà considérable de leur fortune. Juste pour prendre un pied d'enfer ! Pas du tout parce qu'ils sont à court d'argent.

— Ne sous-estimez pas l'ambition des riches, Kathryn ! L'un d'entre eux pourrait vouloir un jour défier Rupert Murdoch dans le monopole international des médias, qui sait ? Voilà qui demanderait un sacré paquet de billets !

— Tout comme l'achat d'un terrain aussi coûteux que cette propriété plate et entourée d'eau dont nous parlions plus tôt ! Et pour en faire quoi ? La vendre à quelqu'un qui désire créer son propre État ? Garder l'affaire sous le coude ? Peu importe ! À partir de maintenant, les personnes derrière toute cette opération sont coincées. Démasquées, elles ne peuvent plus rien faire. Trop tard, les carottes et le *haggis* sont cuits !

— Pardon ?

— Proverbe écossais. Vous me suivez toujours, Mr H. ?

— Je crois. Poursuivons un peu le développement de cette trame hypothétique. Par pur divertissement intellectuel, naturellement.

— Naturellement ! D'après moi, il existe peut-être une solution pour tirer notre escroc de cette impasse.

— Ah oui ?

— Si cet individu décidait d'offrir à son organisation les bénéfices de l'affaire qu'il avait montée à ses seules fins personnelles, s'il en faisait cadeau à ses pairs sans attendre autre chose que leurs remerciements, alors je crois que ces personnes seraient étonnées, certes, voire choquées et un peu méfiantes, mais surtout reconnaissantes. Il y aurait bien quelques froncements de sourcils, quelques clins d'œil entendus, mais finalement elles ne seraient sans doute pas trop regardantes sur les origines de cette manne providentielle. Elles accepteraient le don de bon cœur, comme il leur aurait été remis.

— Hum. Évidemment, le généreux donateur s'expose, dans l'avenir, à être surveillé de très près par ses collègues, de peur qu'il n'ait idée de rééditer une de ses machinations diaboliques.

— Ce serait un prix bien faible à payer pour son crime. À défaut de bénéfice, il s'en tirerait au moins sans dommage. Choisir une autre solution serait bien pire. Si j'étais un membre du Conseil, je serais tout à fait en faveur d'une solution *finale* pour ce genre de forfaiture.

— Eh bien, Kathryn, vous êtes vraiment sans pitié ! On ferait mieux de veiller à ce que vous ne parveniez jamais au sommet.

— Oh, j'ai mes faiblesses, Mr Hazleton. J'ai même appris à Stephen la trahison de sa femme sans rien espérer en retour.

— Quel gaspillage d'efforts, Kathryn. Vous auriez pu utiliser cette information de manière beaucoup plus productive.

— Traitez-moi de sentimentale, si vous voulez !

— Comment l'a-il pris ?

— Complètement sonné. Un vrai choc.

— Vous êtes consciente qu'il risque de vous haïr, maintenant ?

— Oui. Mais, au moins, je me sens mieux que si j'avais chargé en douce vos gens de lui apprendre la nouvelle.

— Donc, finalement, vous êtes une parfaite égoïste, Kathryn ? Tout comme moi.

— Exact. Mais sous une forme différente.

— En effet. Eh bien, voilà : supposons que je sois dans la situation que vous avez décrite, j'imagine qu'il vaudrait mieux que mon « cadeau » soit livré le plus rapidement possible, non ? Avant Noël, par exemple.

— Cela me paraîtrait judicieux.

— Mais, à l'évidence, toute cette affaire aura des répercussions sur cet autre endroit auquel nous nous intéressons, ce pays diamétralement opposé sur le plan de l'altitude.

— J'allais y venir.

De ma vie, je n'avais été aussi effrayée. Bien sûr, je connaissais notre façon de fonctionner. J'avais aussi une idée des bornes que le Business ne franchissait pas, du moins dans certaines circonstances. Mais je n'en étais pas sûre. Je me sentais vulnérable dans ce grand parc solitaire, en attendant l'arrivée de Hans et de mes bagages. Et si la conspiration s'étendait au-delà de Hazleton ? Et s'ils étaient tous dans le coup, d'une façon qui m'avait échappé ? Mme Tchassot, et peut-être Dessous et Cholongai ? Cela ne laissait qu'une douzaine de membres du Conseil, dont certains fort ramollis. Et si j'avais trop de monde contre moi, si je menaçais tout leur réseau d'influence, leur base d'opérations ? Si j'avais raté quelque insinuation cruciale, quelque sous-entendu ou menace grave, la veille ? Et si tout mon raisonnement était bancal ?

Je continuai à me balancer, contemplant le château entre le rideau d'arbres. Peut-être y avait-il un tireur embusqué à l'une des fenêtres. Aurais-je le temps d'apercevoir l'œil rouge du laser entre les branches ? Peut-être un commando faisait-il route vers le terrain de jeux pour m'enlever et me faire disparaître dans les oubliettes et les catacombes du château. Peut-être terminerais-je mes jours ratatinée et gâteuse dans notre base antarctique de la Terre de Kronprinzess Euphemia. Peut-être Hans avait-il reçu ordre de faire seulement semblant d'aller vers l'aéroport, puis de m'abandonner sur une route solitaire à un point convenu où je verrais arriver Colin Walker, un peu mal à l'aise, pointant sur moi une arme équipée d'un silencieux...

Étais-je en train de devenir paranoïaque, ou tout simplement sensée ? Des picotements me chatouillèrent le front et je sautai de la balançoire pour me mettre à l'abri des buissons. Je joignis Hans sur mon mobile.

— Oui, Ms Telman ?

— Comment ça se passe, Hans ?

— J'ai fos bagaches, Ms Telman. Je fous retrouve où ?

— À l'agence Avis, en ville. Dans vingt minutes.

— Très pien, j'y serai.

J'allai à pied jusque chez Hertz où je louai une Audi 3. Je pris le volant et garai la voiture dans la rue, en face de chez Avis. Me recroquevillant sur le siège, j'appelai Dessous. Pas disponible. Mme Tchassot, pour lui donner ma version de l'histoire au cas où Poudenhaut lui aurait donné la sienne. Répondeur. Tommy Cholongai. En réunion. Je cherchai le numéro de X. Parfitt-Sholomenides, le type qui avait signé l'accord sur l'île de Pejantan mais qui, selon moi, n'était pas impliqué dans l'arnaque de Hazleton. Contact téléphonique impossible. Je commençais à paniquer sérieusement : je composai même le numéro d'oncle Freddy !

Thulahn. Le prince. Toutes les lignes occupées. Alors, Luce, peut-être ? Luce, je t'en prie... Luce, ne me fais pas le coup d'être absente !

— Ouais ?

— Oh, putain, Luce, merci !

— Quoi ?

— Tu es là !

— Pourquoi ? Qu'est-ce qui se passe, mon chou ?

— Rien : je deviens complètement parano et je viens de commettre un suicide professionnel.

— Bon sang, mais qu'est-ce que tu me racontes ?

Je lui fis un résumé succinct de ce que je pouvais lui raconter. Du coup l'histoire, déjà fort embrouillée, devint encore plus compliquée. Mais Luce sembla en saisir l'essentiel. (Peut-être un peu trop rapidement, même. Et si elle avait, elle aussi, trempé dans le complot ? Et si celle que je prenais pour ma copine n'était qu'une sorte de taupe, infiltrée... Mais c'était vraiment trop dingue. Enfin, espérons-le.)

— Où es-tu, maintenant ?

— Tu n'as pas besoin de le savoir.

— Mais tu es bien en Suisse ? Ou alors tu as commis

l'autodafé de cette pauvre Ferrari sur territoire italien, auquel cas tu es bonne pour la peine capitale.

— Attends une minute. On m'apporte mes bagages.

Je vis Hans ranger la BMW contre le trottoir d'en face. Aucune autre voiture ne semblait le suivre et il n'y avait pas d'autres passagers avec lui. Hans sortit et remit sa casquette tout en jetant un coup d'œil à la vitrine Avis.

Je descendis de l'Audi.

— Continue à parler, Luce, et si je coupe brutalement, appelle la police.

— Quoi ? La police suisse ?

— Oui, ou Interpol, ou ce que tu veux, j'en sais rien !

— O.K. Mais il faudrait que tu me dises où tu es.

— Ah oui, il faudrait... (J'étais en train de traverser la rue, saluée par les coups de klaxon et les gesticulations furieuses des automobilistes.)... Oui, c'est ça ; va te faire foutre aussi, enfoiré !

— Je te demande pardon ?

— Non, ce n'est pas à toi que je parle, Luce. Hans, Hans !

— Tu es sûre que tu vas bien ?

— J'appelais mon chauffeur. Je me trouve à Château-d'Œx, une petite ville du Valais, en Suisse.

— Bon... Mais le chauffeur, ce n'est pas le fameux chauffeur... ?

— Non. Hans, *danke, danke. Nein, nein. Mein Auto is hier !*

— Ms Telman, fous traversez le rue dans le maufais entroit.

— Oui, désolée. Je peux prendre mes bagages ?

— C'est dans la coffre.

— Parfait. Si vous voulez bien l'ouvrir, je m'en chargerai.

— Où est fotre foiture ? Che vais fous conduire.

— Non, ça ira.

— J'inzizte, Ms Telman.

— Bon, ça va. Elle est là, juste de l'autre côté.

— Feuillez brendre place.

— Mais c'est juste en face, Hans ! Je peux traverser tout droit !

— Mais il n'y a pas de passage protégé ! Voyez ! Inztallez-fous dans le foiture.

— Hans, franchement, ce n'est pas la peine. Je vais traverser à pied, O.K. ?

— Mais c'est ztrictement interdit, fous savez !

— Hé, Kate, ça va ?

— Très bien, Luce. Tout va bien jusque-là. Hans, ouvrez moi ce coffre ou alors faites un virage en U.

— Allez, Hans, fais ce qu'elle te dit !

— C'est goi, un firage en U ?

— Un demi-tour. Faites un demi-tour avec la voiture !

— Mais za aussi, c'est ztrictement interdit ici, regardez le panneau.

— Dis donc, il est grave, ton type. Il a sérieusement besoin d'une thérapie. Laisse-moi lui parler, Kate.

— Luce, ferme-la. Hans, écoutez…

— Alors, tu me dis de rester en ligne, mais tu veux que je me taise ?

— Exactement. Hans, je peux récupérer mes bagages ?

— Ms Telman, fous rentrez dans le foiture et che vais fous de l'autre côté de la rue conduire et tout est parfait.

— Non, je rêve, Kate ! Il a vraiment le verbe à la fin de la phrase placé ? Ouaf, ouaf !

— Luce, ce n'est pas le moment…

— S'il fous plaît, Ms Telman.

— Non, Hans.

— Mais pourquoi pas ?

— Parce que je ne *veux* pas monter dans cette voiture.

— Fous ne foulez pas entrer dans le foiture, mais pourquoi ?

— Ouais, au fait, Kate, pourquoi tu ne veux pas monter dans le voiture ?

— Oh, et puis merde ! La torture et la mort ne peuvent pas être pires que cette situation ridicule. O.K., Hans, vous avez gagné. Je vais monter et nous irons en face ; la voiture verte, vous voyez ?

— Oui, che fois. Merzi.

— Tu es dans la bagnole ?

— J'y suis.

— Qu'est-ce qui se passe maintenant ?

— Hans se met au volant. Il enlève sa casquette. Il la pose sur le siège du passager à l'avant. Il met le levier de vitesses en position « Drive ». Il regarde dans les rétroviseurs. On déboîte. À présent, on roule. On descend la rue.

— Super. Les boutiques sont chouettes ?

— Ferme-la… On roule depuis un moment et on n'a toujours pas fait demi-tour. Je commence à m'inquiéter. Hans ?

— Oui, Ms Telman ?

— Pourquoi n'a-t-on pas encore fait demi-tour ? La voiture est dans notre dos.

— C'est interdit. Les panneaux. Regardez : « Interdit. » Là, on peut tourner. Che tourne.

— D'accord, ça va.

— Maintenant, qu'est-ce qui se passe, Kate ?

— On ralentit. On tourne dans une petite rue… puis dans une autre… et une autre… Nous voilà de retour sur la rue principale. Ah, je vois l'Audi ! Super, super.

— C'est quoi cette histoire d'Audi ?

— Ma voiture de location. Bon, on y est. Je sors. Merci, Hans. Non, laissez… Enfin, si vous insistez… Merci. *Vielen Dank. Wiedersehen*, Hans.

— Au refoir, Ms Telman.

— Oui, au revoir et merci. Soyez prudent, Hans !...
Luce ?

— Ouais ?

— Je te remercie.

Traitez-moi carrément de parano : je laissai l'Audi à
Montreux, pris un taxi jusqu'à Lausanne, achetai un
billet (en liquide) pour prendre un TEE jusqu'à Milan,
via le tunnel du Simplon (excellent dîner ; conversation
agréable avec un charmant styliste, terriblement mignon,
et son partenaire, genre brute virile. Me suis relaxée).
J'utilisai à nouveau mon cash pour acheter un billet
classe touriste sur un 747 d'Alitalia, un vol pour Delhi via
Le Caire, en retard. Me suis fait surclasser dans l'avion en
utilisant la carte Amex (personnelle). Hôtesses de l'air
moins sexy mais nettement plus efficaces que sur mon
dernier vol Alitalia, il y a quatre ans. Tentée par le café,
mais ai vaillamment résisté. Première classe si vide qu'on
aurait pu faire toutes sortes de galipettes cochonnes si
partenaire disponible. Au lieu de ça, dodo. Un gros
dodo.

À Delhi, pendant que je faisais la queue pour les
formalités, j'essayai d'appeler Stephen. Le téléphone
sonna, sonna, sonna, comme il le fait lorsque votre
correspondant est bien là, qu'il ne s'est pas mis sur
répondeur ni messagerie, mais qu'il voit votre numéro
s'afficher sur l'écran et refuse de vous parler.

— Non, Stephen, tu ne vas pas me faire ça !
murmurai-je entre mes dents. Décroche le téléphone !
S'il te plaît, décroche...

Mais il ne le fit pas.

J'essayai un autre numéro.

— Mr Dessous ?

— Telman ? Qu'est-ce que c'est que ce merdier ?

— À vous de me le dire, Jeb.

— C'est ce salopard de Hazleton ? C'est lui ce fils de pute qui essaie de nous *couffabler* ?

— Je n'en suis pas sûre, Jeb.

— Il a exigé une REC pour mercredi, en Suisse. Vous avez une idée de ce qu'il veut ?

— Désolée, Jeb, mais qu'est-ce qu'une REC ?

— Une Réunion extraordinaire du Conseil. Vraiment très rare, puisque vous n'en avez jamais entendu parler !

— Parfait.

— Parfait ? Qu'est-ce que vous voulez dire par là ?

— Je trouve parfait que vous ayez une REC en ce moment.

— Et pourquoi donc, nom d'un chien ?

— Il se peut que Mr Hazleton vous réserve à tous une surprise agréable.

— Ah bon ? Ce n'est pas pour vous flanquer à la porte, alors ? J'ai entendu colporter de vilains bruits sur votre compte. Vous auriez agressé ce malheureux Pouddinghead, son nom m'échappe toujours.

— Poudenhaut. À vrai dire, c'est plutôt sa voiture que j'ai agressée.

— Quoi ? Vous avez fait quoi ?

— Je m'en suis servie comme gégène.

— Telman, vous voulez bien m'expliquer ce qui se passe, oui ou merde ?

— Je vais accepter ce poste à Thulahn.

— Parfait.

— Pas forcément.

— Bon, qu'est-ce que vous voulez dire, à présent ?

— Je crois que notre plan concernant Thulahn est trop radical. Trop destructeur.

— Ah oui, c'est ce que vous pensez ? Eh bien, un grand merci de nous avoir fait part de vos impressions,

428

Telman, mais c'est à nous de décider ce qu'on fera à Thulahn. Vous irez là-bas en qualité de conseiller, uniquement, vous saisissez ? Il se peut qu'on vous propulse au niveau deux, mais vous ne ferez toujours pas partie du Conseil. Est-ce que je me suis bien fait comprendre ?

— Sans aucune ambiguïté, Mr Dessous.

— Bon, alors on vous verra à Château-d'Œx, mercredi prochain.

— Probablement pas.

— Qu'est-ce que ça signifie : « probablement pas » ? Ce n'était pas une question, mais un ordre.

— Navrée, Mr Dessous. Je serai à Thulahn.

— Annulez tout.

— Impossible, monsieur. J'ai déjà promis au prince que j'y serais. (Un pur mensonge.) Il m'attend. Pourriez-vous, s'il vous plaît, m'adresser un contrordre, me demandant de ne pas me rendre en Suisse ? Ainsi, ça m'éviterait d'avoir à désobéir à un supérieur. J'ai des tas de choses délicates à négocier à Thulahn.

— Bon Dieu ! O.K. ! Allez donc promener votre cul à Thulahn, Telman !

— Merci, Jeb.

— Bon, il faut que j'y aille. Je dois passer voir comment va mon imbécile de neveu.

— Pourquoi ? Il a des ennuis ?

— Vous n'êtes pas au courant ? On lui a tiré dessus.

— Quoi ? Oh, mon Dieu ! Quand ? Où ?

— Hier, à New York, et dans la poitrine.

— Et il va bien ?

— Non, il ne va pas bien ! Enfin, il n'est pas mort. Et il n'en mourra pas, probablement. Mais il va me coûter une fortune en frais d'hôpital !

— Que s'est-il passé ?

— Les affiches.

— Les affiches ?

— Ouais, j'en avais pourtant vu une. Mais sur le moment, ça ne m'avait pas frappé.

— Comment ? Je ne comprends pas.

— Vous savez que ce connard a toujours voulu avoir son nom en gros titre sur l'affiche ? Eh bien, l'affiche disait : « Dwight Litton – *Un homme à abattre* ».

— Non, ce n'est pas vrai !

— Si. Et un bougre de siphonné l'a pris au pied de la lettre !

Épilogue

Je ne sais pas. Qu'est-ce que qui a vraiment de l'importance dans notre vie ? Nous sommes tous de la même espèce, tous constitués du même assemblage de cellules, tous animés des mêmes besoins primordiaux comme manger, boire, s'abriter. Malheureusement, ensuite, ça se complique. L'autre grand moteur, bien sûr, c'est le sexe, tout de suite après ces priorités absolues. *All we need is love.* Nous avons tous besoin d'amour, dit-on, mais certains semblent pouvoir s'en passer mieux que d'autres. Nous sommes des individus mais nous éprouvons le besoin de nous rassembler. Nous avons des parents, des amis, des alliés ou, en tout cas, des complices. Nous pensons toujours avoir raison et – j'ai beau chercher – il n'existe pas sur Terre de mal ou de stupidité qui n'aient leurs défenseurs ; il n'existe aucun tyran, passé ou présent, qui ne trouve une poignée de crétins fanatiques prêts à le défendre lui, ou sa réputation, jusqu'à leur dernier souffle – ou, de préférence, jusqu'au dernier souffle de leur prochain.

Alors. Alors, quel sens donner à ce que je vais faire ? Cela me semble le bon choix. Mais en suis-je vraiment sûre ? Absolument pas. Cependant, je suis au moins certaine d'une chose : je ne cherche pas à me retrancher derrière des prétextes bidon pour me justifier, comme « Après tout, ce ne sont pas réellement des êtres humains » ou « Ils me remercieront plus tard » ou « C'est eux ou nous » ou « Mon pays avant tout ! » ou « L'Histoire me donnera raison ». Pas besoin de ces alibis glauques et nuls à pleurer.

Je fais ce que je fais parce je suis persuadée qu'à long terme ma décision sera bénéfique, parce qu'à court terme elle n'entraînera aucun mal et parce que, de toute façon, je pourrai toujours faire marche arrière si je m'aperçois que je suis dans l'erreur. Mais je ne le pense pas. Et puis, personne n'en mourra. Personne n'en souffrira. Sauf moi, peut-être, qui vais finir par le regretter, avec le temps. Et avec moi, d'autres personnes sans doute. Mais là encore j'essaierai d'en assumer seule toutes les conséquences désagréables – en espérant qu'il y en aura aussi peu que possible !

Présentée de cette façon, cette décision semble remarquablement dépourvue d'égoïsme. Pourtant, l'ego y joue un rôle important. En même temps, une partie de moi-même se rétracte, horrifiée, et pense : « Tu vas faire QUOI ? C'est QUOI ce délire ? » Parce qu'on peut penser aussi que cela illustre parfaitement ce besoin morbide de sacrifice, cette tendance maso à s'infliger le martyre que, toute mon existence, j'ai tant déplorés chez les femmes. Cela fait des générations et des générations que nous nous soucions des autres, de notre famille, de nos mecs, alors qu'en retour ils ne pensent qu'à eux-mêmes. C'est seulement dans les générations récentes que, devenues capables de contrôler notre fertilité, nous avons pu nous comporter comme les égales des hommes et apporter notre contribution à l'humanité plus avec notre cerveau qu'avec notre corps. Je suis heureuse d'avoir appartenu à ces femmes-là, heureuse d'avoir pu faire reconnaître les mérites d'une moitié de l'espèce humaine autrement que par les apports de notre utérus. Et pourtant, me voici en train de faire marche arrière, du moins en apparence.

Mais que désirons-nous plus que tout, finalement ? La liberté, j'imagine. Et je revendique la liberté de faire ce qui me semble juste en fonction de mes principes, et non en fonction de mon ego ou de ce qu'un homme ferait ou ne ferait pas à ma place.

— Suvinder ?

— Ah, Kathryn ! Où êtes-vous ?

— À l'aéroport de Delhi.

— Delhi ? Vous avez bien dit Delhi ? En Inde ?

— Oui. J'essaie d'avoir un vol pour... Au fait qu'est-ce que vous me recommandez, pour une correspondance avec Air Thulahn ?

— Vous revenez si vite ? J'en suis... je suis sidéré ! Mon Dieu, c'est merveilleux ! Vous allez vraiment revenir ?

— Oui. Alors, pour ce vol ?

— Ah oui. Eh bien, Patna ou Katmandou. Vous me préciserez le vol que vous pourrez prendre et j'enverrai l'avion. Oh, Kathryn, quelle nouvelle formidable ! Vous resterez longtemps ?

— Je ne sais pas. Tout dépend.

— Vous allez rester ici ? À Thuhn ? Vous savez que vous êtes toujours la bienvenue au palais.

— C'est très gentil. J'en serai ravie. Je prendrai mon ancienne chambre, si elle est encore libre. À bientôt.

— Formidable ! Oui !

— Tu me charries !

— Non.

— Tu vas lui dire oui ?

— C'est ça l'idée, Luce.

— La vache… Tu vas devenir une putain de reine ?

— Non, une épouse légitime, suivant tes conseils.

— C'est complètement top délire dingue, ton histoire ! Est-ce que je pourrai être demoiselle d'honneur ?

— Écoute, rien n'est encore fait. Suvinder aura peut-être changé d'avis. Ou il fera marche arrière à la dernière minute, avant de sauter le pas. Il y a des mecs qui sont comme ça : ce qui leur plaît, c'est l'anticipation, pas la réalisation.

— Qu'est-ce que tu me racontes ?

— Tu as raison, je débloque. Sans doute parce que je veux m'éviter une désillusion, au dernier moment. J'angoisse.

— Mais tu es sûre de toi, cette fois-ci ? Tu ne penses pas que tu verbalises tes doutes parce qu'en fait tu ressens, tout au fond de toi, le désir profond de voir capoter cette histoire ?

— Je suis sûre de moi. Ma décision est prise.

— Mais tu n'as toujours pas envie de baiser avec ce mec ?

— Pas follement, mais ce n'est pas le plus important.

— Peut-être, mais tu n'es même pas amoureuse de lui !

— Ce n'est pas le plus important non plus.

— Si ! C'est sacrément important, même !

— Je sais. Et je fais peut-être exactement ce qu'il ne faut pas faire. N'importe comment, je suis décidée à le faire !

— Alors, pourquoi ?

— Parce que c'est un homme adorable. C'est un type bien qui a besoin de quelqu'un comme moi à ses côtés.

— Mais des mecs comme lui, tu en as rencontré des centaines ! Et tu ne les as pas épousés !

— Ils n'étaient pas dans sa position.

— Attends une minute. Donc, au bout du compte, tu l'épouses juste parce que c'est un prince et qu'il va être roi, c'est ça ?

— Euh… oui.

— Par les couilles de Jupiter ! Non seulement c'est, euh… complètement antiromantique, mais c'est aussi parfaitement cynique et d'un égoïsme époustouflant. Merde alors ! Même moi, j'aurais de sacrés scrupules à le faire, et pourtant, dans ce domaine, je suis difficile à battre !

— Non, tu n'as pas compris. Je le fais parce qu'il occupe un poste de pouvoir dans un pays que je connais peu, mais dont je suis déjà tombée à moitié amoureuse. Et parce que c'est un homme bien. Mais son pays va connaître de grands bouleversements. Peut-être pas autant que certains l'espèrent, mais néanmoins Thulahn va changer. Et je ne pense pas que Suvinder soit capable d'affronter la situation tout seul. Et je crois qu'il s'en rend compte, lui aussi. Alors, je m'inquiète de savoir qui va bien pouvoir le conseiller. Est-ce que tu comprends, Luce ? Pour la première fois de ma vie, je suis en mesure d'accomplir quelque chose de bien. Avec le risque d'échouer dans ma tentative.

— En résumé, le pays a besoin de toi, c'est ça, non ?

— En résumé, oui. Un peu prétentieux exprimé de cette façon, mais en gros c'est ça.

— Tu te prends pour qui ? Les petits gars du Peace Corps ?

— Non. Un commando de marines, Luce !

— Je vois… Bon, sérieusement, je peux être demoiselle d'honneur ?

Pip et James – cette fois-ci, je connaissais le nom de
l'équipage – m'emportèrent au loin, par-dessus les
hautes montagnes entre Katmandou et Thulahn. Vol
agité, mais bonne visibilité. Avion partagé avec quelques
moines et beaucoup de fret. Moines très amicaux. Ai fait
de gros progrès en thulahnais. Petits rires gênés et
regards ostensiblement détournés lorsque j'ai revêtu ma
tenue thulahnaise. Arboré ma petite fleur artificielle,
toute pimpante.

Thuhn étincelait sous son manteau de neige fraîche.
Langtuhn Hemblu m'attendait à l'aéroport avec la vieille
Rolls, après l'inévitable atterrissage en piqué kamikaze.
Quelques gamins en bonnets pointus se tenaient autour
de la piste avec leurs parents, mais la majorité des enfants
était à l'école. Pas de Suvinder, retenu par une importante cérémonie religieuse, plus bas dans la vallée.

— Je vous y conduis ? me demanda Langtuhn en
souriant.

— Pourquoi pas !

Nous prîmes la route de la vallée, nous enfonçant dans
les profondeurs cristallines d'un ciel parfaitement bleu
cernant le blanc des immenses montagnes.

Il nous fallut parcourir à pied les derniers cent mètres
qui nous séparaient de la foule bigarrée rassemblée
autour d'un ancien moulin à prières récemment restauré,
une construction de la hauteur d'une maison. Il y avait
beaucoup de monde, beaucoup de drapeaux, de
bannières, de banderoles, de braseros, et des fumerolles
d'encens fumant et flottant dans la petite brise légère. La
foule des Thulahnais, souriants et emmitouflés, s'écarta
sur notre passage pour nous permettre d'approcher de

Prêts actuels pour Bigrat-Viaud, Renée
Wed Feb 29 14:22:03 EST 2012

CODE-BARRES: 32777070904970
TITRE: Ce cadavre n'est pas mon enfant /
RETOUR / STATUT: 2012 MAR 21

CODE-BARRES: 32777020325318
TITRE: Le business / Iain Banks ; tradui
RETOUR / STATUT: 2012 MAR 21

CODE-BARRES: 32777040004708
TITRE: Prochain arret, le paradis : polla
RETOUR / STATUT: 2012 MAR 21

CODE-BARRES: 32777045310005
TITRE: Bancs publics / [François Avard]
RETOUR / STATUT: 2012 MAR 21

CODE-BARRES: 32777030900219
TITRE: Le gardien de phare / Serylo Hallo
RETOUR / STATUT: 2012 MAR 21

prolongé 10 Avril

l'estrade de la cérémonie où se tenaient Suvinder et trois rangées de moines en robe jaune safran. Suvinder, lui-même vêtu d'une tunique brodée de fleurs, descendit du trône qu'il occupait sous un dais et vint à ma rencontre, bras tendus.

— Kathryn, soyez la bienvenue !

— Merci, dis-je en m'inclinant.

Je montai vers lui en acceptant l'aide de ses mains et l'embrassai sur les deux joues. Ses mains étaient sèches et chaudes, et il sentait l'encens. Je chuchotai :

— Si votre demande tient toujours, Suvinder, j'accepte. Ma réponse est oui.

Je m'écartai de lui. Il semblait n'avoir pas compris. Il resta un moment bouche bée, puis ses lèvres s'arrondirent et s'étirèrent en un grand sourire. Ses yeux pétillaient. Les drapeaux et les banderoles claquaient autour de nous. Des centaines de visages nous observaient. Un peu plus loin, le moulin à prières, toujours entravé par des cordes et des câbles, attendait le moment de sa libération en gémissant sous les assauts du vent. Suvinder acquiesça d'un hochement de tête, visiblement incapable de prononcer un mot. Ensuite, prenant ma main dans la sienne, il me conduisit jusqu'au dais de la plate-forme.

On m'offrit un siège pour que je puisse assister à la fin de la cérémonie au côté du prince.

La tradition voulait que chaque invité jetât quelque chose en offrande dans le feu. Lorsque vint mon tour, je tirai de ma poche deux petits disques brillants et je les lançai dans les flammes.

Pour en savoir plus
sur les éditions Belfond
(catalogue complet, auteurs, titres,
extraits de livres),
vous pouvez consulter notre site Internet :

www.belfond.fr

Impression réalisée sur CAMERON par

BUSSIÈRE CAMEDAN IMPRIMERIES

GROUPE CPI

*à Saint-Amand-Montrond (Cher)
en septembre 2001*

N° d'édition : 3747. N° d'impression : 013901/1.
Dépôt légal : septembre 2001.

Imprimé en France

Ville de Montréal

Feuillet de circulation

BAN ACADIE

À rendre le		
6 MAR 02		
1 AVR		
27 AVR 02		
17 MAI 02		
29 MA		
DEC '02		
20 MAI '03		
2 JUIL '04		
1 DEC '04		

06.03.375-8 (05-93)